Pittacus Lore

De opkomst van Negen

A.W. Bruna Fictie

Oorspronkelijke titel
The Rise of Nine

Vertaling
Aldert Geerlings
Omslagbeeld
Getty Images
Omslagontwerp
Wil Immink Design

ISBN 978 94 005 0207 9
NUR 285

Dit boek is gedrukt op papier dat het keurmerk van de Forest Stewardship Council (FSC®) mag dragen. Bij dit papier is het zeker dat de productie niet tot bosvernietiging heeft geleid. Een flink deel van de grondstof is afkomstig uit bossen en plantages die worden beheerd volgens de regels van FSC. Van het andere deel van de grondstof is vastgesteld dat hiervoor geen houtkap in de laatste resten waardevol bos heeft plaatsgevonden. Daarom mag dit papier het FSC Mix label dragen. Voor dit boek is het FSC-gecertificeerde Munkenprint gebruikt. Dit papier is 100% chloor- en zwavelvrij gebleekt en wordt geleverd door Arctic Paper Munkedals AB, Zweden.

Alles in dit boek is waar gebeurd.

Om de Loriën te beschermen, die zich nog steeds schuil houden, zijn namen van plaatsen en personen veranderd.

Er bestaan werkelijk andere beschavingen.

Sommige daarvan proberen jullie te vernietigen.

1

Zes

6A. Serieus? Ik kijk naar de instapkaart in mijn hand, die in grote letters aangeeft waar ik moet gaan zitten en ik vraag me af of Crayton deze stoel met opzet heeft gekozen. Het zou het toeval kunnen zijn, maar na alles wat er de afgelopen tijd gebeurd is, geloof ik niet meer zo in het toeval. Het zou me niet verbazen als Marina achter me ging zitten, in rij 7, en als ik Ella over het gangpad naar rij 10 zag lopen. Maar nee, de twee meisjes ploffen zonder ook maar iets te zeggen naast me neer, en beginnen net als ik iedereen die het toestel binnenkomt aandachtig op te nemen. Als je wordt opgejaagd, ben je voortdurend op je hoede. Je weet nooit wanneer er plotseling Mogadoren opduiken.

Crayton zal als laatste aan boord gaan, nadat hij heeft toegekeken wie er verder nog zijn ingestapt, en pas als hij het gevoel heeft dat deze vlucht absoluut veilig is.

Ik trek het schuifje voor het raam omhoog en kijk toe hoe de grondmedewerkers druk heen en weer lopen onder het toestel. In de verte zie ik het vage silhouet van de stad Barcelona.

Marina's knie gaat verwoed op en neer naast die van mij. De veldslag tegen een heel leger Mogadoren gisteren bij het meer, de dood van haar Cêpaan, de vondst van haar kist – en nu zal ze voor het eerst in bijna tien jaar de stad verlaten waarin ze haar kinderjaren heeft doorgebracht. Ze is zenuwachtig.

'Alles goed?' vraag ik. Mijn haar, dat sinds kort blond is, valt voor mijn gezicht en ik schrik op. Ik was vergeten dat ik het vanochtend geverfd heb. Dit is maar één van de vele veranderingen die zich de afgelopen achtenveertig uur hebben voorgedaan.

'Iedereen ziet er normaal uit,' fluistert Marina, terwijl ze haar ogen op het drukke gangpad gericht houdt. 'Voor zover ik kan zien, zijn we veilig.'

'Mooi, maar dat is niet wat ik bedoelde.' Zachtjes zet ik mijn voet op die van haar, zodat haar knie ophoudt met wippen. Ze werpt me een verontschuldigend glimlachje toe en richt haar aandacht dan weer op de instappende passagiers. Een paar seconden later gaat haar knie weer op en neer. Ik zie het hoofdschuddend aan.

Ik heb met Marina te doen. Ze heeft opgesloten gezeten in een afgelegen weeshuis, met een Cêpaan die weigerde haar te trainen. Haar Cêpaan was uit het oog verloren waarom we op de Aarde zijn. Ik doe mijn best om haar te helpen en de lege plekken in te vullen. Ik kan haar leren hoe ze haar kracht moet beheersen, en wanneer ze haar Erfgaven moet gebruiken. Maar ik probeer haar eerst te laten zien dat ze me kan vertrouwen.

De Mogadoren zullen boeten voor wat ze hebben aangericht. Omdat ze zo velen die ons dierbaar waren, zowel hier op Aarde als op Loriën, uit ons midden hebben weggerukt. Het is mijn persoonlijke missie om ze tot op de laatste toe te vernietigen, en ik zal ervoor zorgen dat ook Marina wraak kan nemen. Niet alleen is zij net haar beste vriend, Héctor, kwijtgeraakt in de strijd bij het meer, maar net zoals die van mij, is haar Cêpaan vlak voor haar neus vermoord. Dat zullen we allebei voor eeuwig met ons meedragen.

'Hoe gaat het, Zes?' vraagt Ella, en ze leunt over Marina heen.

Ik kijk weer uit het raam. De mannen onder het toestel beginnen hun apparatuur weg te halen, en ze zijn bezig met de allerlaatste controles. 'Tot nu toe gaat alles goed.'

Ik zit recht boven de vleugel, en dat geeft me een prettig gevoel. Meer dan eens heb ik mijn Erfgave moeten gebruiken om een piloot uit een netelige situatie te redden. Eén keer, boven zuidelijk Mexico, heb ik mijn telekinese gebruikt om het toestel twaalf graden naar rechts te duwen, slechts enkele seconden voordat we tegen een berg zouden zijn gevlogen. Vorig jaar heb ik 124 passagiers veilig door een venijnig onweer boven Kansas weten te loodsen door het toestel te omhullen met een ondoordringbare wolk koude lucht. We schoten door de storm als een kogel door een ballon.

Als het grondpersoneel naar het volgende toestel gaat, volg ik Ella's blik, die nu op het begin van het gangpad is gericht. We zitten allebei ongeduldig te wachten tot Crayton aan boord komt. Dat betekent dat alles in orde is, voorlopig in elk geval. Elke stoel is bezet, op de stoel achter Ella na. Waar blijft ie nou? Snel kijk ik weer naar de vleugel, en ik speur de omgeving af op alles wat ongewoon is.

Ik buk me om mijn rugzak onder de stoel te duwen. Die is vrijwel leeg, en laat zich dus makkelijk dubbelvouwen. Crayton heeft hem voor me gekocht op de luchthaven. We moeten er alle drie uitzien als normale tieners, zegt hij, als middelbare scholieren die bezig zijn met een excursie. Daarom heeft Ella een biologieboek op haar schoot liggen.

'Zes?' vraagt Marina. Ik hoor hoe ze zenuwachtig haar veiligheidsgordel vastklikt en onmiddellijk daarna weer losmaakt.

'Ja?' antwoord ik.

'Je hebt weleens eerder gevlogen, hè?'

Marina is maar een jaar ouder dan ik. Maar met die ingetogen, peinzende blik in haar ogen en haar nieuwe, verfijnde kapsel, waarbij haar haar tot vlak onder haar schouders komt, kan ze zich zonder moeite als een volwassene voordoen. Op dit moment zit ze echter op haar nagels te bijten en trekt ze haar knieën op tegen haar borst als een bang kind.

'Ja,' zeg ik. 'Het is niet zo erg, hoor. Als je je ontspant is het eigenlijk best wel gaaf.'

Terwijl we daar zo zitten, moet ik denken aan mijn eigen Cêpaan, Katarina. Niet dat ik ooit samen met haar in een vliegtuig heb gezeten. Maar toen ik negen jaar oud was, zijn we in een steegje in Cleveland ternauwernood aan de dood ontsnapt toen een Mogadoor probeerde ons te vermoorden. Toen het voorbij was, waren we allebei overdekt met een dikke laag as. We waren heel erg geschrokken en Katarina besloot dat we naar Zuid-Californië moesten verhuizen. Onze vervallen bungalow met twee verdiepingen stond niet ver van het strand, en lag vlak bij Los Angeles International Airport. Elk uur kwamen er wel honderd vliegtuigen met brullende motoren overvliegen, zodat Katarina voortdurend haar lessen moest onderbreken, en ik ook voortdurend werd gestoord als ik eens even vrij had. In mijn vrije tijd speelde ik met mijn enige vriendinnetje, een mager buurmeisje dat Ashley heette.

Zeven maanden lang heb ik onder de aanvliegroute gewoond. 's Ochtends waren de vliegtuigen mijn wekker, want ze kwamen met brullende motoren recht over mijn bed gevlogen zodra de zon opkwam. 's Avonds waren ze onheilspellende geestverschijningen die me waarschuwden dat ik wakker moest blijven, dat ik erop voorbereid moest zijn om elk moment het dekbed van me af te werpen en een paar seconden later in de auto te springen. Omdat Katarina me nooit ver van huis liet gaan, vormden de vliegtuigen ook de soundtrack van mijn vrije middagen.

Op een van die middagen, net toen een reusachtig toestel dat overkwam de limonade in onze plastic bekertjes heen en weer liet schudden, zei Ashley: 'Volgende maand ga ik met mijn moeder bij mijn opa en oma op bezoek. Ik heb er zo'n zin in! Heb jij weleens in een vliegtuig gezeten?' Ashley zat voortdurend te vertellen over alle plekken waar ze naartoe was geweest en wat ze allemaal met haar familie deed. Ze wist dat Katarina en ik dicht bij huis bleven, en ze hield ervan om op te scheppen.

'Eigenlijk niet,' zei ik.

'Hoezo "eigenlijk niet"? Of je hebt weleens in een vliegtuig gezeten, of je hebt het niet. Geef het nou maar toe. Je hebt nooit gevlogen.'

Ik herinner me nog dat ik mijn gezicht rood voelde worden van schaamte. Haar woorden hadden hun uitwerking niet gemist. Een tijdje later zei ik: 'Nee, ik heb nooit in een vliegtuig gezeten.' Ik wilde haar vertellen dat ik wel aan boord was geweest van een veel groter toestel, dat heel wat indrukwekkender was dan zo'n stom vliegtuigje. Ik wilde haar vertellen dat ik met een ruimteschip van de planeet Loriën naar de Aarde was gekomen, en dat we meer dan honderd miljoen kilometer hadden afgelegd. Maar dat zei ik toch maar niet, want ik wist dat ik het bestaan van Loriën geheim moest houden.

Ashley lachte me uit. Zonder gedag te zeggen, ging ze naar huis om op haar vader te wachten, die straks thuis zou komen van zijn werk.

'Waarom hebben we nooit in een vliegtuig gezeten?' vroeg ik die avond aan Katarina, terwijl ze door de jaloezieën voor het raam in mijn slaapkamer naar buiten tuurde.

'Zes,' zei ze, en voordat ze zichzelf verbeterde, draaide ze zich naar me toe. '... Veronica, bedoel ik, vliegen is voor ons te gevaarlijk. Daarboven zouden we in de val zitten. Je weet toch wat er zou kunnen gebeuren als we hoog in de lucht zaten en er dan pas achter kwamen dat er Mogadoren aan boord waren?'

Ik wist precies wat er dan zou kunnen gebeuren. Ik kon me maar al te goed voorstellen wat een chaotische toestanden dat zou opleveren, de andere passagiers die gillend probeerden weg te kruipen onder hun stoelen, terwijl een paar reusachtige buitenaardse soldaten met getrokken zwaard over het gangpad renden. Maar dat weerhield me er niet van om eens iets doodgewoons te willen doen, zoiets wat iedereen deed, en gewoon met het vliegtuig van de ene stad naar de andere te gaan. Mijn hele leven op Aarde was ik niet in staat geweest om allerlei dingen te doen die voor andere kinderen van mijn leeftijd vanzelfsprekend waren. We bleven slechts zelden lang genoeg op één plek om me de gelegenheid te geven andere kinderen te leren kennen, laat staan om vrienden te maken – Ashley was het eerste meisje dat van Katarina ooit bij ons thuis had mogen komen. Soms, zoals in Californië, ging ik niet eens naar school, omdat Katarina dacht dat dat veiliger zou zijn.

Ik wist natuurlijk waarom dat allemaal nodig was. Meestal maakte ik me er niet al te druk om. Maar Katarina kon wel zien dat Ashleys neerbuigende houding me dwarszat. Toen ik daarna dagenlang helemaal niets zei, moet dat voor haar een kwelling zijn geweest, want tot mijn verrassing kocht ze twee retourtjes naar Denver voor ons. Het maakte niet uit waar we naartoe gingen – ze begreep wel dat ik gewoon eens wilde vliegen.

Ik vertelde het meteen aan Ashley.

Maar op de dag dat we zouden gaan, begon Katarina te aarzelen. We stonden in de vertrekhal en ze maakte een nerveuze indruk. Ze streek met haar hand door haar korte zwarte haar. Ze had het de vorige avond geverfd en geknipt, vlak voordat ze een nieuw paspoort voor zichzelf had gemaakt. Een gezin van vijf personen liep om ons heen op de stoep. Ze zeulden allemaal zware koffers achter zich aan, en links van me nam een moeder huilend afscheid van haar twee jonge dochters. Ik wilde niets liever dan meedoen, en gewoon deel uitmaken van dit alledaagse tafereeltje. Terwijl ik naast haar ongeduldig stond te draaien en te wiebelen, nam Katarina iedereen om ons heen aandachtig op.

‘Nee,’ zei ze een hele tijd later. ‘We gaan niet. Het spijt me, Veronica, maar het is het risico niet waard.’

We reden zwijgend naar huis, en lieten de krijsende vliegtuigmotoren boven ons het woord doen. Toen we uitstapten, zag ik Ashley op het verandatrapje van haar huis zitten. Ze keek toe hoe we naar huis liepen en vormde met haar mond geluidloos het woord *leugenaar*. De vernedering was vrijwel ondraaglijk.

Maar eigenlijk wás ik natuurlijk een leugenaar. Het was wrang. Sinds ik hier op Aarde was, had ik alleen maar gelogen. Mijn naam, waar ik vandaan kwam, waar mijn vader was, waarom ik niet een nachtje bij een ander meisje kon blijven logeren – mijn leven was een leugen en alleen door te liegen kon ik in leven blijven. Maar toen Ashley me een leugenaar noemde, en dat uitgerekend die ene keer dat ik de waarheid had gesproken, was ik zo boos dat ik geen woord meer kon uitbrengen. Ik stormde de trap op, sloeg de deur van mijn kamer met een klap achter me dicht en stompte woedend tegen de muur.

Tot mijn verrassing ging mijn vuist er recht doorheen.

De deur vloog open. Katarina had een keukenmes in de hand en stond klaar om toe te steken. Ze dacht dat het lawaai dat ze had gehoord wel afkomstig moest zijn van de Mogadoren. Toen ze zag wat er met de muur was gebeurd, drong het tot haar door dat er iets in mij veranderd was. Ze liet het mes zakken en glimlachte. ‘Vandaag is niet de dag waarop je gaat vliegen, maar waarop je met je training gaat beginnen.’

Zeven jaar later, terwijl ik met Marina en Ella in dit toestel zit, hoor ik de stem van Katarina in mijn hoofd weerklinken. ‘Daarboven zouden we in de val zitten.’ Maar nu ben ik daarop voorbereid, op een manier waarop Katarina en ik dat toen niet waren.

Sindsdien heb ik al tientallen keren gevlogen, en elke keer is het allemaal prima gegaan. Maar dit is wel de eerste keer dat ik heb gevlogen zonder gebruik te maken van de Erfgave van de onzichtbaarheid om stiekem aan boord te gaan. Ik weet dat ik nu veel sterker ben en met de dag sterker word. Als een paar Mogs mij hier zouden aanvallen, zouden ze niet voor een gedwee jong meisje komen te staan. Ik weet nu waartoe ik in staat ben; ik ben een soldaat, een krijger. Ik ben iemand om bang voor te zijn, niet iemand om jacht op te maken.

Marina laat haar knieën los en gaat rechtop zitten. Ze blaast haar ingehouden adem uit. Met een nauwelijks hoorbaar stemmetje zegt ze: 'Ik ben bang. Ik wil gewoon dat we opstijgen.'

'Het komt allemaal wel goed,' zeg ik zachtjes.

Ze glimlacht en ik lach terug. Gisteren op het slagveld heeft Marina zich een sterke bondgenoot getoond, met verbazingwekkende Erfgaven. Ze kan onder water ademhalen, in het donker zien en de zieken en gewonden genezen. Zoals alle Gardes beschikt ze ook over telekinese. En omdat we zo dicht bij elkaar staan in de rangorde – ik ben nummer Zes en zij is nummer Zeven – hebben we een speciale band met elkaar. Toen de beschermformule nog van kracht was, en we alleen in de juiste volgorde gedood konden worden, zouden de Mogadoren eerst mij uit de weg moeten ruimen voordat ze haar konden doden. En mij zouden ze nooit te pakken krijgen.

Ella zit zwijgend aan de andere kant naast Marina. Terwijl we op Crayton zitten te wachten, slaat ze het biologieboek op haar schoot open en tuurt naar de bladzijden. Voor het toneelstukje dat we hier opvoeren is zo'n sterke concentratie helemaal niet nodig en ik wil net over Marina heen leunen om haar dat te zeggen, als ik zie dat ze helemaal niet zit te lezen. Ze probeert de bladzijde om te slaan met haar geest, om telekinese te gebruiken dus, maar er gebeurt niets.

Ella is wat Crayton een Aeternus noemt, iemand die geboren is met het vermogen om verschillende leeftijden aan te nemen. Maar ze is nog jong en haar Erfgaven hebben zich nog niet ontwikkeld. Die zullen komen als de tijd rijp is, hoe ongeduldig ze ook met pure wilskracht probeert die zich nu te laten ontwikkelen.

Ella is naar de Aarde gekomen aan boord van een ander schip, waarvan ik het bestaan niet wist totdat John Smith, nummer Vier, me vertelde dat hij het in zijn visioenen had gezien. Ze was nog maar een baby, en dat wil zeggen dat ze nu bijna twaalf is. Crayton zegt dat hij haar officieuze Cêpaan is, omdat er geen tijd was om hem officieel aan haar toe te wijzen. Net als al onze Cêpanen heeft hij de plicht om Ella te helpen bij het ontwikkelen van haar Erfgaven. Hij heeft ons verteld dat er ook een kleine kudde Chimaera's aan boord van hun schip was. Dat zijn Lorische dieren die in staat zijn om van vorm te veranderen, en samen met ons strijd te leveren.

Ik ben blij dat ze er is. Nadat nummer Eén, Twee en Drie zijn gestorven, waren er nog maar zes over. Met Ella erbij zijn we met z'n zevenen. En zeven is een geluksgetal, als je in zulke dingen gelooft. Maar daar geloof ik niet in. Ik geloof in kracht.

Eindelijk perst Crayton zich door het gangpad. Hij heeft een zwart koffertje bij zich. Hij draagt een bril en een bruin pak dat hem wat te groot lijkt. Onder zijn fikse kin zit een blauw vlinderstrikje. Hij wordt verondersteld onze leraar te zijn.

'Hallo, meisjes,' zegt hij, en hij blijft naast ons staan.

'Ha, meneer Collins,' zegt Ella.

'Het toestel is helemaal afgeladen,' zegt Marina. Dat is een code en het betekent dat niemand er verdacht uitziet. Om hem te laten weten dat ik op de grond ook niets vreemds heb gezien, zeg ik: 'Ik probeer straks wat te slapen.'

Hij knikt en gaat op de plaats recht achter Ella zitten. Daarna leunt hij naar voren, tussen Ella en Marina in, en zegt: 'Tijdens de vlucht kunnen jullie mooi je huiswerk maken.'

Dat betekent: blijf op je hoede.

Toen we Crayton voor het eerst ontmoetten, wist ik niet wat ik van hem moest denken. Hij is streng en driftig, maar hij lijkt het hart op de juiste plaats te hebben en hij weet enorm veel van de wereld en van de actualiteit. En ook al is hij dan misschien geen officiële Cêpaan, toch neemt hij zijn taak serieus. Hij zegt dat hij voor elk van ons zijn leven zou geven. Hij zal alles doen om de Mogadoren te verslaan en ons wraak te laten nemen. Ik geloof hem op alle punten.

Toch zit ik met tegenzin in dit toestel naar India. Ik wilde zo snel mogelijk terug naar de Verenigde Staten, terug naar John en Sam. Maar gisteren, toen we boven op de dam naar de bloedige restanten van de slachtpartij bij het meer stonden te kijken, vertelde Crayton ons dat Setrákus Ra, de machtige leider van de Mogadoren, binnenkort de Aarde zou bereiken, als hij er niet al was, en dat zijn komst een teken was dat de Mogadoren hadden begrepen dat we een bedreiging voor hen vormden en dat ze nu nog meer hun best zouden doen om ons te vermoorden. Setrákus is min of meer onoverwinnelijk. Alleen Pittacus Lore, de machtigste leider van de Loriën, zou in staat zijn om hem te verslaan. We schrokken ons wild. Als hij onoverwinnelijk was, wat stond de rest van ons dan te wachten? Toen Marina dat vroeg, en wilde weten hoe iemand van ons dan ooit zelfs maar een kans zou hebben om hem te verslaan, vertelde Crayton ons nog meer schokkend nieuws, iets wat alle Cêpanen te horen hadden gekregen. Een van de Gardes – een van óns – werd verondersteld even sterk te worden als Pittacus Lore, en diegene zou Setrákus Ra kunnen verslaan. We moesten gewoon maar hopen dat dat niet Eén, Twee of Drie was geweest, maar iemand van ons die nog leefde, want dan hadden we nog een kans. We moesten gewoon maar afwachten en kijken wie het was, en dan maar hopen dat deze enorme vermogens zich snel zouden openbaren.

Crayton denkt dat hij hem gevonden heeft – de Garde die over dezelfde krachten beschikt als Pittacus.

'Ik heb iets gelezen over een jongen in India die over buitengewone vermogens schijnt te beschikken,' vertelde hij ons toen. 'Hij woont ergens hoog in de Himalaya. Volgens sommige mensen is hij een reïncarnatie van de hindoegod Vishnu, anderen geloven dat hij een buitenaards wezen is dat zich voordoet als mens, en dat hij over het vermogen beschikt om zijn lichamelijke verschijning te veranderen.'

'Net zoals ik, papa?' had Ella gevraagd. Die vader-dochterrelatie van hen had me verrast. Ondanks mezelf voelde ik een lichte jaloezie – omdat zij nog steeds een Cêpaan had, iemand die haar met raad en daad kon bijstaan.

'Hij verandert niet van leeftijd, Ella. Hij verandert zich in allerlei beesten en andere wezens. Hoe meer ik over hem lees, hoe meer ik denk dat hij een lid van de Garde is, en dat hij degene is die over alle Erfgaven beschikt, degene die het tegen Setrákus Ra kan opnemen. We moeten hem zo snel mogelijk zien te vinden.'

Ik wilde op dat moment niet verwikkeld raken in een zinloze zoektocht naar een ander lid van de Garde. Ik weet waar John is, of waar hij verondersteld wordt te zijn. Ik kan Katarina's stem horen, die er bij me op aandringt op mijn gevoel te vertrouwen, en mijn gevoel zegt me dat we nu voor alles John moeten zien te vinden.

Dat is de minst riskante zet. Het is in elk geval heel wat minder riskant dan de halve wereld rondvliegen op basis van Craytons vermoedens en wat geruchten op internet.

'Het zou een valstrik kunnen zijn,' zei ik. 'Wat als het een gerucht is dat speciaal in het leven is geroepen om ons in de val te lokken?'

'Ik begrijp dat je ongerust bent, Zes,' zei Crayton. 'Maar neem maar van mij aan dat ik een meester ben wat betreft verzonnen verhalen op internet. En dit is geen verzonnen verhaal. Er zijn veel te veel verschillende bronnen die naar die jongen in India wijzen. Hij is niet op de vlucht. Hij is niet ondergedoken. Hij ís gewoon zichzelf, en kennelijk beschikt hij over grote krachten. Als hij inderdaad een van jullie is, dan moeten we hem zien te bereiken voordat de Mogadoren hem te pakken krijgen. Zodra we klaar zijn met dit uitstapje, gaan we naar Amerika om nummer Vier te zoeken.'

Marina keek me aan. Ze wilde John al net zo graag zien te vinden als ik – ze had het nieuws over zijn activiteiten online gevolgd, en net als ik had ze het diepe intuïtieve gevoel gehad dat hij een van ons was, een gevoel dat ik had bevestigd. 'Belooft u dat?' vroeg ze Crayton. En die had geknikt.

Mijn gemijmer wordt ruw onderbroken door de stem van de captain. We gaan opstijgen. Ik wil het toestel zo graag met pure wilskracht naar West-Virginia loodsen. Naar John en Sam. Ik hoop dat het goed met hen gaat. Telkens weer komt er een beeld in me op van John die in een gevangeniscel zit. Ik had hem nooit moeten vertellen over de Mogadorenbasis in de berg, maar John wilde zijn kist terug en ik zou hem op geen enkele manier kunnen overhalen om die achter te laten.

Het toestel taxiet over de startbaan en Marina pakt mijn pols vast. 'Ik zou zo graag willen dat Héctor erbij was. Die zou nu iets slims zeggen, zodat ik me wat meer op mijn gemak voelde.'

'Het is goed,' zegt Ella, en ze pakt Marina's andere hand vast. 'Je hebt ons.'

'En ik zal kijken of ik iets kan bedenken,' zeg ik hulpvaardig.

'Dankjewel,' zegt Marina, al klinkt het meer als iets dat het midden houdt tussen hikken en angstig naar adem happen. Ik laat toe dat haar nagels zich diep in mijn pols boren. Ik lach haar bemoedigend toe en een minuut later zijn we hoog in de lucht.

2

Vier

De afgelopen twee dagen ben ik voortdurend even bij kennis geweest en dan weer bewusteloos geraakt, terwijl ik werd geteisterd door misselijkheid en hallucinaties. De effecten van het blauwe krachtveld om de berg van de Mogadoren hebben veel langer aangehouden dan Negen had gezegd, zowel geestelijk als lichamelijk. Om de paar minuten voel ik mijn spieren verkrampen en schiet er een scherpe pijn door mijn lijf.

Ik probeer mezelf af te leiden van deze kwelling door mijn blik over het piepkleine slaapkamertje in dit vervallen en verlaten huis te laten gaan. Negen had geen weerzinwekkender onderduikadres kunnen vinden. Ik kan mijn ogen niet vertrouwen. Ik zie het patroon op het gele behang tot leven komen, en de motieven van het dessin als mieren in lange rijen over de beschimmelde plekken marcheren. Het gescheurde plafond lijkt wel te ademen, want het gaat met angstaanjagende snelheid omhoog en omlaag. Er zit een groot en rafelig gat in de muur tussen de woon- en slaapkamer, alsof iemand er met een voorhamer op heeft staan inbeuken. De vloer is bezaaid met platgetrapte bierblikjes en de plinten zijn door ongedierte aan flarden gereten. Ik hoor dingen rondscharrelen in de boom voor het huis, maar ik ben te zwak om daarvan te schrikken. Gisternacht werd ik wakker toen er een kakkerlak over mijn wang liep, maar ik kon nauwelijks de energie opbrengen om hem weg te slaan.

'Hé, Vier?' hoor ik door het gat in de muur. 'Ben je wakker? Het is tijd voor de lunch en je eten wordt koud.'

Moeizaam sta ik op. Mijn hoofd tolt terwijl ik door de deuropening naar de vroegere woonkamer strompel, en ik plof op het aftandse grijze kleed. Ik weet dat Negen hier ergens moet zijn, maar ik kan mijn ogen niet lang genoeg openhouden om hem te vinden.

Ik wil alleen maar mijn hoofd op Sarahs schoot leggen. Of op die van Zes. Een van beiden. Ik kan niet helder denken nu.

Iets warms raakt mijn schouder. Ik laat me op mijn rug rollen en zie Negen boven me op het plafond zitten. Zijn lange zwarte haar hangt naar beneden de kamer in. Hij knaagt ergens op en zijn handen glimmen van het vet.

'Waar zijn we ook alweer?' vraag ik. Het zonlicht dat door de ramen naar binnen valt, is te fel voor me, en ik knijp mijn ogen dicht. Ik heb meer slaap nodig. Ik heb íéts nodig, wat dan ook, om weer helder te kunnen denken en mijn kracht terug te krijgen. Mijn vingers frommelen aan mijn blauwe amulet, in de hoop dat dat me op de een of andere manier energie zal geven, maar het blijft koud op mijn borst rusten.

'Het noordelijke deel van West-Virginia,' zegt Negen tussen twee happen door. 'We hadden geen benzine meer, weet je nog?'

'Heel vaag,' fluisterde ik. 'Waar is Bernie Kosar?'

'Buiten. Dat dier doet echt nooit iets anders dan de wacht houden. Hij is cool. Vertel eens, Vier, hoe is hij uitgerekend bij jou terechtgekomen?'

Ik kruip in een hoek van het vertrek en duw mijn rug omhoog tegen de muur. 'BK was bij me op Loriën. Toen heette hij Hadley. Ik denk dat Henri dacht dat het wel goed zou zijn om hem mee te nemen.'

Negen gooit een botje weg. Het stuitert tegen het plafond. 'Ik heb als kind ook een paar Chimaera's gehad. Hoe ze heetten weet ik niet meer, maar ik zie gewoon voor me hoe ze door het huis heen renden en van alles kapot beten. Ze zijn gesneuveld in de oorlog, terwijl ze mijn familie probeerden te beschermen.' Negen zwijgt even, en klemt zijn kaken op elkaar. Het is voor het eerst dat hij tegenover mij eens niet zo stoer doet, en dat is goed om te zien, ook al is het maar van korte duur. 'Dat is in elk geval wat mijn Cêpaan heeft verteld.'

Ik tuur naar mijn blote voeten. 'Hoe heette jouw Cêpaan?'

'Sandor,' zegt hij, en hij staat op. Hij staat nu op het plafond en hij heeft mijn schoenen aan. 'Het is raar. Ik kan me letterlijk niet herinneren wanneer de vorige keer was dat ik zijn naam hardop heb gezegd. Op sommige dagen kan ik me zijn gezicht nauwelijks meer voor de geest halen.' Zijn stem verhardt zich en hij doet zijn ogen dicht. 'Maar zo gaat het nou eenmaal, denk ik. Of wat dan ook. Cêpanen kunnen opgeofferd worden.'

De laatste zin doet een golf van woede door me heen gaan. 'Henri was niet iemand om zomaar op te offeren, en dat geldt ook voor Sandor! Geen enkele Loriër is ooit iemand geweest die zomaar opgeofferd kon worden. En geef me mijn schoenen terug!'

Negen schopt mijn schoenen uit, zodat ze op de vloer ploffen, en neemt daarna rustig de tijd om over het plafond naar de muur en over de muur naar beneden te lopen. 'Goed, goed, ik weet best dat hij niet zomaar opgeofferd kon worden, maar soms is het gewoon gemakkelijker om er op die manier over te denken, weet je wel? Sandor was in feite een fantastische Cêpaan.' Negen heeft de vloer bereikt en torent nu hoog boven me uit. Ik was vergeten hoe lang hij is. Intimiderend. Hij duwt een handvol van het spul dat hij heeft zitten eten in mijn gezicht. 'Wil je het hebben of niet? Anders eet ik het allemaal op.'

Ik voel hoe mijn maag begint te rommelen. 'Wat is het?'

'Geroosterd konijn. Het beste wat de natuur te bieden heeft.'

Ik durf mijn mond niet open te doen om antwoord te geven, omdat ik bang ben dat ik dan moet overgeven. In plaats daarvan storm ik terug naar de slaapkamer, zonder aandacht te besteden aan het harde gelach achter me. De slaapkamerdeur is zo kromgetrokken dat het bijna onmogelijk is hem dicht te krijgen, maar ik duw hem zo stevig mogelijk in de sponning. Ik ga op de vloer liggen, met mijn sweater als kussen en denk erover na hoe ik hier ben terechtgekomen, zoals ik er nu aan toe ben. Zonder Henri. Zonder Sam. Sam is mijn beste vriend, en ik kan gewoon niet geloven dat we hem hebben achtergelaten. Sam is nadenkend, trouw en altijd bereid om anderen te helpen – in alles het tegendeel van Negen – en de afgelopen maanden hebben we voortdurend samen opgetrokken en gestreden. Negen is roekeloos, arrogant, egoïstisch en ook heel onbeschoft. Ik zie Sam voor me, in de grot van de Mogadoren, met een wild schokkend vuurwapen in zijn handen terwijl er een stuk of tien Mogadoren om hem heen rennen. Ik kon hem niet bereiken. Ik kon hem niet redden. Ik had harder moeten vechten, harder moeten rennen. Ik had Negen moeten negeren en terug moeten gaan om Sam te redden. Dat zou hij ook voor mij hebben gedaan. De enorme schuld die ik voel, heeft een verlammende uitwerking op me, tot ik uiteindelijk in slaap val.

*

Het is donker. Ik ben niet langer in een huis in de bergen, samen met Negen. Ik ben verlost van de pijnlijke nawerking van het blauwe krachtveld. Ik ben eindelijk weer helder van geest, al weet ik niet waar ik ben of hoe ik hier gekomen ben. Als ik om hulp roep, kan ik mijn eigen stem niet horen, ook al voel ik mijn lippen bewegen. Ik schuifel naar voren, met mijn armen uitgestrekt voor me. Plotseling doet mijn Lumen mijn handpalmen oplichten. Aanvankelijk is het licht nog zwak, maar al snel zwelt het aan tot twee krachtige lichtbundels.

'John.' Het is een schor gefluister.

Snel schijn ik met mijn handen om me heen om te zien waar ik ben, maar het licht onthult alleen maar een lege duisternis. Ik ga nu een visioen binnen. Ik keer mijn handpalmen naar de grond zodat mijn Lumen mijn pad zal verlichten, en loop in de richting waar de stem vandaan komt, die nu telkens weer mijn naam fluistert. Het lijkt de stem van iemand die jong is, en heel bang. Dan hoor ik een andere stem, ruw en staccato, die bevelen blaft.

De stemmen worden duidelijker. Het is Sam, mijn verloren vriend en de ander is Setrákus Ra, mijn ergste vijand. Ik merk dat ik de basis van de Mogadoren nader. Ik zie het blauwe krachtveld, de bron van zoveel pijn. Om de een of andere reden weet ik dat het me deze keer niet zal deren, en ik loop er zonder aarzelen doorheen. Het geschreeuw dat ik nu hoor, is niet afkomstig van mijzelf maar van Sam. Zijn gemartelde stem vult mijn hoofd terwijl ik de berg binnenga en door het labyrint van tunnels loop. Ik zie de verkoolde restanten van onze recente veldslag. Die zijn ontstaan toen ik een bal groene lava naar de gastanks onder aan de berg gooide, zodat er een vuurzee oplaaide. Ik loop door het grote hoofdgewelf, met de rotsrichels die in spiralen langs de muren lopen. Ik stap op de stenen brug die Sam en ik nog maar zo kortgeleden gehuld in de onzichtbaarheidsmantel zijn overgestoken. Ik loop verder, door allerlei gangen en gangetjes, terwijl ik voortdurend naar het verlammende gejammer van mijn beste vriend moet luisteren.

Al voordat ik er ben, weet ik waar ik naartoe ga. De hellende vloer leidt me naar een wijde ruimte met een lange reeks celdeuren in de wanden.

Ze zijn er. Setrákus Ra staat in het midden van de ruimte. Hij is enórm en ziet er echt weerzinwekkend uit. En daar is Sam. Hij hangt in een bolvormige kooi naast Setrákus Ra. Zijn eigen, persoonlijke kooi van pijn. Zijn armen zijn hoog boven zijn hoofd vastgebonden en zijn benen zijn ver uit elkaar getrokken, op hun plek gehouden met ketens. Via een reeks pijpen druppelt een dampende vloeistof op verschillende delen van zijn lijf. Onder de kooi ligt een plas geronnen bloed.

Op drie meter afstand blijf ik staan. Setrákus Ra voelt mijn aanwezigheid en draait zich om, de drie Lorische amuletten van de Gardes die hij heeft gedood, bungelen om zijn brede nek. Het litteken om zijn keel klopt met een duistere energie.

'We zijn elkaar misgelopen,' gromt Setrákus Ra.

Ik doe mijn mond open, maar het lukt me niet om geluid uit te brengen. Sams blauwe ogen draaien mijn kant op, maar het is niet duidelijk of hij me ziet.

Opnieuw druppelt er hete vloeistof uit de pijpleidingen. De druppels raken zijn pols, borst, knieën en voeten. Een brede straal landt op zijn wang en stroomt langs zijn nek naar beneden. Nu ik zie hoe Sam gemarteld wordt, vind ik eindelijk mijn stem terug.

'Laat hem gaan!' schreeuw ik.

Setrákus' ogen verharden zich. De amuletten om zijn nek lichten op en die van mij reageert door eveneens op te lichten. Het blauwe Loraliet voelt heet aan op mijn huid, en vat dan plotseling vlam. Dat zijn mijn Erfgaven die het overnemen. Ik laat het vuur zich langzaam verspreiden over mijn schouders. 'Ik laat hem gaan,' zegt Setrákus, 'als jij terugkomt naar de berg en met me vecht.'

Snel kijk ik even naar Sam, en ik zie dat hij zijn strijd tegen de pijn heeft verloren en buiten kennis is geraakt. Zijn kin hangt op zijn borst.

Setrákus Ra wijst naar Sams uitgemergelde lijf en zegt: 'Je moet besluiten. Als je niet komt, dood ik hem, en daarna de rest. Als je wel komt, laat ik hen leven.'

Ik hoor een stem die mijn naam roept en zegt dat ik moet opstaan. Negen. Happend naar adem ga ik rechtop zitten, en daarna open ik mijn ogen. Ik ben helemaal overdekt met een dunne laag zweet en pas na een paar seconden weet ik weer waar ik ben. Negen tuurt door het rafelige gat in de bakstenen muur.

'Hé, gast. Opstaan!' roept Negen van achter de deur. 'We moeten nog teringveel doen!'

Ik ga op mijn knieën zitten, zoek op de tast naar mijn amulet en knijp er dan in, zo hard als ik maar kan, in een poging Sams gekrijs uit mijn hoofd te krijgen. De slaapkamerdeur zwaait open. Negen staat in de deuropening en veegt met de rug van zijn hand over zijn mond. 'Ik meen het, jochie. Pak je zooi bij elkaar. We moeten hier weg.'

3

Zes

Als we de luchthaven van New Delhi verlaten, voelt de lucht zwaar en klam aan. We lopen over de stoep, Marina's kist onder Craytons arm. Voortdurend toeterende auto's rijden stapvoets over de hopeloos dichtgeslibde wegen. Alle vier zijn we alert op elk teken van onraad, op zelfs maar de kleinste aanwijzing dat we worden gevolgd. We komen bij een kruising en van alle kanten lopen mensen tegen ons aan. Vrouwen met hoge manden op hun hoofd dringen zich langs ons heen; mannen met emmers water aan een juk over hun donkere schouders roepen boos naar ons dat we opzij moeten. De geuren, het lawaai, de tastbare werkelijkheid van de drukke wereld om ons heen zou ons te veel kunnen worden, zodat we niets meer opmerken. Maar we blijven waakzaam.

Aan de overkant van de straat is een drukke markt, die eruitziet alsof hij kilometers lang zo doorgaat. Kinderen zwermen om ons heen met snuisterijen die ze te koop aanbieden, en we laten beleefd merken dat we geen behoefte hebben aan hun houtsnijwerk en ivoren sieraden. De georganiseerde chaos van dit alles verbaast me. Het is prettig om te zien hoe het leven gewoon zijn gangetje gaat, want al deze drukte doet heel routineus aan. Het is prettig om een tijdje verlost te zijn van onze oorlog.

'Waar gaan we nu naartoe?' vraagt Marina, en ze moet bijna schreeuwen om boven het kabaal uit te komen. Crayton laat zijn blik onderzoekend over de menigte gaan die nu de straat oversteekt. 'Nu we weg zijn van de luchthaven en alle camera's daar, neem ik aan dat we wel een...' Een taxi komt slippend recht voor ons tot stilstand, en terwijl het stof nog opwolkt van onder zijn banden duwt de chauffeur het rechterportier open. '... taxi kunnen nemen,' maakt Crayton zijn zin af.

'*Please, where can I take you?*' vraagt de chauffeur. Hij is jong en hij maakt een nerveuze indruk, alsof dit zijn eerste dag als taxichauffeur is. Kennelijk spreekt dat Marina wel aan, of ze wil wanhopig graag weg uit deze drukke menigte, want ze stapt meteen in, laat zich op de achterbank ploffen en schuift door naar de andere kant.

Crayton wurmt zich op de plaats naast de chauffeur en geeft hem een adres. Ella en ik gaan op de achterbank zitten, naast Marina.

De chauffeur knikt en geeft dan onmiddellijk plankgas, zodat we allemaal hard met onze rug tegen het gebarsten plastic van de rugleuning smakken. New Delhi verandert in een waas van felle kleuren en snel passerende geluiden. We schieten langs auto's en riksja's, geiten en koeien. We gaan zo snel allerlei hoeken om dat ik verbaasd ben dat we dat niet op twee wielen doen. We schieten zo vaak rakelings langs een voetganger dat ik de tel kwijtraak. Ik besluit dat het waarschijnlijk maar beter is als ik niet al te veel naar buiten kijk. We worden voortdurend tegen elkaar aan gesmeten. Alleen door ons aan elkaar vast te klampen, en aan alles wat we verder maar te pakken kunnen krijgen, kunnen we voorkomen dat we op de smerige vloer van de taxi belanden.

Op een gegeven moment hotst de taxi over de stoeprand en schiet over het smalle trottoir om een verkeersopstopping te ontwijken. Het is volkomen gestoord en ik moet toegeven dat ik van elke seconde geniet. Jaren van op de vlucht zijn, me verborgen houden en vechten hebben een totale adrenalinejunk van me gemaakt. Marina duwt haar handen stevig tegen de hoofdsteun voor haar en weigert naar buiten te kijken, terwijl Ella over haar heen geleund zit om het allemaal zo goed mogelijk te kunnen zien.

Zonder enige waarschuwing geeft de chauffeur een ruk aan het stuur zodat de taxi met een wilde bocht een weggetje achter een lange rij pakhuizen op rijdt. De straat wordt geflankeerd door tientallen mannen met kalasjnikovs. Terwijl we langs hen heen schieten knikt onze chauffeur naar hen. Crayton kijkt over zijn schouder naar me. De ongeruste uitdrukking op zijn gezicht maakt de knoop in mijn maag plotseling een stuk groter. De weg is ineens opvallend leeg.

'Waar gaan we heen?' vraagt Crayton boos aan de chauffeur.

'We moeten naar het zuiden, en u rijdt naar het noorden.' Marina tilt met een ruk haar hoofd op en net als Ella kijkt ze me nu vragend aan.

Plotseling komt de auto met piepende remmen tot stilstand. De chauffeur duikt naar buiten en laat zich van de taxi wegrollen. Een stuk of tien SUV's en vrachtwagens met overdekte laadbakken staan om de auto heen. Elke wagen heeft een soortgelijke vlek van rode verf op de portieren, maar ik kan niet goed zien wat die voorstelt. Mannen in burgerkleding springen uit de SUV's, met hun machinepistolen in de aanslag.

Nu begint de adrenaline pas echt te stromen. Dat gaat altijd zo vlak voor een gevecht. Ik kijk naar Marina en zie aan haar gezicht dat ze doodsbang is, maar ik weet dat ze mijn aanwijzingen zal opvolgen. Ik zorg dat ik rustig blijf. 'Zijn jullie klaar? Marina? Ella?' Ze knikken.

Crayton steekt zijn hand op. 'Wacht! Kijk naar die tekst, Zes. Kijk naar hun portieren!'

'Wat?' vraagt Ella. 'Wat staat er op de portieren?'

De mannen komen dichterbij, en hun geroep begint steeds dringender te klinken. Ik ben te gefocust op het naderende gevaar om op Craytons woorden te letten. Als mannen met vuurwapens mij bedreigen, of de mensen die me dierbaar zijn, zorg ik ervoor dat ze daar spijt van krijgen.

Marina kijkt naar buiten. 'Zes, kijk! Zijn dat geen...'

En dan, net op het moment dat het portier naast Marina open wordt getrokken, zie ik eindelijk waar ze allemaal met grote ogen naar zitten te kijken. De rode vlekken op de portieren zijn allemaal achten.

'Eruit!' schreeuwt de man. 'Doe wat hij zegt,' fluistert Crayton. Zijn stem klinkt rustig. 'Voorlopig doen we wat ze willen.'

Voorzichtig stappen we uit de taxi, met onze handen omhoog. Alle vier kijken we als aan de grond genageld naar de rode cijfers op de deuren van de vrachtwagens en SUV's. Kennelijk gaat het te langzaam, want een van de mannen leunt voorover, en ongeduldig rukt hij Ella naar voren. Ze verliest haar evenwicht en valt. Ik kan er niets aan doen. Het kan me niet schelen of ze voor Acht werken of niet, maar je geeft een meisje van twaalf niet zo'n harde ruk dat ze valt. Ik til de man met mijn geest hoog in de lucht en smijt hem op het dak van een pakhuis aan de overkant van de straat. De anderen raken in paniek, ze zwaaien dreigend met hun machinepistolen en schreeuwen naar elkaar.

Crayton pakt me bij mijn arm. 'Laten we eerst proberen erachter te komen waarom ze hier zijn en of ze weten waar Acht is. Als het nodig is, slaan we daarna met volle kracht toe.' Nog steeds woedend schud ik zijn hand van me af, maar ik knik. Hij heeft gelijk... we weten niet wat ze van ons willen. We kunnen dat beter uitzoeken, voordat ze niet meer in staat zijn om het ons uit te leggen.

Een lange man met een baard stapt uit een van de vrachtwagens en komt langzaam naar ons toe gelopen. Hij draagt een rode baret. Zijn glimlach straalt zelfvertrouwen uit, maar aan de blik in zijn ogen valt te zien dat hij op zijn hoede is. Er steekt een klein pistool uit de schouderholster.

'Goedemiddag,' zegt hij in het Engels met een zwaar accent. 'Ik ben commandant Grahish Sharma van de opstandelingengroep Vishnu Nationalistische Acht. We komen in vrede.'

'Waar zijn al die vuurwapens dan voor?' vraagt Crayton.

'Om u over te halen met ons mee te gaan. We weten wie u bent, en we zouden het nooit op een conflict met u laten aankomen. We weten dat we zouden verliezen. Vishnu heeft ons verteld dat u allemaal net zo machtig bent als hij.'

'Hoe hebt u ons gevonden?' vraagt Crayton op hoge toon. 'En wie is Vishnu?'

'Vishnu is de allesdoordringende essentie van alle wezens, de meester van verleden, heden en toekomst, de opperste god en de bewaarder van het universum. Hij heeft ons verteld dat u met zijn vieren zou zijn, drie jonge meisjes en één man. En hij heeft me gevraagd u een bericht over te brengen.'

'Hoe luidt dat bericht?' zeg ik.

Commandant Sharma schraapt zijn keel en glimlacht. 'Zijn boodschap luidt: "Ik ben nummer Acht. Welkom in India. Kom me alsjeblieft zo snel mogelijk opzoeken."'

4
Vier

De lucht is grauw en zwaarbewolkt. Het is donker en koud in het bos. De grond is overdekt met dode bladeren. Negen loopt voor me uit en speurt het landschap af op wild. 'Weet je, dat konijn smaakte beter dan ik had verwacht.' Hij haalt een stukje touw uit zijn zak en bindt zijn ruige zwarte haar in een staartje. 'Vannacht maak ik het weer, als je wilt.'

'Ik denk dat ik maar iets anders verzin.'

Mijn kieskeurigheid lijkt hem te verbazen. 'Bang voor vers gedood wild? Je moet eten om aan te sterken. Ik weet niet waarom, maar onze genezende stenen halen helemaal geen fuck uit tegen die pijn van jou. En, weet je, ik begin er echt flink van te balen dat je de hele tijd ziek, zwak en misselijk bent. Dit is tijdverspilling, gast. We moeten zorgen dat je er weer bovenop komt en we moeten hier weg zien te komen.'

Ik weet hoe zwak mijn lichaam is, doordat ik me zo moe voel terwijl we hier lopen. We zijn nog maar een paar honderd meter van ons krakkemikkige huis en nu ben ik al uitgeput. Ik wil zo graag weer terug en gaan slapen. Maar ik weet dat ik me niet meer normaal zal voelen als ik niet van mijn luie reet kom en wat lichaamsbeweging neem.

'Hé, Negen, moet je horen wat ik net gedroomd heb,' zeg ik.

Hij laat een minachtend gesnuif horen. 'Een droom? Nee, dankjewel, man. Nou, tenzij het over meisjes ging. Daar kun je me alles over vertellen, tot in de kleinste details.'

'Ik heb Setrákus Ra gezien en hem gesproken.' Negen blijft even staan, maar loopt dan door. 'Hij wilde een deal met me sluiten.'

'O ja? Wat voor deal dan?'

'Als ik terugga en het tegen hem opneem, zal hij alle anderen in leven laten. Ook Sam.'

Negen snuift nog eens. 'Wat een bullshit. Mogadoren sluiten geen deals. In elk geval geen deals waaraan ze zich houden. En ze tonen nooit genade.'

'Ik dacht: waarom doe ik niet gewoon alsof ik op zijn aanbod inga? Ik moet toch terug naar de grot om Sam te bevrijden.'

Negen draait zich om. Op zijn gezicht staat nadrukkelijk te lezen dat het hem helemaal niet interesseert wat ik zojuist heb gezegd. 'Ik vind het vervelend om het je te moeten vertellen, makker, maar Sam is waarschijnlijk dood. De Mogs bekommeren zich niet om ons, en al evenmin om mensen. Volgens mij heb je een nare droom gehad, en het spijt me dat je daar zo bang van bent geworden en het nodig vond om mij ermee te vervelen. Maar zelfs als je werkelijk op een of andere manier contact hebt gelegd met Setrákus Ra, dan is zijn aanbod duidelijk een valstrik, en als je erin trapt, kost dat je je leven. Als je je zelfs maar binnen vijftien kilometer van die grot waagt, ben je al ten dode opgeschreven. Dat garandeer ik je.' Hij keert me de rug toe en loopt weg.

'Sam is niet dood!' zeg ik, en ik voel een grote woede in me opkomen, die me een kracht geeft die ik in dagen niet heb gevoeld. 'En die droom was écht. Setrákus Ra was Sam aan het martelen. Ik zag hoe er een kokende vloeistof op zijn huid werd gedruppeld! Ik blijf hier niet maar wat rondhangen om dat te laten gebeuren.'

Hij lacht opnieuw, maar deze keer klinkt het niet minachtend. Het is niet bepaald geruststellend, maar beslist wat vriendelijker. 'Luister, Vier. Je bent te zwak om zelfs maar een paar minuten op een hometrainer te lopen, laat staan dat je het tegen het machtigste wezen van de hele Melkweg kunt opnemen. Ik weet dat het harteloos klinkt, gast, maar Sam is een méns. Er is geen enkele manier waarop je hen allemaal kunt redden, dus verspil er de tijd en energie niet aan. Want zoveel tijd en energie heb je niet.'

De Lumen in mijn handpalmen begint op te lichten. Ik kan het nu beheersen, en dat is een duidelijke verbetering. Ik hoop dat het gloeien aangeeft dat de gevolgen van het blauwe krachtveld langzaam wegtrekken. 'Hoor eens, Negen, Sam is mijn beste vriend. Begrijp dat nou eens, en die meningen van jou over mijn energie hou je maar voor jezelf, begrepen?'

'Nee, jij bent degene die iets moet begrijpen,' zegt Negen. Zijn stem klinkt vlak en uitdrukkingsloos. 'Dit is geen spelletje. Dit is oorlog, gast. Oorlog. En jouw gevoelens voor Sam doen niet ter zake als je daarmee de veiligheid van alle anderen in gevaar brengt. Ik zal niet toelaten dat jij de rest van ons in de steek laat om het op te nemen tegen Setrákus Ra, alleen om Sam te redden. We wachten tot jij je wat beter voelt, en wanneer dat verdomme eindelijk eens een keer zover is, dan zoeken we de anderen op en gaan we net zolang trainen tot we klaar zijn. En als je dat niet bevalt, zul je het tegen mij moeten opnemen om hier weg te komen. En ik ben er echt helemaal klaar voor, jongen, dus doe je best. Ik kan wel wat oefening gebruiken.'

Hij tilt zijn hand op en richt die op iets tussen de bomen. Een seconde later klinkt er een verschrikt gepiep op.

'Hebbes.' Negen glimlacht. Hij is duidelijk trots op zijn telekinetische jachtvermogens. Ik loop achter hem aan en weiger van onderwerp te veranderen.

'Is er niemand voor wie jij zou sterven? Niemand voor wie jij je leven op het spel zou zetten?'

'Ik waag mijn leven om Loriën te helpen,' zegt Negen, en hij kijkt me zo strak aan dat ik wel moet luisteren. 'Ik zal sterven voor Loriën en de Loriërs, en áls ik sterf, en dat is een behoorlijke als, ben ik van plan om mijn laatste adem uit te blazen terwijl ik twee Moghoofden fijnknijp en een derde vermorzel onder mijn voet. Maar ik zie er niet reikhalzend naar uit om nu al te moeten voelen hoe jouw symbool in mijn been wordt gebrand, dus doe nou eens een beetje volwassen! Stop nou eens met zo naïef te doen en de hele tijd alleen maar aan jezelf te denken.'

Zijn woorden raken me hard. Ik weet dat Henri het met hem eens zou zijn, maar ik ben niet van plan Sam opnieuw in de steek te laten. Ik weet niet of het komt door Negens arrogante manier van doen, door het visioen dat ik zojuist heb gehad of door het wandelen in de frisse buitenlucht, maar voor het eerst in dagen voel ik me sterk en helder van geest.

'Sam heeft mij meer dan eens het leven gered, en zijn vader stond ons schip op te wachten toen we op Aarde landden. Misschien is zijn vader zelfs voor ons gestorven, voor Loriën. Je bent het aan hen allebei verschuldigd om samen met mij terug te gaan naar de grot. Vandaag.'

'Geen sprake van.'

Ik doe een stap naar hem toe en Negen aarzelt geen moment. Hij grijpt me beet en smijt me tegen een boom. Ik krabbel op en sta op het punt om uit te halen als we achter ons twijgjes horen breken. Negen kijkt om naar de plek waar het geluid vandaan komt. Ik druk me met mijn rug tegen de boomstam en laat mijn handpalmen zwak oplichten, zodat ik klaarsta om wie het ook mag zijn met mijn Lumen te verblinden. Ik hoop dat ik mijn pas herwonnen krachten niet overschat.

Negen kijkt me aan en fluistert: 'Sorry dat ik je zo hard tegen die boom heb gesmeten. Laten we maar eens kijken wie ons spoor volgt, en hem pakken voordat hij ons te grazen neemt.'

Ik knik en we zetten een paar stappen naar voren. Het geluid kwam uit een groepje dennen, hun takken afgeladen met lange naalden, die een uitstekende dekking bieden. Als het aan mij had gelegen, zouden we even wachten om te kijken met wie of wat we hier te maken hebben, maar zo is Negen niet. Terwijl we naar de dennen toe lopen, klaar om alles te vernietigen wat er maar tevoorschijn zou kunnen komen, plooien zijn lippen zich in een merkwaardig glimlachje. De dennen ruisen opnieuw, en een van de lagere takken beweegt. Maar wat we te zien krijgen is geen Mogadoor met een kanon of blinkend zwaard, maar het zwarte neusje van een bruin met witte beagle.

'Bernie Kosar,' zeg ik opgelucht. 'Goed om je te zien, jochie.'

Hij draait zich naar me toe en ik buk me om hem een aai over zijn kop te geven. Hij is het enige schepsel dat al vanaf het eerste begin bij me is geweest. Bernie Kosar vertelt me dat hij blij is dat ik er weer bovenop ben.

'Hij heeft wel de tijd genomen, hè?' zegt Negen. Ik was vergeten dat Negen ook over het vermogen beschikt om met dieren te communiceren. Ik weet dat het kinderachtig is, maar ik vind het niet prettig dat we dat vermogen delen. Hij is toch al de grootste en sterkste Garde die ik ooit heb gezien. Hij beschikt over het vermogen om zijn krachten over te dragen op mensen, en over een Erfgave die hem het vermogen verleent om de zwaartekracht op te heffen, en over supersnelheid, een superscherp gehoor, telekinese en Joost mag weten wat hij verder allemaal nog niet heeft verteld. Mijn Lumen is een Erfgave die alleen ik heb, maar tenzij ik iets brandbaars weet te vinden waarmee die te combineren valt, heb ik daar heel weinig aan. Mijn vermogen om met dieren te praten was iets wat ik graag verder had willen ontwikkelen, maar nu weet ik zeker dat Negen me daarin ook zal weten te overtroeven.

Kennelijk heeft Bernie Kosar de teleurstelling op mijn gezicht gezien, want hij vraagt me of ik een eindje met hem ga lopen. Alleen.

Negen hoort het en zegt: 'Ga maar. Jij bent toch het enige waarover BK nog kan praten. Als hij niet wachtliep rondom het huis, zat hij bij je in de slaapkamer om op je te letten.'

Ik blijf hem maar over zijn kop aaien. 'Dus dat was jij, hè?'

Bernie Kosar likt mijn hand.

'Mijn andere beste vriend,' zeg ik. 'Ik zou ook voor jou mijn leven geven, BK.'

Bij dat vertoon van emotie begint Negen te kreunen. Ik weet dat we verondersteld worden om allemaal voor elkaar in de bres te springen tijdens deze enorme intergalactische oorlog, maar soms zou ik willen dat BK en ik de enigen waren. En Sam. En Sarah. En Zes. En Henri. Eigenlijk zou ik ze allemaal graag om me heen willen hebben, alleen Negen niet.

'Ik ga het beest zoeken dat ik zojuist gedood heb, wat het ook geweest mag zijn, zodat we vanavond iets te eten hebben,' zegt Negen terwijl hij wegloopt. 'Gaan jullie samen je speciale wandelingetje maar maken. Als jullie terug zijn, moeten we het eens hebben over een manier om de rest van de Garde te vinden. Nu jij weer op de been bent.'

'En hoe zouden we die dan moeten vinden? Het rendez-vousadres dat Zes ons heeft gegeven, stond op een briefje in Sams zak. Voor zover we weten hebben de Mogs dat nu in handen, en zitten ze daar te wachten tot Zes komt opdagen. Als je het mij vraagt is dat een reden temeer om Sam daar weg te halen,' zeg ik op scherpe toon.

Bernie Kosar is het met me eens. Zo te horen wil hij bijna net zo graag op zoek naar Sam als ik.

'We hebben het er tijdens het eten wel over. Ik denk dat het een stinkdier is, of een muskusrat,' zegt Negen, terwijl hij het bos in loopt om zijn prooi te zoeken.

Bernie Kosar zegt dat ik hem moet volgen, en hij loopt voor me uit tussen de bomen door en een hoge, met gras begroeide heuvelhelling af. Aan de voet van de heuvel blijft het land een paar meter vlak en gaat dan weer omhoog. We lopen snel en nu mijn kracht weer terugkeert, vind ik het heerlijk om weer eens wat lichaamsbeweging te krijgen. Recht voor ons staan twee reusachtige bomen tegen elkaar aan geleund. Ik richt mijn aandacht erop en duw ze met mijn geestkracht uit elkaar. Zodra er ruimte tussen de twee bomen is, springt BK door de opening en ik hol achter hem aan, terwijl ik terugdenk aan al die keren dat we vroeger in Paradise samen naar school renden. Het leven was zoveel gemakkelijker toen. Overdag was ik aan het trainen met Henri, en in mijn vrije tijd hing ik rond met Sarah. Het was opwindend om erachter te komen wat ik allemaal kon, en hoe mijn speciale vermogens me zouden kunnen helpen om te doen wat er gedaan moest worden. Zelfs als ik gefrustreerd was, of bang, waren er zoveel mogelijkheden. Ik hoefde alleen daar maar aan te denken om me weer wat beter te voelen. Ik besefte in die tijd gewoon niet hoe goed ik het had.

Tegen de tijd dat we een kleine heuveltop bereiken, plakt mijn hemd aan mijn bezwete rug. Ik voel me een stuk beter, maar ik ben nog niet helemaal de oude. Het uitzicht hier is spectaculair. Een breed panoramashot van het in dennenbossen gehulde Appalachengebergte, badend in het licht van de late namiddagzon. Ik kan kilometers ver kijken.

'Hé, gast, dit is best wel gaaf eigenlijk. Wilde je me dat laten zien?' vraag ik.

In de verte, links, daarbeneden, zegt hij. *Zie je het?*

Ik speur het landschap af. 'In die diepe vallei daar?'

Daarachter, zegt hij. Zie je die gloed?

Met half dichtgeknepen ogen tuur ik naar het land achter de vallei. Ik zie een groepje grote dennenbomen en het vage silhouet van een met rotsblokken bezaaide rivierbedding. Dan zie ik het. Door het onderste deel van de bomen helemaal links zie ik een schijfje blauw licht. Het is het krachtveld dat de onderste verdieping van het Mog-hoofdkwartier beschermt.

Het is hooguit drie kilometer hiervandaan. Bernie Kosar zegt dat we er nu meteen naartoe kunnen gaan, als ik dat wil. Deze keer gaat hij wél met me mee naar binnen, nu Sam en ik het systeem onklaar hebben gemaakt waarmee er in de hele berg een gas werd verspreid dat dodelijk was voor dieren.

Er gaat een huivering door me heen, terwijl ik naar dat blauwe licht tuur. Daar in die berg is Sam. En Setrákus Ra. 'Wat doen we met Negen?'

Bernie Kosar cirkelt twee keer om mijn benen heen voordat hij aan mijn voeten gaat zitten. *De beslissing is aan jou*, zegt hij. *Negen is sterk en snel, maar ook onberekenbaar.*

'Heb je hem hier mee naartoe genomen?' vraag ik. 'Weet hij hoe dichtbij het is?'

Bernie Kosar houdt zijn hoofd scheef, alsof hij daarmee ja wil zeggen. Ik kan niet geloven dat Negen dit geweten heeft zonder het me te vertellen. Dat is de druppel. Ik ben klaar met Negen.

'Ik ga terug naar het huis. Ik zal Negen de keus geven of hij met ons meegaat of niet, maar wat hij ook zegt, het is tijd voor mij om het tegen Setrákus op te nemen.'

5

Zeven

Hotsend en botsend rijden we in een militaire vrachtwagen over het met diepe gaten bezaaide wegdek. We bevinden ons aan de buitenste rand van de stad en ik kijk om me heen. In de verte zie ik een enorme bergketen, maar dat zegt me niet veel. Voor en achter ons rijden wagens vol soldaten. Mijn kist staat aan mijn voeten en Zes zit naast me. Dat zorgt ervoor dat ik het wat minder benauwd krijg. Sinds de veldslag in Spanje is het enige moment dat ik me enigszins veilig voel, als ik Zes om me heen heb.

Ik had niet gedacht dat ik de zusters van Santa Teresa ooit zou missen, maar op dit moment zou ik er alles voor doen om weer terug in het klooster te zijn. Jarenlang wilde ik alleen maar ontsnappen aan al hun regeltjes en straffen, maar nu ik eenmaal ontsnapt ben, wil ik eigenlijk alleen maar iets vertrouwds om me heen hebben, zelfs als dat de vorm aanneemt van de strenge regels van een kloosterorde. Mijn Cêpaan, Adelina, is dood, vermoord door de Mogadoren. Mijn beste en enige vriend, Héctor Ricardo, is ook dood. De stad en het klooster zijn allebei verdwenen, met de grond gelijk gemaakt door de Mogs. Al die sterfgevallen vormen een zware last voor mij; ik was degene die Adelina en Héctor probeerde te beschermen. God, ik hoop maar dat ik geen vloek ben. Ik zou het afschuwelijk vinden als ik door mijn gebrek aan training en ervaring iemand kwaad zou doen. Ik wil deze missie in India niet alleen al door mijn aanwezigheid in gevaar brengen.

Eindelijk draait commandant Sharma zich om om ons te vertellen wat we kunnen verwachten. ‘Deze tocht gaat een paar uur duren. Maken jullie je het alsjeblieft zo gemakkelijk mogelijk. Als jullie dorst hebben, zit er water in de koelbox achter jullie. Zorg dat je geen aandacht trekt. Leg met niemand contact. Niet eens om even te glimlachen en te knikken. We worden gezocht.’

Crayton knikt.

'Wat vind jij nou van al dit gedoe?' vraagt Zes aan hem. 'Denk je dat hij echt daarboven zit?'

'Ja. Dat klopt wel.'

'Hoezo?' vraag ik.

'Voor een Gardelid zijn de bergen een ideale schuilplaats. De mensen zijn al jarenlang veel te bang om zich in de buurt te wagen van de gletsjers ten noorden van China. De lokale bevolking laat zich wel afschrikken met verhalen over buitenaardse wezens die gesignaleerd zouden zijn, en de Chinezen zijn niet in staat geweest om een onderzoek in te stellen naar die meldingen omdat er plotseling een geheimzinnig meer in de vallei ontstond, dat hun de weg versperde. Ik heb geen idee wat er werkelijk gebeurd is, en wat alleen maar geruchten zijn, maar hoe dan ook is het een uitstekende plek om onder te duiken.'

'Denk je dat daarboven behalve nummer Acht nog meer aliens zijn?' vraagt Ella. 'Je weet wel. Zoals de Mogadoren?'

Dat zat ik me ook af te vragen.

'Ik weet niet wie er nog meer in de bergen zit, als er al iemand zit, maar daar komen we snel genoeg achter,' zegt Crayton. Hij veegt het zweet van zijn voorhoofd en raakt met zijn vingertoppen mijn kistje. 'Intussen kunnen we misschien maar beter eens kijken wat hier allemaal in zit, zodat we beter voorbereid zijn op wat ons te wachten staat. Als Marina zo vriendelijk wil zijn om het met ons te delen.'

'Ja hoor,' zeg ik zachtjes, en ik kijk omlaag naar de kist. Ik heb er geen bezwaar tegen om mijn Erfgaven te delen, maar ik vind het gênant dat ik maar zo weinig begrijp van wat ik allemaal heb. Ik had mijn kist moeten delen met Adelina. Het was haar taak om uit te leggen hoe ik alles moest gebruiken, hoe ik mezelf daarmee het leven zou kunnen redden. Maar dat is nooit gebeurd. Na een korte stilte zeg ik: 'Ik weet niet wat ik met al die spullen moet beginnen.'

Crayton buigt zich naar me toe en legt zijn hand op de mijne. Ik kijk op en zie de plechtige, maar toch bemoedigende blik in zijn ogen. 'Het geeft niet dat je dat niet weet. Ik zal je alles laten zien wat ik weet,' zegt hij. 'Ik ben nu niet alleen Ella's Cêpaan, maar die van jullie allemaal. Zolang als ik leef, Marina, kun je op me rekenen.'

Ik knik en druk mijn handpalm tegen het slot. Nu Adelina dood is, kan ik de kist zelf openmaken, en dat vermogen smaakt me bitterzoet. Zes zit me aan te kijken, en ik weet dat ze precies begrijpt hoe ik me voel, omdat ze zelf ook haar Cêpaan heeft verloren. Het koude metaal van het slot trilt tegen mijn huid. Dan valt het met een klik op de vloer van de wagen. De onverharde weg waar we op rijden, is bezaaid met gaten en puin, zodat ik voortdurend door elkaar word geschud, en het me moeite kost om mijn hand stil te houden terwijl ik die in het kistje steek. Ik let er goed op uit de buurt te blijven van het gloeiende rode kristal in de hoek, dat me zoveel problemen heeft bezorgd in de klokkenstoel van het weeshuis, het rode kristal waarvan ik me ongerust heb afgevraagd of het een Lorische granaat was, of erger nog. Ik pak een donkere bril.

'Weet je waar die voor is?' vraagt Crayton. Hij kijkt er een seconde aandachtig naar, maar geeft hem dan hoofdschuddend aan me terug.

'Ik weet het niet zeker, maar misschien heeft hij wel het vermogen om door dingen heen te kijken, zoals röntgenstralen. Of misschien is het een infraroodkijker, dat is handig voor 's nachts. Er is maar één manier om erachter te komen, weet je.'

Ik zet de bril op en kijk naar buiten. Het zonlicht is wat minder fel met zo'n donkere bril op, maar verder lijkt er niets te gebeuren. Ik kijk naar mijn handen maar die zien er niet anders uit dan anders, en als ik naar Crayton kijk, zie ik geen vlekken op zijn gezicht die warmteverschillen aanduiden. 'Nou?' vraagt Zes. 'Wat zie je?'

'Ik weet het niet,' zeg ik, en ik laat mijn blik opnieuw over het dorre landschap door het raam gaan. 'Misschien is het een gewone zonnebril.'

'Dat betwijfel ik,' zegt Crayton. 'Deze heeft ongetwijfeld een functie die je nog wel zult ontdekken, en dat geldt ook voor alle andere spullen in dat kistje.'

'Mag ik eens kijken?' vraagt Ella. Ik overhandig haar de bril.

Ze zet de bril op, kijkt om zich heen en dan door de achterruit. Ik richt mijn aandacht weer op het kistje.

'Wacht – alles ziet er op de een of andere manier net een beetje anders uit, al is me niet helemaal duidelijk waar dat door komt. Het is net alsof alles een beetje vertraagd is... Of juist versneld...

Dat is moeilijk uit te maken.' Plotseling hapt Ella geschrokken naar adem en roept dan: 'Raket! Raket!'

We volgen haar blik, maar ik zie alleen maar een kristalheldere hemel.

'Waar dan?' roept Crayton. Ella wijst naar de hemel. 'Uit de wagen! We moeten er nu uit!'

'Er is daar niets te zien.' Zes tuurt met half dichtgeknepen ogen naar de horizon. 'Ella, volgens mij ligt het aan die bril, want ik zie helemaal niks.'

Ella luistert niet. Ze klimt over me heen, nog steeds met de bril op, en duwt het portier open. De berm is bezaaid met scherpgerande rotsblokken en dode struiken. 'Springen! Nu!'

En dan horen we uiteindelijk een zwak fluitend geluid in de lucht, en een zwarte vlek wordt plotseling zichtbaar, precies op het punt waar Ella net naar wees.

'Eruit!' schreeuwt Crayton.

Ik grijp mijn open kistje en spring. Mijn voeten raken de harde Aarde en worden onder me weggemaaid; de wereld verandert in een werveling van bruine en blauwe vlekken, met scherpe pijnscheuten ertussendoor. De achterband van onze wagen schampt mijn arm, en ik weet nog maar net op tijd van richting te veranderen om uit de baan van de volgende zware vrachtwagen te blijven. Mijn hoofd raakt een puntige steen en ik wentel nog één keer om mijn as en kom op mijn kistje terecht. De klap heeft de lucht uit mijn longen geperst, en de inhoud van mijn kistje ligt her en der verspreid in de modder. Niet ver hiervandaan hoor ik Ella en Zes hoesten, maar in de opkolkende stofwolken kan ik ze niet zien. Een seconde later slaat de raket in, vlak achter de SUV waar we uit zijn gesprongen. De explosie is oorverdovend, en met commandant Sharma er nog in, kantelt de wagen op zijn dak in een grote rookwolk. De wild slippende jeep erachter kan niet ver genoeg uitwijken. Hij raakt de rand van de diepe put die door de ontploffende raket in het wegdek is geslagen, en verdwijnt over de rand. Nog twee raketten treffen het konvooi. Er hangt zoveel stof in de lucht dat we de helikopters boven ons niet kunnen zien, maar we horen ze wel.

Blindelings om me heen tastend zoek ik naar alles wat uit mijn kistje is gevallen. Ik weet dat ik waarschijnlijk net zoveel stenen en takjes verzamel als stukken van mijn Erfgave, maar dat kan ik later wel uitzoeken.

Ik heb net het rode kristal opgeraapt als ik schoten hoor. 'Zes! Alles goed?' roep ik. En dan hoor ik Ella gillen.

6

Vier

Ik ben panisch. Ik ruk de kleerkasten open, kijk onder het weinige meubilair en als ik iemand met veel lawaai het huis hoor binnenkomen, ga ik ervan uit dat het Negen is, omdat ik Bernie Kosar niet hoor grommen.

'Negen!' roep ik. 'Waar heb je mijn kistje verborgen?'

'Onder de gootsteen,' roept hij terug.

Ik loop de keuken binnen. Het omkrullende linoleum op de vloer ziet eruit als een oud schaakbord waar iemand koffie op heeft gemorst. De deurknoppen van het gootsteenkastje zitten los, en als ik eraan trek, hoor ik een klik.

'Wacht, Vier!' roept Negen vanuit de andere kamer. 'Ik heb een...'

De deurtjes vliegen open en ik word naar achteren gesmeten.

'... valstrik aangelegd!' maakt Negen zijn zin af.

Een stuk of tien scherpgepunte stokken schieten recht op me af. Ze zijn nog maar een paar centimeter van me verwijderd als mijn instincten het overnemen en ik erin slaag om ze met telekinese uit hun koers te brengen. De stokken schieten rakelings rechts en links langs me heen en blijven in de muur steken.

Negen staat lachend in de deuropening. 'Hé sorry, gast. Ik was helemaal vergeten het je te vertellen.'

Woedend spring ik op. Bernie Kosar komt de keuken binnen gerend en gromt naar Negen. Terwijl hij Negen de les leest over zijn domme gedoe, trek ik de stokken uit de muren en laat ze in de lucht zweven. Ze zijn nu op Negen gericht. 'Je klinkt anders niet alsof het je erg spijt.'

Ik sta er serieus over te denken om de speertjes met een rotvaart naar hem toe te werpen als hij gebruikmaakt van zijn eigen telekinetische vermogens om de stokken in tweeën te breken, en daarna in vieren en dan in achten. De losse stukjes vallen op de vloer.

'Hé, ik was het echt vergeten,' zegt hij schouderophalend en hij draait zich om en loopt naar de andere kamer. 'Maar hoe dan ook, pak je kistje en kom hier. We moeten er snel vandoor, dus zoek je spullen bij elkaar.'

Ik schijn met mijn Lumen in het beschimmelde gootsteenkastje en steek voorzichtig mijn hoofd onder het aanrecht. Aanvankelijk zie ik niets, en ik denk dat Negen me opnieuw aan het zieken is. Ik sta net op het punt om boos de woonkamer binnen te stappen en te eisen dat hij mijn kistje teruggeeft als me iets opvalt. Links lijkt het kastje wat dieper te zijn dan rechts. Ik zoek op de tast met mijn handen over de achterwand en trek dan een dubbel muurtje van multiplex weg. Jackpot! Daar is het. Haastig pak ik het kistje en loop ermee de keuken uit.

In de woonkamer is Negen in zijn eigen kistje aan het rommelen, het kistje dat we uit de grot van de Mogadoren hebben gered. 'Goed je weer eens te zien, ouwe gabber,' zegt hij als hij een kort zilveren staafje uit de kist pakt. Daarna pakt hij een rond geel ding, dat bezaaid is met kleine bultjes. Het lijkt me een stuk exotisch fruit, en ik verwacht min of meer dat hij erin gaat knijpen om het sap eruit te persen, maar hij legt het ding op zijn handpalm en voordat ik kan vragen wat het is, gooit hij het op de vloer, stapt dan snel naar achteren en drukt zich met zijn rug tegen de muur. Het gele balletje stuitert hoog op en wordt zwart. Het is nu zo groot als een grapefruit. Op schouderhoogte ontploffen de bultjes, en messcherpe speertjes schieten alle kanten op. Om niet gespiest te worden, laat ik me plat op de vloer vallen en rol dan naar BK toe.

'Wel verdomme!' roep ik. 'Dat is al de tweede keer in nog geen vijf minuten dat ik bijna dood was geweest.'

Negen vertrekt geen spier als de speertjes met hoge snelheid weer terug schieten in de bal, die vrijwel onmiddellijk daarna weer in zijn handpalm landt.

'Hé, hé, doe eens relaxed man,' zegt Negen. Hij houdt de bal vlak voor zijn ogen, zodat ik mijn adem inhoud. 'Ik wist dat je niet geraakt zou worden. Ik kan dit ding besturen met mijn geest. Nou, meestal dan. Voor een deel in elk geval.'

'Voor een déél? Dat is toch een geintje, hoop ik? Volgens mij had je daar zojuist geen enkele controle over. Ik moest als een haas wegspringen.'

Negen haalt de bal voor zijn ogen weg en kijkt me wat bedremmeld aan. Maar niet bedremmeld genoeg. 'Op het moment heb ik alleen maar macht over de kleur.'

'Meer niet?' Ik geloof mijn oren gewoon niet. Hij haalt zijn schouders op.

BK zegt dat hij moet ophouden met dat stomme gedoe.

'Hé, ik controleer alleen maar even of ik nog wel weet hoe het allemaal werkt. Alles waarvan ik weet hoe ik het moet gebruiken, in elk geval,' zegt Negen, en hij laat de bal weer in het kistje vallen. 'Want je weet maar nooit.' Hij trekt het koord met groene stenen dat hij heeft gebruikt in de Mogadorengrot, uit het kistje en gooit het omhoog. Het blijft in de lucht hangen, beschrijft een volmaakte cirkel en zuigt allerlei losse voorwerpen van de grond alsof het een zwart gat is. Het zweeft naar een raam in de achtergevel toe en licht wit op, en als Negen met zijn vingers knipt, schieten alle voorwerpen de cirkel uit, en slaan de laatste glassplinters uit de sponning.

'Moet je die eens zien,' lacht hij.

Ik maak mijn eigen kistje open. Negen denkt dat er iets in onze kistjes moet zitten dat ons kan helpen om de anderen te vinden. Het eerste wat ik zie is de blauwe thermosfles met Henri's as erin, en ik hap naar adem. Onmiddellijk ben ik weer terug in dat bos in Paradise, en loop ik met Sarah door de smeltende sneeuw om Henri's lijk te zoeken. Ik heb Henri beloofd dat ik hem terug zou brengen naar Loriën, en dat ben ik nog steeds van plan.

Voorzichtig zet ik de thermosfles naast het kistje op de vloer en ik pak de dolk met het diamanten lemmet. Ik laat het heft uitgroeien zodat het zich om mijn vuist wikkelt. Ik draai het mes om en tuur naar het lemmet. Dan leg ik de dolk weg en kijk naar de andere voorwerpen. Ik probeer niet te veel na te denken over de dingen die ik niet ken – de stervormige talisman, het bosje gedroogde bladeren met een stukje touw eromheen, de felrode ovale armband – en blijf uit de buurt van het kristal, dat in twee handdoeken is gewikkeld en daarna in een plastic zak is gestopt. De laatste keer dat ik dat kristal aanraakte, draaide mijn maag zich om en kwam het zuur plotseling omhoog in mijn keel. Ik schuif de gladde, gele

Xitharis-steen opzij, waarmee je een Erfgave kunt uitbreiden, en pak een rechthoekig kristal op waar ik veel herinneringen aan heb. Het oppervlak is mat maar doorzichtig, en binnenin in het kristal lijkt een wolk te hangen. De Xitharis is het eerste wat Henri uit het kistje haalde om mij te laten zien. Als de wolk rondslierde, wilde dat zeggen dat mijn eerste Erfgave zich aan het ontwikkelen was. Dit kristal was het begin.

Daarna zie ik de bril van Sams vader, en de witte tablet die Zes en ik in het kantoor van Malcolm Goode in de bron hebben aangetroffen. Dat is voldoende om me met een ruk weer terug te brengen in de werkelijkheid.

Ik kijk Negen aan. 'Misschien zit er iets in onze kistjes waarmee we door het blauwe krachtveld kunnen komen. Volgens mij is de uitwerking daarvan toch zwakker geworden. Misschien kunnen we Sam vanavond wel bereiken.'

'Het zou zeker fijn zijn als er iets in de kist zit wat ons daarbij zou helpen,' zegt Negen achteloos, met zijn blik strak op de paarse kiezelsteen gericht die hij nu op de rug van zijn hand laat balanceren. Het ding verdwijnt.

'Wat is dat?' vraag ik.

Hij draait zijn hand om en de steen verschijnt weer op zijn handpalm. 'Geen idee, maar het zou een prachtige manier zijn om een gesprek aan te knopen met een meisje, denk je ook niet?'

Ik schud mijn hoofd en trek de rode armband uit mijn kist over mijn hand. Ik hoop dat die me de lucht in zal laten schieten, of een ring laserstralen zal laten afvuren, maar het ding bungelt gewoon om mijn pols. Ik til mijn arm boven mijn hoofd en zwaai ermee, en vraag het ding om te werken, smeek het om zijn krachten te onthullen. Maar er gebeurt niets.

'Misschien moet je er eens aan likken.' Negen lacht terwijl hij naar me staat te kijken.

'Ik probeer alles,' mompel ik gefrustreerd. Ik houd de armband om en hoop maar dat er gewoon iets gebeurt. Alles in mijn kist is afkomstig van de Ouderlingen. Alles heeft een doel, dus ik weet dat het ding iets moet doen. Mijn hand strijkt langs de fluwelen zak met de zeven bollen erin die samen het zonnestelsel van Loriën vormen. Ik trek de zak open, laat de stenen in mijn handpalm vallen, en laat ze aan Negen zien terwijl ik terugdenk aan de dag waarop Henri me die voor het eerst liet zien. 'Zijn deze soms wat je nodig hebt om de anderen te vinden? Deze waren van Henri. Hiermee zijn we erachter gekomen dat er een lid van de Garde in Spanje zat.'

'Ik heb die nog nooit eerder gezien. Wat doen ze?'

Ik blaas zachtjes op de stenen en ze beginnen te gloeien. Bernie Kosar blaft bij de aanblik van de bollen die boven mijn handpalm zweven. Het zijn nu planeten geworden en ze cirkelen om de zon. Net als ik erover denk om met mijn Lumen op Loriën te schijnen om het in zijn weelderige, groene toestand te zien, zoals het eruitzag op de dag vóór de aanval van de Mogadoren, beginnen de bollen opnieuw sneller te draaien en feller te gloeien. Ik heb ze niet meer onder controle.

Negen komt dichterbij staan en we kijken toe terwijl de planeten een voor een op de zon botsen, totdat er maar één enkele bol voor ons hangt. De nieuwe bol wentelt om zijn as en straalt een licht uit dat zo fel is dat we onze handen voor onze ogen moeten houden. Na verloop van tijd wordt het licht dat de bol uitstraalt zwakker. Sommige delen van het oppervlak komen omhoog en andere zakken weg, totdat er een perfecte replica van de Aarde voor ons hangt.

Negen staat gebiologeerd te kijken. De Aarde draait om haar as en onmiddellijk zien we twee lichtpuntjes knipperend oplichten, vlak naast elkaar. Zodra we ons kunnen oriënteren, zien we dat ze zich in West-Virginia bevinden.

'Daar zijn we,' zeg ik.

De bal blijft om zijn as draaien en nu zien we nog een lichtpuntje knipperen in India; een vierde lichtpuntje beweegt zich snel in noordelijke richting, zo te zien vanuit Brazilië.

'Toen ik een paar dagen geleden Zes en Sam ons zonnestelsel liet zien, gebeurde er hetzelfde. Het veranderde in een model van de Aarde. Dat was de eerste keer dat het dat ooit heeft gedaan,' zeg ik.

'Verwarrend,' zegt Negen. 'Er staan maar vier punten op dit ding en er zouden er nog zes van ons over moeten zijn.'

'Ja, dat snap ik ook niet helemaal. De vorige keer dat dit gebeurde, verscheen er een lichtpuntje in Spanje,' zeg ik. 'Toen werd de bol helemaal wazig en we hoorden iemand die in paniek leek te zijn de naam Adelina roepen. We gingen ervan uit dat zij een ander lid van de Garde was. Dat was het moment waarop Zes besloot naar Spanje te gaan om haar te vinden. Ik dacht dat dit de manier was waarop je van plan was om contact met de anderen op te nemen, maar als je dit ding nog nooit eerder gezien hebt, was je kennelijk wat anders van plan.'

Negen zet grote ogen op. 'Wacht. O, mijn god, man! Ik heb dit ding niet eerder gezien, maar volgens mij heeft Sandor me er wel over verteld. Laat ik eerlijk zijn, toen we mijn kistje voor het eerst openmaakten, vond ik de zilveren staaf en de gele bal met prikkels zo gaaf, dat ik maar met een half oor geluisterd heb naar alles wat Sandor daarna nog te zeggen had. Maar nu herinner ik me weer dat hij vertelde dat enkelen van ons een rood kristal hadden – zoals ik, en ik dacht dat ik dat zou kunnen gebruiken om contact met de anderen op te nemen – en anderen van ons een zonnestelsel.'

'Dat snap ik niet.'

Hij draait zich om naar zijn kist, pakt er een gloeiend rood kristal uit, zo groot als een aansteker. Voordat hij zich weer naar mij toe keert, slaat hij het deksel van zijn kist met een klap dicht. Ik kijk snel even naar het zonnestelsel en hap naar adem. Een van de blauwe punten in West-Virginia is verdwenen.

'Hé, wacht even. Doe je kistje nog eens open. Ik wil iets controleren.'

Negen doet wat ik zeg en even later verschijnt een tweede blauwe punt in West Virginia. 'Oké. En doe hem nu weer dicht.'

Hij doet zijn kistje dicht en de blauwe punt verdwijnt weer. 'Dit is saai,' zegt hij. Terwijl Negen dat zegt wordt de wereldbol wazig en het ding begint op zo'n manier te vibreren dat zijn woorden met een halve seconde vertraging herhaald worden. 'Hé, wat is dat? Waarom hoor ik plotseling een echo?' De Aarde begint opnieuw te vibreren.

'Dit is niet saai. Het is ongelooflijk,' zeg ik, terwijl ik naar de wereldbol tuur. 'De reden waarom we niet alle Zes Gardeleden op de wereldbol zien, is dat we alleen de Gardeleden te zien krijgen die op het moment dat wij kijken hun kistje open hebben. Kijk maar.' Ik til het deksel van Negens kistje op.

Negen laat een zacht gefluit horen. 'Cool, Vier. Vet cool.' Een halve seconde later horen we zijn stem weer uit globe komen. Negen legt zijn blok kristal neer. Hij heeft door hoe het werkt.

'Te oordelen naar de snelheid van deze figuur hier,' zeg ik, en ik wijs naar het bewegende puntje, 'zit degene die in Zuid-Amerika is, in een vliegtuig. Het gaat veel te snel om iets anders te kunnen zijn.'

'Waarom zou hij zijn kistje open hebben als hij in een vliegtuig zit?' vraagt Negen. 'Dat is stom.'

'Misschien zit hij in de problemen. Misschien heeft hij zich verstopt op het toilet en probeert hij erachter te komen wat al dit spul eigenlijk doet, net zoals wij nu.'

'Kunnen zij ons nu ook zien?'

'Dat weet ik niet, maar misschien kunnen ze ons horen. Als je dat rode kristal vasthoudt, denk ik dat iedereen met zo'n macrokosmische Aarde je kan horen.'

'Als de helft van ons een kristal heeft, en de andere helft over het vermogen beschikt om zo'n grote lichtgevende wereldbol in werking te stellen, dan...'

'... kunnen we alleen maar met elkaar communiceren als een paar van ons eerst samen een team vormen,' val ik hem in de rede.

'Nou, nu we bij elkaar zijn, moeten we dan misschien eens proberen met anderen te praten. Je weet wel, voor het geval ze toevallig hun macrokosmos aan hebben staan,' zeg ik. 'Misschien zijn er nog wel een paar bij elkaar gekomen, net als wij.'

Negen pakt het rode kristal vast en houdt het voor zijn mond, alsof het een microfoon is. 'Hallo? Test. Eén, twee, drie.' Hij schraapt zijn keel. 'Oké, als er andere Gardes zijn die op dit moment voor een gloeiende bal staan, luister dan goed. Vier en Negen zijn samen, en we zijn gereed om jullie te ontmoeten. We willen trainen en een einde maken aan al deze flauwekul, zodat we terug kunnen naar Loriën. En een beetje snel graag. We gaan niet zeggen waar we nu precies zitten, voor het geval er anderen meeluisteren, maar als jullie je macrokosmos aan hebben staan, zullen jullie twee puntjes bij elkaar zien, en dat zijn, eh, dat zijn wij. Dus, eh...' Negen kijkt me aan en haalt zijn schouders op. 'Dat is alles. Over en uit en zo.'

De huid onder de armband wordt plotseling gevoelloos. Ik schud met mijn arm, en die begint te tintelen. 'Wacht even. Zeg dat we op het punt staan om weg te gaan, en dat ze naar de Verenigde Staten moeten komen. Want daar zit Setrákus Ra, de leider van de Mogadoren. Zeg dat we achter hem aan gaan, en dat we onze vrienden gaan redden, zo snel we maar kunnen.'

Voor me begint de Aarde te zoemen en ik hoor een echo van Negens stem. 'Kom allemaal zo snel mogelijk naar Amerika. Setrákus Ra heeft zijn lelijke gezicht hier laten zien. We zijn van plan om hem daar een flinke dreun op te geven en hem héél snel te overmeesteren. Morgen sturen we opnieuw bericht. Blijf luisteren.'

Negen legt het rode kristal weer in zijn kistje, en lijkt wel érg tevreden met zichzelf, maar dan verschijnt er plotseling een wat gegêneerde uitdrukking op zijn gezicht, alsof hij zich realiseert dat hij zojuist in een bal heeft staan praten. Ik frons mijn wenkbrauwen. Mijn arm begint ijskoud te worden, en ik sta op het punt om de armband af te doen als de Aarde opnieuw wazig wordt. Dan klinkt er een harde knal, gevolgd door een stem die ik ken. Het is hetzelfde meisje dat ik al eerder heb gehoord, het meisje dat Zes in Spanje is gaan zoeken. 'Zes! Alles goed?' schreeuwt ze.

We horen iemand gillen en nog twee explosies doen de wazige randen van de globe trillen. Ik pak Negens kristal uit zijn kistje. Ik moet haar spreken!

'Zes!' roep ik. Ik zou wel in dat rode ding willen springen, als ik maar wist hoe. 'Ik ben het. John! Kun je me horen?'

Geen reactie. We horen het vage geklepper van rotoren van een helikopter en dan wordt de globe weer stil. De randen van de Aarde nemen weer vaste vorm aan. Het knipperende licht in India is nu verdwenen. Plotseling krimpt de wereldbol in elkaar en verandert weer in de zeven kleinere bollen, die stuk voor stuk op de grond vallen.

'Dat klonk niét goed,' zegt Negen, terwijl hij de stenen opraapt. Hij legt ze weer in mijn kistje en plukt het kristal uit mijn bevroren hand.

Zes zit in moeilijkheden, het soort moeilijkheden dat te maken heeft met ontploffingen, helikopters en bergen. En dat gebeurt allemaal nu, aan de andere kant van de wereld. Hoe kom ik in India? Waar kan ik het vliegtuig nemen?

‘Zes. Dat is toch de meid die jou de kaart van de berg heeft gegeven? En die jou en die jongen van je in de steek heeft gelaten om in het vliegtuig naar Spanje te stappen?’ vraagt Negen.

‘Ja, dat is Zes,’ zeg ik, en ik trek mijn kistje dicht. Ik heb mijn vuisten gebald, en ik voel me duizelig worden. Wat is er mis met Zes? Wie is dat andere meisje, dat meisje dat ik nu al twee keer heb gehoord? Ik merk dat ik een raar gevoel in mijn arm heb. Ik werd zo afgeleid door die stem dat ik de steeds heviger wordende pijn daar niet heb opgemerkt. Ik probeer de armband los te halen, maar ik brand mijn vingers. ‘Er is iets aan de hand met dit ding. Volgens mij zou er weleens iets mis mee kunnen zijn.’

Negen doet zijn kistje dicht en steekt zijn hand uit. ‘De armband?’ Zodra hij die aanraakt, trekt hij snel zijn hand terug. ‘Verdomme! Dat ding gaf me een schok!’

‘Wat doe ik nu?’ Ik schud met mijn arm, in de hoop dat ik de armband op die manier kan afwerpen.

Bernie Kosar loopt naar me toe om aan de armband te snuffelen, maar blijft halverwege staan, kijkt met een ruk op en tuurt naar de voordeur. Hij spitst zijn oren, en de vacht op zijn huid gaat rechtovereind staan.

Er is iemand, zegt hij.

Negen en ik kijken elkaar aan en lopen dan langzaam achteruit de kamer in, weg van de voordeur. We waren zo verdiept in alles wat er in onze kistjes zat, en in het horen van die stem uit de wereldbol, dat we geen aandacht meer hadden besteed aan onze omgeving.

Plotseling vliegt de deur uit haar sponningen. Rookbommen zeilen door de ramen naar binnen, te midden van rondvliegende glassplinters. Ik wil vechten, maar de pijn van de armband is nu zo hevig dat ik me niet kan verroeren. Ik zak op mijn knieën.

Ik zie een groene lichtflits en ik hoor Negen schreeuwen van de pijn. Hij valt naast me op de grond. Ik heb dat groene licht al eerder gezien. Het is het onmiskenbare groene licht van een van die Mogadorische wapens die nog het meeste weg hebben van een soort handkanon.

7

Zes

Kogels fluiten om ons heen en slaan met doffe klappen in de grond. Ella en ik zoeken dekking achter het wrak van een van de vrachtwagens. De kogels lijken overal vandaan te komen. Ella is geraakt. De lucht hangt nu zo vol met stof dat ik haar wonden niet eens kan zien. Voorzichtig strijk ik met mijn handen over haar lijf, totdat ik het natte, kleverige bloed voel, en in het onderste deel van haar dij op een kogelgat stuit. Als ik het aanraak, schreeuwt ze het uit van de pijn.

Met een stem die zo sussend klinkt als ik onder deze omstandigheden maar kan opbrengen, zeg ik: 'Het komt wel goed. Marina kan je helpen. We hoeven haar alleen maar te vinden.' Ik til Ella op en loop voorzichtig weg van de truck, terwijl ik haar met mijn eigen lichaam dekking bied. Ik struikel bijna over Marina en Crayton, die in elkaar gedoken achter een ander wrakstuk liggen.

'Kom op! Ella is gewond! We moeten hier weg!'

'Het zijn er te veel. Als we er nu vandoor proberen te gaan, zullen ze ons vermoorden. Laten we eerst Ella behandelen, en dan terugvechten,' zegt Crayton.

Ik leg Ella naast Marina neer. Ze heeft nog steeds die donkere bril op. Ik kan haar wond nu goed zien; het bloed stroomt er gestaag uit. Marina legt haar handen op Ella's been en doet haar ogen dicht. Ella haalt diep adem, en haar borstkas begint snel op en neer te gaan. Het is werkelijk verbazingwekkend om Marina's Erfgave in actie te zien. Er klinkt opnieuw een ontploffing, niet ver van ons vandaan, en net op het moment dat Ella's wond dichttrekt en de kogel uit haar vlees wipt, waait er een grote stofwolk over ons heen. De lange open wond is nu niet zwart en rood meer, maar neemt opnieuw de kleur aan van haar parelwitte huid. Vlak onder haar huid zie ik het silhouet van een botje van plaats veranderen.

Langzaam begint Ella's lijf zich te ontspannen. Opgelucht leg ik mijn hand op Marina's schouder en zeg: 'Dat was ongelooflijk, Marina.'

'Dank je. Dat was best wel cool, hè?' Marina trekt haar handen van Ella af, en die duwt zich met haar ellebogen langzaam overeind en gaat rechtop zitten. Crayton omhelst haar.

Een helikopter komt met brullende motor over ons heen schieten en doorzeeft twee vrachtwagens met een kogelregen. Een groot stuk metaal komt vlak naast me neer; het is een stuk van een smeulend portier. Het rode nummer acht is nog maar net zichtbaar. De aanblik daarvan maakt me woedend. Nu Ella genezen is, ben ik klaar om terug te vechten.

'Nu gaan we in de aanval!' schreeuw ik naar Crayton.

'Zijn het de Mogadoren?' vraagt Marina, terwijl ze het slot van haar kistje dichtklikt.

Crayton kijkt over de top van de puinhoop waarachter we dekking hebben gezocht, en duikt snel weer weg om verslag uit te brengen. 'Nee, geen Mogs. Maar ze zijn met heel veel, en ze komen dichterbij. We kunnen hier weerstand bieden, maar het zou beter zijn om ons terug te trekken in de bergen. Wie het ook mogen zijn, als ze het niet op ons gemunt hebben, maar op commandant Sharma, zie ik geen reden om jullie Erfgaven te onthullen.'

Door een explosie achter ons wordt er nog een grote stofwolk onze kant op geblazen, en ik zie hoe de helikopter met een scherpe bocht omkeert en nu recht op ons af komt vliegen. Marina en ik kijken elkaar aan, en we zien allebei dat we het volkomen eens zijn. Er is geen enkele manier om in te gaan op Craytons verzoek om geen gebruik te maken van onze Erfgaven en tegelijkertijd te doen wat nu noodzakelijk is. Ze neemt de macht over de helikopter over en stuurt die terug langs de route waarover hij gekomen is. De inzittenden zullen nooit begrijpen wat er gebeurd is, maar wij weten dat we nu geen last meer van dat ding zullen hebben. Wie er ook in dat ding mag zitten, we willen niemand onnodig in gevaar brengen. Ella en ik juichen van opluchting terwijl we de rondwervelende rotoren in de verte zien verdwijnen, terwijl Crayton met gefronst voorhoofd toekijkt. Dan laat commandant Sharma zich naast ons op de grond vallen.

'Godzijdank, jullie leven nog,' zegt hij. Ik kom in de verleiding om hetzelfde tegen hem te zeggen. Ik dacht dat hij was gedood tijdens de eerste raketinslag. Er druipt bloed uit een grote snee op zijn slaap, en zijn rechterarm bungelt onder een vreemde hoek langs zijn zij.

'Ik houd u hier verantwoordelijk voor,' zeg ik, en ik kijk hem woedend aan.

Hij schudt zijn hoofd. 'Dat zijn militairen van het Verzetsfront van de Heer. Zij zijn degenen die we probeerden te ontwijken.'

'Wat willen ze?' vraag ik.

Commandant Sharma speurt de horizon af voordat hij me recht in de ogen kijkt. 'Ze willen Vishnu vermoorden. En al zijn vrienden ook. Jullie dus. Er is versterking in aantocht.'

Ik ga op mijn hurken zitten en tuur voorzichtig over de vernietigde wagen heen. Een grote brigade van zwaarbepantserde voertuigen rijdt onze kant op. Er hangen verschillende helikopters boven. Her en der in de lange rij vrachtwagens en SUV's zie ik korte lichtflitsen en een paar seconden later hoor ik de kogels om me heen fluiten.

'Laten we ze er maar eens flink van langs geven,' zeg ik.

'Het is niet mogelijk om ze hier te verslaan,' zegt commandant Sharma, terwijl hij met zijn goede hand een machinepistool oppakt. 'Ik heb nog maar een man of twintig die niet buiten gevecht zijn gesteld. We moeten naar hoger gelegen terrein als we een kans willen maken om dit te overleven.'

'Laat dat maar aan mij over,' zeg ik.

'Wacht, Zes,' zegt Crayton en hij pakt Marina's kistje. 'Hij heeft gelijk. In de bergen zullen we meer dekking vinden. Je kunt hen daar nog steeds tot op de laatste man uitschakelen, maar dan valt het niet zo op, en dat is gunstig voor ons. We willen niet dat de Mogs in de gaten krijgen dat wij hier zitten.'

Marina legt een hand op mijn arm. 'Crayton heeft gelijk. We moeten dit slim aanpakken. Laten we niet meer de aandacht op ons vestigen dan strikt noodzakelijk.'

'De Mogs?' vraagt commandant Sharma verward. We zullen wat meer op onze woorden moeten letten met hem in de buurt.

Voordat iemand daarop kan antwoorden, vliegen twee laagvliegende helikopters met ratelende boordmitrailleurs op ons af. Een paar van Sharma's soldaten worden neergemaaid, en van hun wapens blijft weinig meer over dan wat gemangelde flarden metaal. Als we ervandoor willen gaan, dan is het nu of nooit. Ik gebruik mijn telekinese om de staart van een van de helikopters omhoog te trekken, en duw het ding met zijn neus omlaag. Terwijl de piloot verwoed zijn best doet om het toestel weer recht te trekken, wipt het op en neer als een rodeopaard dat probeert zijn berijder af te werpen. We kijken toe hoe de piloot een extra harde ruk aan de stuurknuppel geeft, zodat twee manschappen door het open boordluik naar buiten vallen. Ze zaten niet erg hoog, dus de val zal hen niet al te zwaar verwonden... hoop ik.

Ik kijk naar onze vloot stilstaande SUV's en ik zie rook opkringelen uit een van de uitlaatpijpen. Een motor die nog draait! 'Kom mee!' roep ik. 'Nú!'

Iedereen komt haastig uit zijn dekking vandaan. Commandant Sharma roept naar zijn weinige resterende manschappen dat ze zich moeten terugtrekken. De brigade is nog geen honderd meter van ons verwijderd. Terwijl we rennen voel ik een kogel door mijn haar zoeven. Een andere kogel gaat recht door mijn onderarm, maar voordat ik kan gillen loopt Marina al naast me, en haar ijskoude handen genezen mijn wond terwijl we rennen. De soldaten van de commandant gehoorzamen zijn bevel om zich terug te trekken, op één na. Die ene soldaat volgt zijn commandant, die met ons mee rent.

We bereiken de SUV en stappen in – wij vieren, plus commandant Sharma en die ene soldaat. Crayton geeft plankgas en we schieten de weg op. Kogels schieten door het achterste deel van onze wagen, zodat de achterruit uit elkaar spat, maar we weten ons om een kleine rotsformatie heen te manoeuvreren en ontkomen daarmee aan het onophoudelijke geweervuur.

Dit is geen weg om snel te rijden. Hij zit vol met diepe putten en is bezaaid met puin en keien, zodat het Crayton grote moeite kost om niet met een schuiver naast de weg terecht te komen. De SUV ligt vol met vuurwapens. Ik pak een jachtgeweer, kruip naar het achterste deel van de wagen en wacht op een doelwit. Marina volgt mijn voorbeeld, en laat haar kistje bij Ella achter.

Nu ik even de tijd heb om mijn gedachten op een rijtje te zetten, ben ik boos. We dachten dat als nummer Acht in de bergen was, we daar wel veilig zouden zijn, onder de radar. In plaats daarvan worden we juist vanwege hem aangevallen. Als we dit overleven, doe ik die Acht iets aan.

'Waar gaan we heen?' roept Crayton over zijn schouder.

'Blijf gewoon op de weg,' zegt de commandant. Ik kijk over mijn schouder en door de voorruit zie ik de Himalaya. Terwijl de bergen langzaam dichterbij komen, worden hun grillig gevormde pieken steeds dreigender. Vóór ons gaat de bruine woestijn over in een groene gordel aan de voet van de bergen.

'Waarom willen die lui nummer Acht vermoorden?' vraag ik aan commandant Sharma, terwijl de loop van mijn geweer op en neer stuitert op de sponning van de achterruit.

'Het Verzetsleger van de Heer gelooft niet dat hij Vishnu is. Zij geloven dat wij godslasteraars zijn door deze jongen uit de bergen als oppergod te aanvaarden. Ze willen ons doden in zijn naam.'

'Zes!' schreeuwt Ella. 'Raket!' Ze heeft nog steeds die bril op.

Ik kijk door de achterruit en zie nog net dat er iets wordt afgevuurd vanuit de helikopter. Het is een raket en hij schiet recht op ons af. Ik gebruik mijn telekinese en stuur het ding naar de woestijngrond, waar het ontploft. De helikopter vuurt nog twee raketten af.

'Het is tijd om die gasten uit te schakelen!' roep ik. 'Laten we dat samen doen, Marina.' Ze knikt en deze keer richten we de raketten niet op de grond, maar laten ze een bocht van honderdtachtig graden maken, zodat ze terugkeren naar de helikopter. We kijken grimmig toe hoe de helikopter uit elkaar spat in een reusachtige bal van vuur. We proberen nooit te doden, maar als we voor de keuze worden gesteld tussen doden en gedood worden, zal ik altijd voor het eerste kiezen.

'Mooi werk, Zes,' zegt Ella.

'Jippiejajee enzovoorts enzovoorts,' antwoord ik met een grimmig lachje.

'Denk je dat ze ons nu met rust zullen laten?' vraagt Marina.

'Volgens mij zal dat niet zo gemakkelijk gaan,' zegt commandant Sharma.

'Ze beschikt over dezelfde soort vermogens als de jongen die u Vishnu noemt,' zegt Crayton, en hij gebaart naar mij. 'Zou dat voldoende zijn om hen te ontmoedigen? Denkt u dat ze nog steeds zullen proberen hem te bestrijden?'

'Als ze hem kunnen vinden, zullen ze de strijd zeker voortzetten,' zegt de commandant.

'Hoeveel mensen heeft het Verzetsleger van de Heer?' vraag ik commandant Sharma.

'In totaal? Duizenden. En ze hebben rijke donoren die hen voorzien van alles wat ze maar nodig hebben.'

'Daar komen dus die helikopters vandaan,' zegt Crayton.

'Ze hebben wel erger,' zegt de commandant.

'We kunnen maar beter zorgen dat we hen voorblijven,' zegt Crayton tegen de commandant. 'Ik zal zo hard rijden als ik maar kan. Als we moeten vechten, dan vechten we, maar ik zou een gevecht het liefst vermijden.'

Vijf minuten gaan in gespannen stilte voorbij. Marina en ik houden de troepen in de verte in de gaten, en telkens als we iets passeren dat groot genoeg is, gebruiken we onze telekinese om dat achter ons op de weg te laten vallen. De hoge bomen die inmiddels langs de kant van de weg zijn verschenen, vormen al snel een dichte verdedigingslinie. De auto rijdt over een steile helling een uiterst smalle vallei binnen, en daarna bereiken we de berghelling. We hebben net de voet van de berg bereikt als commandant Sharma naar Crayton roept dat hij moet stoppen. Ik leun voorover in mijn stoel en zie tientallen kleine hoopjes Aarde.

'Landmijnen?' vraag ik.

'Dat weet ik niet zeker,' zegt de commandant. 'Maar twee dagen geleden waren ze hier niet.'

'Is er een andere route naar de plek waar we heen moeten?' vraagt Crayton.

'Nee, dit is de enige weg,' zegt commandant Sharma.

Plotseling horen we rotoren van helikopters klepperen, maar ik zie ze nog nergens. Die worden aan het zicht onttrokken door de hoge bomen. Natuurlijk houdt dat in dat ze ons ook niet kunnen zien, maar zo te horen zijn ze niet ver weg meer.

'Als we hier blijven, vormen we een perfect doelwit,' zeg ik, en mijn geest draait op volle toeren om te bedenken wat we nu het beste kunnen doen.

Crayton doet het portier open en stapt uit, met een machinegeweer onder zijn arm. 'Oké, dit is het dan.' Hij wijst omhoog en naar rechts. 'Of we gaan daar naar boven, zoeken dekking achter de bomen en we vechten, of we blijven recht de berghelling op rijden.'

Ik stap ook uit. 'Ik heb geen zin om voor die lui te vluchten.'

'Ik ook niet,' zegt Marina, en ze gaat naast me staan.

'Dan vechten we,' zegt commandant Sharma. Hij wijst naar de heuvels. 'De helft van ons stelt zich op aan de linkerzijde van de weg, en de andere helft aan de rechterzijde. Ik neem deze twee mee.' Hij wijst Ella en mij aan.

Crayton en ik kijken elkaar even aan en knikken.

'Red je het zonder me, papa?' vraagt Ella.

Crayton glimlacht. 'Marina's Erfgave zal er wel voor zorgen dat alles wat ze me aandoen, niet van lange duur zal zijn. Ik denk dat ik het wel red.'

'Ik zal een oogje in het zeil houden, Ella,' voegt Marina daaraan toe.

'Weet u zeker dat dit verstandig is, commandant?' vraagt de soldaat. 'Ik kan Vishnu gaan halen, en hem dan hiernaartoe laten komen om ons te helpen.'

'Nee, heer Vishnu kan maar beter op een veilige plek blijven.'

'Hou die bril maar op,' zegt Crayton tegen Ella. 'Misschien kunnen we tussen de bomen wel een extra paar ogen gebruiken. Ik weet nog steeds niet hoe die bril werkt, maar laten we hopen dat ze nu helpen.'

Ik sla mijn armen om Marina heen en fluister haar in het oor: 'Heb vertrouwen in je Erfgaven.'

'Eigenlijk moet ik commandant Sharma nog genezen voordat jullie op pad gaan,' zegt ze.

'Nee,' fluister ik. 'Ik vertrouw hem nog niet, en hij is minder gevaarlijk voor ons als hij gewond is.'

'Weet je dat zeker?'

'Voorlopig wel.'

Marina knikt. Crayton tikt haar op haar arm en gebaart dat ze met hem en de jonge soldaat mee moet komen. Met zijn drieën lopen ze haastig over de linkerwand van de vallei omhoog en verdwijnen uit het zicht achter een groot rotsblok.

Commandant Sharma, Ella en ik lopen naar de rechterzijde van de vallei, en letten goed op dat we niet op die hoopjes op de grond stappen. We kiezen een positie achter een paar enorme rotsblokken en wachten de komst van de troepen af.

Ik voel me een beetje schuldig tegenover de commandant, omdat ik Marina hem niet heb laten genezen, maar voor hetzelfde geld is dit een door hem vooropgezette ingewikkelde valstrik. 'Hoe gaat het met uw arm?' fluister ik tegen hem.

Commandant Sharma maakt een grommend geluid, gaat op de grond liggen en legt de loop van zijn geweer op een plat stuk rots neer. Dan kijkt hij op en knipoogt. 'Ik heb er maar één nodig.'

Vanuit mijn ooghoek zie ik een helikopter overkomen, maar die is vrijwel onmiddellijk weer verdwenen. Óf Marina heeft met hem afgerekend, óf de piloot heeft ons tussen al die bomen hier in de vallei niet gezien. Ik kijk tussen de bomen door en hoop dat ik de wolken rondom de bergpieken zal kunnen manipuleren, maar het is middag en in de felle zon zijn ze verdwenen. Zonder wind en zonder wolken zijn er geen elementen die voor mij te beheersen zijn. Als het nodig is, kan ik mezelf onzichtbaar maken, maar voorlopig heb ik liever niet dat de commandant dat weet.

'Wat zie je?' vraagt Ella.

'Helemaal niets,' fluister ik terug. 'Commandant, hoe ver zit Nummer Acht hiervandaan?'

'Vishnu, bedoelt u? Niet ver. Een halve dag lopen misschien.'

Ik sta op het punt om te vragen waar precies. Dat moeten we weten, voor het geval de commandant iets overkomt en we zonder hem verder moeten. Maar ik wordt afgeleid door een roestige pickuptruck die met hoge snelheid de smalle vallei binnenrijdt. Er staat een man in de open laadbak. Zelfs op grote afstand kan ik al zien dat hij niet alleen zenuwachtig is, maar ook bewapend. Hij zwaait wild met zijn geweer van de ene kant van de wagen naar de andere, en probeert panisch overal tegelijk te zijn. Zodra onze SUV zichtbaar wordt, komt de pick-up met piepende banden tot stilstand en de soldaat springt uit de laadbak. Meer wagens verschijnen en stoppen achter de pick-uptruck. Een soldaat springt uit een rode truck. Hij heeft een draagbare raketwerper op zijn schouder. Ik zie een mogelijkheid.

Met mijn voet tik ik de commandant even aan. 'Ik ben zo weer terug.'

Ik geef hem niet de kans om me tegen te spreken en hol snel het bos in. Zodra hij me niet meer kan zien, maak ik gebruik van mijn onzichtbaarheidsgave en hol snel de vallei in. De soldaat heeft onze SUV in zijn vizier, maar voordat hij de trekker kan overhalen, ruk ik de raketwerper van zijn schouder en ram het ene uiteinde daarvan in zijn maag. Hij klapt dubbel en valt schreeuwend op de grond. De bestuurder van de SUV hoort hem schreeuwen en komt met zijn pistool in de aanslag naar ons toe hollen. Ik richt de raketwerper op zijn gezicht. Hij neemt een fractie van een seconde de tijd om te beoordelen of de in het niets zwevende raketwerper op het punt staat om te doen waar hij voor gemaakt is, draait zich dan om en rent met zijn armen boven zijn hoofd weg.

Ik mik op de inmiddels verlaten, roestige pick-up en haal de trekker over. De raket treft doel en onder de pick-up laait een enorme vlammenzee op, die het voertuig wel tien meter de lucht in werpt. De brandende wagen slaat met een doffe klap tegen de grond, stuitert, en rolt dan snel naar voren, zodat hij met een klap tegen de achterzijde van onze SUV botst. Terwijl ik sta te kijken zet die zich met een ruk in beweging en rolt langzaam over de kleine hoopjes Aarde op de weg die ons daarnet de weg versperden. De daaropvolgende dertig seconden worden gevuld met een snelle reeks oorverdovende klappen, terwijl de soldaten blindelings om zich heen schieten en de hoopjes op de weg achter elkaar ontploffen. Duizenden vogels fladderen op uit de omringende bomen, maar hun drukke gepiep wordt al snel overstemd door al het geknal en geratel. Ik had gelijk; het waren inderdaad landmijnen. En nu is er van onze SUV niets meer over dan een smeulende hoop metaal.

Kennelijk was dit alleen maar een prelude. Het belangrijkste deel van de voorstelling – pantserwagens, kleine tanks, mobiele meervoudige raketwerpers – komt nu steeds dichterbij. Met al die zware wapens moeten er ook nog enkele duizenden infanteristen in de buurt zijn. Vijf of zes aanvalshelikopters zweven boven ons.

Ik hoor een ratelend geluid en als ik omkijk zie ik een raketwerper die langzaam omhoogkomt en intussen een zwenking maakt, zodat hij klaar is om te vuren. De neuzen van vijf witte raketten zwaaien eensgezind omhoog en staan nu gericht op het gebied waar Marina en Crayton dekking hebben gezocht. Ik zie beweging aan de rand van de bomen. De jonge soldaat van commandant Sharma komt de vallei in gerend. Hij is ongewapend en holt recht op de raketwerper af. Eerst denk ik dat hij zichzelf op de een of andere manier gaat opofferen om mijn vrienden te redden, maar niemand schiet op hem. Bij de raketwerper blijft hij staan en wijst naar een gebied hoger op de berghelling, waar Crayton en Marina zich schuilhouden. De raketwerper gaat nog enkele tientallen centimeters omhoog, zodat de raketten beter op hun doel zijn gericht.

Het is een verrader! Hij hoort bij de mensen die ons proberen te vermoorden! Voordat ik er erg in heb, vliegt hij hoog in de lucht, opgetild door telekinese. Marina moet tot dezelfde conclusie zijn gekomen. Maar misschien is het al te laat. De soldaat heeft hun locatie al onthuld.

Ik kijk naar de raketwerper en verzamel al mijn krachten, zodat ik de baan van de raketten kan beïnvloeden zodra ze gelanceerd zijn. Terwijl ik mijn aandacht erop richt, komt een andere meervoudige raketwerper ratelend tot leven en richt zijn raketten recht op mij. Hoewel ik onzichtbaar ben, weet de tegenstander dat er zojuist een raket is afgevuurd vanaf de plek waar ik nu sta. Ik kan slechts één partij raketten tegelijk aan, en ik heb geen tijd om ervandoor te gaan. Dus ik heb de keuze: óf ik red Crayton en Marina, óf ik red mezelf.

De raketwerper die op de berg gericht staat, begint te vuren. De raketten schieten krijsend omhoog en vliegen recht op de berg af. Ik krijg ze in mijn greep en richt ze op de grond, waar ze ontploffen, net op het moment dat de tweede raketwerper in actie komt. Ik kijk om en zie de witte neuzen van de raketten op me af schieten. Ik heb geen tijd om iets te doen, maar plotseling schieten de raketten recht omhoog en vliegen terug in de richting van de raketwerper die ze heeft gelanceerd, en de militairen daaromheen. Ze raken vijf verschillende voertuigen, die stuk voor stuk ontploffen.

Marina. Ze heeft mijn leven gered. We werken samen, precies

zoals het bedoeld was, en bij die gedachte voel ik me nog veel gedrevener dan ik al was om te zorgen dat dit gedoe hier snel achter de rug is, en dat we Acht vinden. Ik wil de resterende soldaten iets duidelijk maken, en dus laat ik mijn onzichtbaarheid vallen en laat ik mezelf zien. Ik richt mijn aandacht op de brandende wagens die zojuist zijn geraakt door de raketten en verspreid het vuur, zodat de rest van de troep erdoor verzwolgen wordt. De vlammen slaan over van de ene wagen op de andere. Het is net een rijtje ontploffende dominostenen. Bericht ontvangen. De resterende soldaten van het Verzetsleger van de Heer beginnen zich terug te trekken. Een seconde lang kom ik in de verleiding om vergeldingsmaatregelen te nemen. Maar dat is wreed en onnodig, en precies wat de Mogadoren zouden doen. Ik weet dat we er niets mee zullen opschieten als ik mijn middeleeuwse fantasieën uitleef en de wegvluchtende soldaten op wrede wijze te grazen neem.

'Goed zo, jongens! Hollen maar! Want als jullie niet hollen, staat het vuurwerk voor jullie klaar.' Als de laatste soldaat uit het zicht verdwenen is, draai ik me om en loop terug naar de bergen. Ik moet mijn vrienden zien terug te vinden.

8
Vier

Er hangt een dikke rookwolk, maar die begint langzaam te verwaaien. Vanaf de plek waar ik nu sta, op de bodem van de vallei, kan ik tientallen benen en zwarte laarzen zien. Ik kijk omhoog en zie bijna net zoveel geweren, die allemaal op mijn hoofd gericht zijn.

Mijn ogen gaan langs de zware laarzen omhoog naar de gasmaskers, en tot mijn opluchting zie ik dat het mensen zijn, en geen Mogadoren. Maar sinds wanneer lopen mensen met Mogadoorse wapens rond? Er wordt een geweer tegen mijn achterhoofd geduwd. Over het algemeen zou ik mijn telekinese gebruiken om dat weg te duwen en het kilometers ver weg te gooien, maar de pijn van de armband is zo hevig dat ik niet in staat ben om mijn energie daarop te richten. Een van de mannen zegt iets tegen me, maar ik kan me niet goed genoeg concentreren om zijn woorden te verstaan.

Ik zoek naar iets om mijn aandacht op te richten, dat me kan helpen de pijn te doorstaan, en ik zie Negen kreunend op het tapijt liggen. Vanwaar ik sta, lijkt hij moeite te hebben met ademen; ik krijg ook de indruk dat hij zijn armen en benen niet kan gebruiken. Ik wil hem helpen, en doe mijn best om op te staan, maar zodra ik me beweeg, word ik weer omvergeschopt. Ik rol op mijn rug en onmiddellijk wordt er een lange buis tegen mijn oog gedrukt. Er slieren honderden lichtjes rond in die buis, en terwijl ik kijk, voegen die zich samen tot een groene staaf. Het is inderdaad een Mogadoren-kanon, van hetzelfde soort waardoor ik verlamd ben geraakt voor ons brandende huis in Florida. Ik kijk met mijn andere oog langs het wapen en zie een man in een kakikleurige regenjas. Hij trekt zijn gasmasker omhoog, zodat er een krans van wit haar en een dikke, kromme neus zichtbaar worden. Die neus is zo te zien al een paar keer gebroken geweest, en ik merk dat ik er verlangend naar uitzie om hem nog eens te breken.

'Verroer je niet,' gromt de man, 'anders haal ik de trekker over.'

Snel kijk ik even naar Negen, die zich lijkt te herstellen. Hij zit nu rechtop en kijkt om zich heen, en aan de verwarde blik in zijn ogen is te zien dat hij verwoed zijn best doet om weer bij zijn positieven te komen. De man die het kanon tegen mijn gezicht gedrukt houdt, kijkt naar hem. 'Wat voer jij hier uit?' zegt hij.

Negen lacht hem vriendelijk toe, met een heldere blik en kalm. 'Ik probeer te beslissen wie van jullie ik het eerste zal vermoorden.'

'Laat hem zijn kop houden!' gilt een vrouw, terwijl ze het huis binnenloopt. Ook zij is voorzien van een Mog-kanon. Twee mannen zetten een laars tegen Negens schouder en duwen hem weer tegen de vloer. De vrouw gebaart naar mij, en iemand pakt me bij mijn schouders en hijst me overeind. Een andere man grijpt mijn polsen en doet me een paar handboeien om.

'Verdomme!' roept hij als hij mijn rode armband aanraakt. Ik mag dan niet weten wat het ding doet, maar dit aspect ervan bevalt me wel.

Als we eenmaal rechtovereind staan, kijk ik aandachtig om me heen en neem de situatie goed in me op. Er staan een stuk of tien, twaalf gemaskerde mannen om me heen, en stuk voor stuk hebben ze een geweer. De man en de vrouw die tot nu toe het woord voerden, hebben kennelijk de leiding. Ik zoek Bernie, maar ik zie hem niet. Toch kan ik hem in mijn gedachten horen.

Gewoon afwachten. Laten we eerst maar eens kijken wat ze willen en hoeveel ze weten.

'Wat wilt u van ons?' vraag ik aan de man met de gebroken neus.

Hij lacht en kijk naar de vrouw. 'Wat willen wij, special agent Walker?'

'Om te beginnen, wil ik weten wie die vriend van je is,' zegt ze, en ze richt de buis weer op Negen.

'Ik ken die gast niet,' zegt Negen. Hij veegt zijn haar uit zijn gezicht en lacht hen vriendelijk toe. 'Ik kwam gewoon even langs om hem een stofzuiger te verkopen. Het zag er hier nogal verwaarloosd uit, en volgens mij zou hij best een stofzuiger kunnen gebruiken.'

De man loopt naar Negen toe. 'Is dat wat je in die mooie kistjes hier hebt zitten? Stofzuigers?' Hij knikt naar een van de andere agenten en zegt: 'Laten we maar eens naar die stofzuigers kijken. Misschien wil ik er zelf ook wel een.'

'Ga gerust uw gang.' Negens glimlach heeft iets dreigends. 'Ik heb ze in de uitverkoop. Twee voor de prijs van drie.'

Een fractie van een seconde maken Negen en ik oogcontact. Daarna richt Negen zijn blik op de muur, waar een mot vlak onder het plafond fladdert. Het is Bernie Kosar. Ik weet zeker dat Negen BK's opdracht om te wachten hoe de situatie zich ontwikkelt ook heeft gehoord, en ik vraag me af of hij in staat zal zijn om zichzelf in bedwang te houden. Een van de soldaten doet hem handboeien om, en daarna gaat hij snel rechtop zitten. Ik kan zien dat de handboeien om zijn polsen al kapot zijn. Hij houdt zijn handen alleen maar bij elkaar om niet de illusie te verstoren dat hij nog geboeid is.

Negen wacht gewoon op het juiste moment om aan te vallen. Ik denk niet dat hij ooit van plan is geweest om te doen wat BK vroeg. Achter mijn rug trek ik mijn armen uit elkaar, en verbreek daarmee stilletjes en gemakkelijk mijn eigen boeien. Wat er ook gaat gebeuren, ik kan er maar beter klaar voor zijn.

Een stel mannen staat nu om Negens kistje heen. Een van hen beukt met de kolf van zijn geweer telkens weer op het slot, maar dat haalt niets uit. Hij beukt er toch nog een paar keer op in, en is duidelijk gefrustreerd.

'Wat dacht je hiervan?' Special agent Walker trekt een revolver, richt op het slot en haalt de trekker over. De kogel ketst af op de muur en schiet rakelings langs het been van een andere agent.

De man met de gebroken neus grijpt Negen in zijn nek, trekt hem overeind en duwt hem naar voren. Negen is niet in staat om te blijven doen alsof hij nog geboeid is, en steekt zijn handen uit om zijn val te breken, zodat hij op handen en knieën neerkomt. De man realiseert zich dat Negens handen niet meer geboeid zijn en roept over zijn schouder: 'Handboeien! We zitten hier met een kapot stel handboeien!'

Negen houdt zijn kin tegen zijn borst gedrukt, maar zijn hele lichaam schudt van het lachen. Hij strekt zijn benen en doet een push-up. En daarna nog één. Een agent schopt zijn rechterhand onder hem weg, maar Negen blijft in zijn ritme en doet een push-up met alleen zijn linkerhand. De agent schopt zijn linkerhand weg, maar Negen is te snel om zich daardoor uit zijn evenwicht te laten brengen. Zijn rechterhand schiet omlaag en met zijn volgende push-up laat hij duidelijk zien dat hij perfect in vorm is. Nu duiken er vier agenten op hem af, en ieder grijpt een arm of been vast, maar Negen blijft maar lachen. Plotseling merk ik dat ik ook begin te lachen. Zijn bizarre gevoel voor humor is aanstekelijk. Dat moet ik hem nageven.

Special agent Walker richt haar aandacht nu op mij. Langzaam haal ik mijn armen tevoorschijn vanachter mijn rug. De kapotte handboeien bungelen aan mijn polsen. Ik wapper met mijn vingers, leg ze op mijn achterhoofd en begin te fluiten.

Walker knijpt haar ogen tot spleetjes en trekt haar meest intimiderende glimlach. 'Weet je wat er met jongens zoals jij gebeurt in de gevangenis?' vraagt ze.

'Ze ontsnappen? Net als ik de vorige keer?' Mijn ogen zijn groot en onschuldig.

Van onder een hele stapel agenten hoor ik Negen brullen van het lachen om mijn voorstelling. Ik moet toegeven dat Negen dit hele gedoe met een wonderlijk soort lol best leuk weet te maken. Ik kan een brede grijns nu niet meer bedwingen. Ik wéét dat deze mensen gewoon hun werk doen, en dat ze denken dat ze hun land proberen te beschermen. Maar op dit moment heb ik enorm de pest aan hen. Ik heb de pest aan hen, omdat ze ons voor de voeten lopen, en ik vind het stoere gedoe van deze vrouw afschuwelijk. Ik vind het ook afschuwelijk dat ze met Mog-kanonnen rondlopen. Maar het ergste vind ik nog dat ze vorige week met Sarah hebben samengewerkt om Sam en mij gevangen te nemen. Ik vraag me af wat ze haar beloofd hebben om haar zover te krijgen dat ze me aangaf. Hebben ze haar overgehaald door haar medelijden aan te praten? Hebben ze haar ervan overtuigd dat ze mij zou redden door ons te laten oppakken? Hebben ze soms gezegd dat ze me kon bezoeken, terwijl ik in de gevangenis zat om te boeten voor mijn zogenaamde fouten? Ik kijk naar Bernie Kosar, maar de mot is nergens meer te zien. Op dat moment loopt er een dikke bruin-witte kakkerlak over mijn been omhoog en kruipt in de zak van mijn spijkerbroek.

Negen speelt het spelletje nog een tijdje mee, zegt Bernie Kosar. *Maar ik weet niet hoe lang nog. Zorg dat je zo snel als je maar kunt zo veel mogelijk te weten komt.*

De man die de leiding heeft, steekt zijn hand op om de aandacht van de anderen te trekken. 'Oké! Laten we die lui hier weghalen voordat onze vrienden komen opdagen.'

'Wie zijn jullie vrienden?' vraag ik, al ben ik er al tamelijk zeker van dat de Amerikaanse regering en de Mogadoren op de een of andere manier samenwerken. Dat is de enige verklaring voor het gebruik van die Mog-wapens. 'Wie mag hier niet komen opdagen, terwijl wij er nog zijn?'

'Kop dicht!' snauwt special agent Walker. Ze haalt een mobieltje tevoorschijn en toetst een nummer in. 'We hebben hem opgepakt, met nog iemand,' zegt ze in de telefoon. 'Twee kistjes. Nee, maar die krijgen we wel open. Tot straks.'

'Wie was dat?' vraag ik. Ze negeert me en stopt het mobieltje weer weg.

'Hé gast, ik dacht dat jij een stofzuiger wilde kopen,' zegt Negen. 'Ik moet er echt een verkopen. Mijn baas maakt me af als ik opnieuw thuiskom met een hele doos vol stofzuigers.'

Ze trekken Negen overeind. Hij strekt zijn rug en glimlacht, als een voldane kat die zich helemaal heeft volgevreten met muizen. 'Het maakt niet uit waar jullie ons heen brengen. Er is geen enkele gevangenis die ons kan tegenhouden als we daar weg willen. Als jullie wisten wie wij zijn, zouden jullie je tijd niet meer verdoen met deze flauwekul.'

Agent Walker lacht. 'We weten wie jullie zijn, en als jullie zo slim en zo sterk waren als jullie denken, zouden we jullie nooit gevonden hebben.'

Twee agenten pakken onze kistjes op en lopen ermee de voordeur uit. We krijgen nieuwe handboeien om. Negen zelfs drie paar tegelijk.

'Jullie hebben geen idee wat we allemaal kunnen,' zegt Negen met een misselijkmakend lief stemmetje voordat we door de voortuin worden afgevoerd. 'Als ik zou willen, zijn jullie binnen enkele seconden allemaal dood. Jullie mogen van geluk spreken dat ik op dit moment zo'n lieve jongen ben. Voorlopig dan.'

9

Zeven

We staan voor een poort. Achter de poort loopt een smal pad recht de berg op. Crayton vraagt om het pad achter ons onder schot te houden, terwijl Zes samen met commandant Sharma voorop loopt. Ik vraag me af of het verraad van zijn soldaat hem geraakt heeft en of hij, als hij straks weer terug is, nog op de loyaliteit van zijn troepen durft te vertrouwen. Ik kan me niet voorstellen dat ik hem daarnaar zou durven vragen, want dan zou ik daarmee onvermijdelijk suggereren dat hij zoiets had moeten verwachten. En dat is natuurlijk ook zo.

Ik heb het boomtakje uit mijn kist in mijn hand. Ik moet er achter zien te komen wat dat doet. De eerste keer dat ik dit voorwerp vasthield – de eerste keer dat ik mijn kist opende, in het Santa Teresa-klooster, toen Adelina nog leefde – had ik geen tijd om erachter te komen waar het goed voor is. Maar ik herinner me wel dat als ik het uit het raam stak, ik de een of andere magnetische kracht voelde. Vrijwel zonder erbij na te denken, wrijf ik met mijn duim over het gladde, gepolijste oppervlak. Na een tijdje merk ik dat het een bepaalde uitwerking heeft op de bomen waar we langskomen. Ik mik en concentreer me op wat ik van de bomen wil, en het duurt niet lang voordat ik hun wortels hoor kraken en hun takken hoor ruisen. Ik draai me om en loop achteruit verder, terwijl ik de bomen langs het pad vraag om voor onze veiligheid te zorgen. Ze buigen zich en vervlechten hun kruinen met elkaar, zodat het onmogelijk wordt om ons te volgen. Ik wil zo graag helpen, ik wil zo graag anderen niet tot last zijn en mijn Erfgave gebruiken om ons te helpen, dat er elke keer dat een boom op mijn verzoek reageert, een golf van opluchting in me komt opzetten.

Het grootste deel van de tijd lopen we in stilte. Omdat ik me verveel, laat ik een tak tot recht voor Zes' gezicht zakken om haar te kietelen. Zonder haar pas in te houden slaat ze de tak weg. Ze is te zeer in beslag genomen door wat er misschien komen gaat om zich door zoiets te laten afleiden. Tijdens het lopen denk ik aan Zes. Aan hoe moedig ze was met de soldaten. Ze is altijd zo rustig, zo cool en beheerst. Ze neemt het bevel op zich en beslist gewoon, alsof dat voor haar volkomen vanzelfsprekend is. Op een dag zal ik net zo zijn als zij, dat weet ik zeker.

Ik vraag me af wat Adelina van Zes zou denken, en hoe ze nu over mij zou denken. Ik vraag me af hoeveel verder ik al gevorderd zou zijn als zij me had getraind. Ik weet dat ik door al die jaren in het weeshuis, zonder met haar te trainen, minder vergevorderd ben dan eigenlijk zou moeten. Ik ben niet zo sterk en vol zelfvertrouwen als Zes. En zelfs Ella weet veel meer dan ik. Ik probeer mijn wrevel daarover van me af te zetten en richt mijn gedachten op Adelina's laatste eervolle daad. Ze is moedig op de Mog af gerend, met als wapen niet meer dan een keukenmes. Ik probeer de herinnering te stoppen, voordat ik het punt bereik waarop ze sterft, maar dat lukt bijna nooit. Had ik maar de moed gehad om met haar mee te vechten of geweten hoe ik mijn telekinese had kunnen gebruiken om de hand van de Mogadoor los te trekken van Adelina's nek. Dan zou ze hier nu misschien met ons meelopen.

'Hier nemen we rust,' zegt de commandant, en zijn stem doet me opschrikken uit mijn gemijmer. Hij wijst naar een paar platte keien die baden in het licht van de namiddagzon. Vlak achter de rotsen zie ik een beekje. 'Maar niet lang. Voordat het donker wordt moeten we een heel stuk verder bergopwaarts zijn.' Hij kijkt naar de hemel.

'Waarom?' vraagt Zes. 'Wat gebeurt er als het donker wordt?'

'Heel vreemde dingen. Dingen waar jullie nog niet klaar voor zijn.' Commandant Sharma trekt zijn schoenen en sokken uit, rolt zijn broekspijpen keurig op, overdreven netjes eigenlijk, en waadt het beekje in.

Crayton trekt eveneens zijn schoenen en sokken uit en volgt zijn voorbeeld. 'Weet u, commandant, we schenken u al een heleboel vertrouwen door achter u aan deze berghelling op te lopen. Het minste wat u van uw kant zou kunnen doen, is antwoord geven op onze vragen, als we die stellen. We hebben een heel belangrijke missie. En we verdienen uw respect.'

'Ik respecteer u ook, meneer,' zegt hij. 'Maar ik houd me aan Vishnu's orders.'

Crayton schudt geërgerd zijn hoofd en loopt stroomopwaarts. Het valt me op dat Ella een eindje van ons is afgedwaald en nu in haar eentje op een van de rotsblokken bij het beekje zit. De hele wandeling heeft ze de donkere bril uit mijn kistje op gehad, en nu maakt ze van de gelegenheid gebruik om de glazen zorgvuldig schoon te vegen aan haar blouse. Ze merkt dat ik naar haar kijk, en houdt de bril omhoog. 'Het spijt me, Marina. Ik weet niet waarom ik die op heb gehouden. Het is gewoon dat...'

'Het is goed, Ella. De bril heeft je geholpen om de aanval te zien voordat wij die hadden opgemerkt. We weten misschien nog niet wat het ding allemaal kan, maar zo te zien kun je er goed mee overweg.'

'Kennelijk wel. Ik vraag me af of ik er nog méér mee zou kunnen doen.'

'Wat heb je allemaal gezien tijdens het lopen?' vraagt Zes.

'Bomen, bomen en nog eens bomen,' zegt Ella. 'Ik loop de hele tijd te wachten tot er iets gebeurt of ik iets ongewoons zie. Maar ik zie niks. Ik wilde maar dat ik zeker wist dat dat betekent dat er ook niets te zien vált.' Ik merk dat ze boos is op zichzelf, en niet op de bril.

Met het takje in mijn hand, laat ik een grote boom naar haar toe buigen, om schaduwen op de rotsblokken te werpen. 'Nou, blijf het proberen.'

Ella houdt de donkere bril tegen het licht. Terwijl ze die omdraait, lijkt het net alsof ik haar gedachten kan lezen en of ze me bedankt, omdat ik haar het gevoel geef dat ze bij het team hoort en een nuttige bijdrage levert.

Ik kijk naar Zes, die languit op de grond ligt. 'Hoe zit het met jou, Zes?' vraag ik. 'Wil jij soms iets uit mijn kist proberen?'

Ze staat op, geeuwt en kijkt omhoog naar het pad. 'Ik vind het wel best zo, geloof ik. Later misschien.'

'Prima,' zeg ik. Ik loop door het beekje en spetter wat water in mijn gezicht en in mijn nek. Net als ik wat wil drinken, komt commandant Sharma het water uit en hij zegt dat het tijd is om te gaan. We maken ons allemaal gereed om verder de berg op te lopen. Ik pak mijn kistje en laat het op mijn heup balanceren.

Onmiddellijk wordt het pad een heel stuk steiler. Het is bovendien verrassend glad en nergens liggen keien of rotsblokken. Het lijkt wel of dit pad niet lang geleden door een zware regenbui helemaal is schoongespoeld. Het kost ons allemaal moeite om niet uit te glijden. Crayton probeert te hollen om op die manier over de lastigste stukken heen te komen, maar zijn voeten glijden onder hem weg en hij smakt languit in de modder.

'Dit is niet te doen,' zegt hij, terwijl hij opkrabbelt en de modder van zijn kleren veegt. 'We zullen door het bos moeten lopen om een beetje houvast te krijgen.'

'Uitgesloten,' zegt de commandant, die zijn armen nu wijd uitgestrekt heeft, als een koorddanser. 'We zullen deze hindernissen niet overwinnen door ervoor weg te lopen. Snelheid doet niet ter zake. Het gaat er alleen maar om dat we niet stoppen.'

'Het maakt niet uit of we langzaam lopen of niet? En dat wordt gezegd door iemand die net heeft verklaard dat er na zonsondergang heel vreemde dingen gebeuren?' Zes laat een minachtend gesnuif horen. 'Volgens mij moet u ons echt eens vertellen hoeveel verder het nog is, en als het nog meer dan drie uur lopen is, vind ik dat we het bos in moeten gaan om wat meer houvast te krijgen,' zegt ze, en ze kijkt hem strak aan.

Ik kijk naar het takje in mijn hand en krijg een idee. Ik concentreer me op de bomen aan weerszijden van het pad, en vraag ze hun takken te laten zakken. Plotseling is het mogelijk om onszelf omhoog te trekken. Dit is touwklimmen in Lorische stijl. 'Wat dachten jullie hiervan?' vraag ik.

Zes grijpt de takken beet en onderzoekt of ze haar gewicht kunnen dragen. Ze klimt een meter omhoog en roept over haar schouder: 'Briljant, Marina! Heel gaaf!'

Terwijl we klimmen, blijf ik de bomen buigen. Ella heeft nog steeds de donkere bril op. Ze speurt het bos langs, het pad af en kijkt af en toe ook snel even over haar schouder. Zodra het pad wat minder steil wordt en het makkelijker wordt om houvast te krijgen, plant Zes haar hielen diep in de modder en gaat hollend vooruit.

Ze komt echter regelmatig even teruggelopen om te melden wat ze heeft gezien, en elke keer is dat hetzelfde: 'Het pad loopt gewoon door.' Eindelijk komt ze terug om te zeggen dat we een tweesprong naderen. Als hij dat hoort, verschijnt er een verwarde uitdrukking op het gezicht van commandant Sharma, en hij begint sneller te lopen.

Als we de tweesprong bereikt hebben, fronst de commandant zijn wenkbrauwen. 'Dit is nieuw.'

'Hoe kan dat nou nieuw zijn?' vraagt Crayton. 'Die paden zien er allebei precies hetzelfde uit. Er is duidelijk veel over gelopen, over het ene niet meer dan over het andere.'

De commandant begint te ijsberen. 'Ik kan met mijn hand op mijn hart zeggen dat het pad naar links vroeger niet bestond. We zijn nu heel dicht bij Vishnu. Het is deze kant op.' Hij loopt vol zelfvertrouwen het pad naar rechts op en Crayton loopt achter hem aan.

'Wacht even,' zegt Ella, 'op het pad naar rechts zie ik helemaal niets. Met deze bril op zie ik daar alleen maar een donkere leegte.'

'Meer hoef ik niet te horen,' zegt Zes.

'Nee, we gaan naar rechts,' zegt de commandant tegen Zes. 'Ik heb deze route al vaak gelopen, lieve schat.' Zes blijft staan en draait zich dan langzaam om.

'Ik ben jouw lieve schat niet,' zegt ze waarschuwend.

Terwijl commandant Sharma en Zes elkaar woedend aankijken, zie ik dat er op het pad naar links iets in de modder gekrast staat. Het zijn geen diepe krassen en het teken is niet meer dan een paar centimeter hoog, zodat ik heel goed moet kijken, maar er is geen twijfel over mogelijk. Het is een acht.

'Volgens mij heeft Ella gelijk. We gaan linksaf,' zeg ik, en ik wijs naar het cijfer.

Zes loopt naar het cijfer in de modder toe en zet met de neus van haar schoen een streep onder het nummer acht. 'Goed gezien, Marina.' Crayton kijkt haar aan en glimlacht.

We nemen onze vaste posities weer in, met Zes en een onwillige commandant Sharma voorop en ik in de achterhoede. Het pad stijgt licht, en is nu weer bezaaid met keien. En dan zien we tot ieders verrassing dat er water over het pad naar beneden komt stromen. De keien onder onze voeten worden kleine eilandjes. Ik spring van de ene kei naar de andere, maar binnen enkele minuten staan alle keien onder water. Plotseling waden we weer door een beekje.

Ella is de eerste die de stilte verbreekt. 'Misschien had de bril het mis. Misschien was dit niet het juiste pad.'

'Nee, dit is correct,' zegt de commandant, en hij bukt zich om zijn vingers in het water te dopen. Dit is een teken dat ik al eerder heb gezien.' We hebben geen idee wat hij daarmee bedoelt, maar nu we al zo ver gekomen zijn, kunnen we net zo goed doorgaan.

Het water stroomt nu steeds sneller en het begint moeite te kosten om erdoorheen te waden. Moeizaam sjokken we de berg op, totdat Ella tot aan haar middel door het water loopt en ik het moeilijk vind om mijn evenwicht niet te verliezen. En dan, al net zo snel als het begon, begint het water minder snel te stromen, de helling vlakt af en het beekje gaat over in een enorme vijver. Achter de vijver zien we een muur met een grillig gevormde bovenrand, waar op vier verschillende plekken water overheen stroomt, dat met donderend geraas neerkomt in de vijver.

'Wat is dat?' Ella wijst.

In het midden van de vijver steekt een groot wit rotsblok boven het water uit. Er staat een glanzend blauw standbeeld van een gekroonde man met vier armen op.

'De almachtige heer Vishnu,' fluistert commandant Sharma.

'Wacht. Dat is Acht? Een standbeeld?' vraagt Zes, terwijl ze zich naar Crayton omdraait.

'Wat houdt hij in zijn handen?' vraagt Ella. Ik volg haar blik en zie dat hij in elke hand iets heeft: een roze bloem, een witte schelp, een gouden staf en op de punt van een van zijn wijsvingers een blauw schijfje dat eruitziet als een cd.

De commandant waadt verder de vijver in. Hij glimlacht en zijn handen trillen. Hij draait zich om en zegt: 'Vishnu is de oppergod. In zijn ene linkerhand houdt hij een trompetschelp, die aangeeft dat hij beschikt over de macht om het universum te scheppen en in stand te houden. Daaronder zien we een scepter, die aangeeft dat hij over het vermogen beschikt om materialistische en demonische neigingen te vernietigen. In zijn bovenste rechterhand draagt hij de chakra, waaruit blijkt dat hij over een zuivere spirituele geest beschikt, en daaronder is de prachtige lotusbloem.'

'Die blijk geeft van goddelijke volmaaktheid en zuiverheid,' voegt Crayton daaraan toe.

'Onder andere, ja! Dat is juist, meneer Crayton. Heel goed.'

Ik tuur naar het standbeeld, naar het serene blauwe gezicht, de gouden kroon, en de voorwerpen in zijn handen, en ik merk dat alle andere herinneringen van me af vallen. Ik vergeet de veldslag aan de voet van de berg en het bloedbad in Spanje. Ik vergeet Adelina, John Smith en Héctor. Ik vergeet mijn kistje en Loriën, en het feit dat ik nu in een vijver vol koud water sta. Er stroomt nu een schitterende energie door me heen, en te oordelen naar de vredige gezichten van de anderen, is die energie besmettelijk. Ik merk dat ik mijn ogen sluit en me gezegend voel dat ik hier mag zijn.

'Hé! Hij is weg!' roept Ella. Ik doe mijn ogen open en zie dat ze haastig de donkere bril afzet. 'Vishnu is weg!'

Ze heeft gelijk... Het witte rotsblok midden in de vijver is nu leeg. Ik kijk naar Zes en Crayton, en zie dat ze erg geschrokken zijn, en voorbereid op gevaar. Snel kijk ik om ons heen. Is dit een valstrik?

'Hij gaat jullie nu op de proef stellen,' zegt commandant Sharma, en ik schrik op als ik zijn stem hoor. Hij is de enige die niet geschrokken lijkt door Vishnu's verdwijnen. 'Daarom heb ik jullie hiernaartoe gebracht.'

We zien het allemaal tegelijk. Iets blokkeert het zonlicht dat over de grillig gevormde bovenrand van de muur achter de vijver heen schijnt, en een lange, merkwaardig gevormde schaduw valt over het water. Een gedaante loopt langzaam over de muur, totdat hij recht boven de verste van de vier watervallen staat.

'Commandant?' vraag ik. 'Wie is dát?'

'Dát is jullie eerste beproeving,' zegt de commandant, en hij stapt op het gras rondom de vijver. We volgen hem, zonder onze ogen ook maar even van de gedaante af te wenden.

Een seconde later duikt die vol gratie van de muur af. Ik merk dat zijn benen merkwaardig kort zijn, en dat hij een breed en rond bovenlijf heeft. Hij valt langzaam, zweeft bijna door de lucht, alsof hij de zwaartekracht kan beïnvloeden. Als de gedaante het water raakt, klinkt er geen plons en er verschijnen zelfs geen kringen in het water. Zes voelt aan de blauwe amulet om haar nek. Ella doet een paar stappen naar achteren, weg van de vijver.

'Het zou een valstrik kunnen zijn,' zegt Crayton zachtjes, en daarmee zegt hij wat ik denk. 'Sta klaar voor de strijd.'

Zes laat de amulet los en wrijft in haar handen. Ik zet mijn kistje op de grond en doe haar na, maar ik voel me belachelijk en zo heimelijk als ik maar kan, kijk ik om me heen of niemand het gemerkt heeft. Gelukkig worden ze allemaal volledig in beslag genomen door andere dingen. Het punt is dat Zes weet hoe ze moet vechten. Ze heeft er haar hele leven op getraind. Alles wat ze doet heeft een doel. Maar ik wrijf gewoon in mijn handen. Langzaam laat ik mijn handen zakken tot ze langs mijn middel bungelen.

'Hij zal jullie een voor een op de proef stellen,' zegt de commandant. Zes laat een minachtend gesnuif horen.

'U maakt de regels niet,' zegt Zes. 'Niet voor ons.' Ze kijkt naar Crayton, en die knikt.

'Commandant, hiervoor zijn we niet gekomen,' voegt Crayton toe. 'We zijn hier om onze vriend te vinden, niet om op de proef gesteld te worden of te vechten.'

Commandant Sharma negeert hem, loopt naar een plek waar het gras wat korter is en gaat zitten. Ik had hem niet aangezien voor iemand die zichzelf in de lotushouding kon vouwen. 'Het moet één tegelijk zijn,' zegt hij sereen.

Het wezen – of wat dat dan ook zijn mag – dat daarnet in het meer dook, is nog steeds onder water. En ik ben de enige die beschikt over een Erfgave om het daar te ontmoeten en ik weet wat me nu te doen staat. Maar toch ben ik verrast als ik de woorden uit mijn mond hoor komen. 'Ik ga wel eerst.'

Ik kijk naar Zes. Ze knikt en ik duik het meer in. Het koele water wordt donkerder naarmate ik dieper duik. Mijn ogen zijn open, en eerst zie ik niet meer dan een paar centimeter modderig water. Maar al snel passen mijn ogen zich aan en kan ik verder kijken. Mijn vermogen om in het donker te kunnen zien komt nu goed van pas. Ik laat het water mijn longen binnendringen, en voel een vertrouwde rust over me neerdalen. Ik begin weer normaal te ademen en laat mijn Erfgave het overnemen.

Ik bereik de modderige bodem en maak een snelle draai om

mijn as, zodat ik in alle richtingen om me heen kan kijken of ik het ding zie dat van het klif is gedoken. Boven mijn rechterschouder zie ik iets bewegen, en als ik me omdraai zie ik de gedaante op me af komen. Hij draagt een gouden kroon op zijn korte, gitzwarte haar. Zijn wenkbrauwen vormen volmaakte halvemanen, en in zijn neus draagt hij een gouden ring. Hij is merkwaardig mooi. Ik kan mijn ogen niet van hem afwenden.

Ik blijf volkomen stilstaan, en wacht af wat hij wil. Hij komt dichterbij. Als hij nog maar een halve meter van me vandaan is, en ik hem duidelijker kan zien, zakt mijn mond open. Wat ik voor een merkwaardig rond bovenlijf had aangezien, is in werkelijkheid de romp van een schildpad. Ik sta verlamd, afwachtend wat hij nu zal gaan doen. Ik ben zo gebiologeerd, dat ik volkomen verrast ben als hij op me af duikt en me met zijn twee rechterarmen een stomp geeft.

Om mijn as tollend word ik achteruitgeduwd. De kracht van die stomp drijft me met een verbijsterende snelheid voort. Ik blijf echter niet lang in beweging. Al snel vinden mijn voeten houvast in de modderige bodem. In paniek draai ik me om en met al mijn zintuigen op scherp, probeer ik hem in het donker te vinden. Ik word op mijn schouder getikt en als ik omkijk, zie ik de blauwe schildpadman. Verdomme, wat is hij snel! Hij knipoogt naar me en haalt plotseling uit met zijn linkerarmen, maar deze keer ben ik klaar voor hem. Het lukt me om mijn arm en knie snel genoeg omhoog te brengen om de stoten te blokkeren. Dan plant ik mijn voet recht op zijn borstkas en schop zo hard als ik maar kan. Ik spring over hem heen en grijp hem van achteren beet, sla mijn armen om zijn nek en kijk zoekend om me heen naar iets, het maakt niet uit wat, dat ik als wapen kan gebruiken. Ik zie een grote kei uit de modder voor ons steken, en ik gebruik mijn telekinese om die met alle kracht die ik maar heb door het water te trekken, naar deze buitenaardse schildpad toe. Hij ziet de kei op zich af schieten en als die op het punt staat hem te raken, verdwijnt hij gewoon. *Poef!* In plaats daarvan raakt de kei mij en ik val achterover in de modder.

Versuft lig ik daar te wachten tot hij weer terugkomt, maar dat gebeurt niet. Uiteindelijk besluit ik om maar weer naar boven te drijven.

Het eerste wat ik zie als mijn hoofd boven water komt, is Zes, die aan de rand van het water staat om te kijken waar ik gebleven ben. 'Wat is er gebeurd?' roept ze.

'Ze is geslaagd.' Commandant Sharma knikt.

'Alles goed?' roept Ella. 'Ik kon je niet zien door de bril.'

'Alles goed,' roep ik terug. En dat is ook inderdaad zo.

'Hoezo is ze geslaagd?' vraagt Crayton dringend aan de commandant. 'Was dat een van zijn beproevingen?'

De commandant glimlacht sereen en negeert hem.

'Oké, wie is de volgende?' Al watertrappend volgen mijn ogen de vinger van de commandant, die nu op een plek hoog boven mijn hoofd wijst. Ik kijk over mijn schouder en zie de schimmige figuur weer op de grillig gevormde muur zitten. Deze keer is hij een reusachtige baardman met een bijl in zijn hand.

Terwijl ik de vijver uit klim en het water uit mijn lange, donkere haar wring, waadt Zes de vijver in tot het water aan haar knieën staat. Vastberaden en vol zelfvertrouwen zegt ze: 'Ik.'

De gedaante loopt naar de derde waterval en duikt. Deze keer maakt hij een enorme plons als hij het water raakt. We zien de rimpelingen op het wateroppervlak, terwijl hij onder water naar Zes toe zwemt. Dan komt het blad van zijn bijl boven water, gevolgd door zijn reusachtige hoofd. Zes vertrekt geen spier, zelfs niet als hij aan de ondiepe kant van het meer helemaal boven water is gekomen en minstens een meter langer blijkt dan zij.

Met een grom en een brul, haalt de reus uit met zijn bijl. Zes springt uit de weg, maar voordat hij zijn bijl terug kan trekken, schopt ze tegen de houten steel, zodat die doormidden breekt.

'Goed zo, Zes!' roept Ella.

De reus zwaait met zijn vuist naar haar, maar die weet ze zonder moeite te ontwijken. Bij de volgende uithaal schopt ze hem tegen zijn knieschijf. Terwijl de reus vooroverbuigt en staat te brullen van de pijn, grijpt Zes het uiteinde van de gebroken steel die langs haar drijft en haalt uit naar zijn hoofd. Het wezen verdwijnt voordat ze het raakt.

'Wat was dat nou, verdomme?' vraagt Zes, terwijl ze wild om zich heen kijkt of de reus niet plotseling weer terugkomt.

Er verschijnt een tevreden glimlach op het gezicht van commandant Sharma. De man begint me werkelijk boos te maken. 'Dat was de volgende beproeving, en die heb je doorstaan. Er komt nog één beproeving.'

Voordat iemand ook maar iets kan zeggen, horen we een luid gebrul. Ik deins vol afgrijzen terug als ik het wezen zie dat nu boven water komt. Het is meer dan drie meter lang, en heeft de kop van een leeuw en het lijf van een man. Het heeft vijf gespierde armen aan beide zijden. Het wezen schudt het water uit zijn manen, terwijl het de vijver uitstapt en met lange passen naar Ella toe beent. Hij laat een tweede brul horen.

'O, mijn god,' zegt Ella. Haar mond zakt open en haar ogen zijn groot en rond van schrik.

'Nee,' zegt Crayton, en hij gaat voor Ella staan. 'Hier ben je niet klaar voor... Dit is te veel.'

Ella legt een hand op zijn arm. Heel even plooien haar lippen zich in een glimlachje en dan lijkt ze van een bang meisje te veranderen in een Garde die gereed is voor de strijd. 'Het is goed. Ik kan dit.'

Zes komt naast me staan. We zijn allebei klaar om de strijd aan te gaan als Ella ons nodig heeft. Het wezen loopt naar haar toe en ze zet mijn bril weer op. Dan valt het wezen aan.

Het wezen haalt met al zijn tien armen naar Ella uit, maar ze duikt weg en weet ze alle tien te ontwijken. Het lijkt wel alsof ze elke stomp ziet voordat die werkelijk plaatsvindt. En telkens is het de boom achter haar die geraakt wordt. Grote stukken hout vliegen om haar heen, en raken het wezen in zijn gezicht of ketsen af tegen zijn borstkas. Zonder weg te rennen, maar ook zonder terug te vechten, cirkelt Ella om de boomstam heen, terwijl ze voortdurend de tien vuisten ontwijkt. De boom begint er wat gehavend uit te zien.

Plotseling schreeuwt Ella. 'O nee! Wat heb ik gedaan?'

Voordat ik erachter kom wat Ella bedoelt, klinkt er een luid gekraak en dan valt de zware boomstam voorover. Hij staat op het punt het wezen te verpletteren als het plotseling verdwijnt, net als zijn twee voorgangers. Terwijl de boom blijft vallen, veegt een tak de donkere bril van Ella's gezicht, en die wordt vervolgens verpletterd door een andere, zware tak. 'Marina, het spijt me zo! Ik wist dat de bril kapot zou gaan, maar ik kon er niets aan doen om dat te voorkomen.'

Crayton, Zes en ik rennen snel naar Ella toe, die vol afgrijzen naar de brokstukjes van de bril staat te kijken die nu aan haar voeten liggen. 'Ella! Maak je niet druk om de bril,' zeg ik tegen haar. 'Je hebt je weten te handhaven en dat ding is verdwenen. Het gaat erom dat het goed met jou gaat, dat is het belangrijkste. Ik ben zo trots op je.'

'Ella, dat was echt super!' zegt Zes.

'Gefeliciteerd,' zegt de commandant, terwijl hij nog steeds als een boeddha rustig in de lotushouding zit. 'Jullie hebben zojuist drie van Vishnu's avatars verslagen. De eerste was Kurma, half mens en half schildpad, die hielp met het karnen van de oeroceaan, om zo de andere, vredige goden hun onsterfelijkheid te laten herwinnen. De man met de bijl was Parashurama, de eerste heilige krijger. De laatste was de mens-leeuw Narasimha. Nu wachten we op de komst van Vishnu.'

'We zijn klaar met wachten,' zegt Crayton, en hij keert zich naar de commandant toe. Zijn kaken zijn stevig op elkaar geklemd en zijn vuisten gebald. 'Hij kan nu maar beter snel komen.'

'Chill, chill, chill,' zegt een jongensstemmetje, dat tevoorschijn komt uit het hoge gras achter me. 'De commandant doet gewoon wat ik hem gezegd heb. Ik was voorzichtig.'

Vanuit het gras zien we het standbeeld van Vishnu naar ons toe lopen. Het leeft en het glimlacht.

'Ik wil jullie al een hele tijd graag ontmoeten.'

10
Vier

Ik zit op een metalen stoel in een kooi van plexiglas in de laadruimte van een kleine vrachtwagen. Mijn handen zijn met handboeien aan de stoel bevestigd, er zitten zware voetboeien om mijn enkels, en een leren riem om mijn voorhoofd trekt mijn hoofd tegen de wand van plexiglas. Ik zit met mijn gezicht naar de zijkant van de vrachtwagen, maar ik kan mijn hoofd net ver genoeg opzijdraaien om Negen te zien, die ook in een kooi van plexiglas zit, een paar meter van die van mij. Voor me staat een bewaker die ons in de gaten houdt. Ik weet dat ik mezelf binnen enkele seconden zou kunnen bevrijden, maar BK, die zich nog steeds schuilhoudt in mijn jaszak, heeft gelijk. We moeten erachter zien te komen hoeveel ze weten, en hoe dat ons zou kunnen helpen. Negen is het kennelijk met hem eens, want hij is zelfs nog beter in staat dan ik om zijn boeien te verbreken, en toch doet hij niets. Er hangt een hele reeks sloten aan de deur van onze beide kooien, en de enige manier waarop we door het dikke plexiglas met elkaar kunnen praten, is via de acht kleine spreekgaatjes in de kooideuren. De motor van de vrachtwagen draait, maar we hebben nog geen centimeter gereden.

Special agent Walker zit op een lange metalen bank tegen de wand aan de voorzijde, met één voet op een kistje, en de andere op die van Negen. Een Mog-kanon ligt dwars over haar schoot. De man met de kromme neus zit naast haar met het andere kanon. Walker fluistert in een mobieltje. Af en toe kijkt ze snel even naar ons. Ik kan bijna horen wat ze zegt, en vang woorden op als *vriendje* en *machteloos*. Ik herinner me dat Negen heeft verteld dat hij kilometers ver kan horen. Ik hoop dat hij meer opvangt dan ik.

'Hé, John!' roept Negen.

De bewaker keert zich naar Negens kooi toe en richt zijn wapen op Negens hoofd. 'Jij daar, kop dicht!'

Negen negeert hem. 'Johnny! Wanneer wil je hier weg? Ik weet niet hoe het met jou zit, maar ik verveel me. Ik wil wel weer eens wat anders zien.' Hij geniet er echt van om mensen te jennen. En ik begin te begrijpen wat daar zo leuk aan is.

Special agent Walker klapt haar mobieltje dicht en knijpt in haar neusbrug. Ze is nu net als een zwaar op de proef gestelde ouder of leraar, en haar uitputting berooft haar van veel gezag. Dan haalt ze diep adem en gaat met een ruk rechtop zitten, alsof ze een besluit heeft genomen. Ze klopt op het raampje en geeft aan dat de chauffeur moet gaan rijden.

Daarna staat ze op en loopt met lange passen naar ons toe, terwijl ze haar evenwicht bewaart met behulp van het kanon, dat ze nu recht boven haar hoofd houdt. Ze blijft recht voor me staan. Ze heeft een blik in haar ogen die ik daar niet eerder heb opgemerkt. Het is bijna alsof het haar spijt dat ze ons heeft opgepakt. Of dat ze spijt heeft van wat ze nu moet gaan doen. Of allebei.

'Hoe hebben jullie ons gevonden?' vraag ik.

'Dat weet je best,' zegt ze.

Ik heb de armband nog steeds om mijn pols. De afgelopen minuten heeft die zich rustig gehouden, maar zodra de agent iets zegt, begint het ding weer te zoemen.

'Hé!' roept Negen, 'ik maakte geen geintje hoor, toen ik zei dat het me hier de keel uithing. Ik heb geen zin om nog langer lief te doen. Het is aan jou, maar hou er rekening mee dat het niet lang meer duurt voordat ik echt eens wat lol wil trappen. Je kunt ons nu alles vertellen wat je weet, of ik breek hier met geweld uit, en dwing je dan om alles te vertellen. Raad eens wat mijn dag net een beetje leuker zou maken?'

De man met de kromme neus staat langzaam op van de bank en richt zijn kanon rechtstreeks op Negen. 'Wie denk je wel dat je bent, knul? Je verkeert niet in een positie om ons te bedreigen.'

'Wat je ook van plan bent, ik kan je garanderen dat ik wel erger heb meegemaakt,' zegt Negen.

'Ik weet precies wat jij al eerder hebt doorgemaakt. Snap je dat dan niet? Dat weten we.' Negens bravoure lijkt de man te ergeren.

'Agent Purdy,' zegt Walker. 'Laat je wapen zakken. Nu.'

De agent maakt aanstalten om te doen wat hem gezegd is, en ik besluit een geintje te maken. Het zal de invloed van Negen wel zijn. Met behulp van mijn telekinese ruk ik hem het kanon uit handen en smijt het achter in de vrachtwagen. Het stuitert tegen het achterluik voordat het met een dreun op de grond valt. Net op dat moment maken we een scherpe bocht en agent Purdy zet struikelend een paar passen in mijn richting, zodat hij met zijn rechterschouder tegen mijn kooi slaat. Ik gebruik mijn telekinese om hem aan de grond te nagelen.

'Wat de f...'

'Wist je niet dat je altijd een veiligheidsgordel om moet doen, agent Purdy,' zegt Negen lachend. 'Veiligheid komt altijd op de eerste plaats! Neem er maar één van mij. Je hoeft alleen even mijn kooi binnen te komen om hem te halen.'

'Hoe je dit ook doet,' zegt agent Purdy, 'je kunt er maar beter mee ophouden.' Hij probeert dreigend te klinken, maar dat is best lastig als je in zijn positie verkeert.

Ik leun voorover en het kost me geen moeite om de leren band om mijn voorhoofd te laten knappen. Het speelkwartier is voorbij. 'Agent Purdy, weet u waar Sam Goode is?'

'Wij hebben Sam,' zegt special agent Walker, die nu naar mij zit te kijken. Ze zegt het achteloos, maar haar kanon is recht op mij gericht.

Een seconde lang ben ik zo van streek door dit nieuwe stukje informatie dat ik helemaal niet meer kan denken, en per ongeluk laat ik agent Purdy los. Hij valt languit in het gangpad.

Zij hebben Sam? Hij wordt niet gemarteld door Setrákus Ra in de grot, zoals ik in mijn visioen heb gezien? Gaat het goed met hem? Ik wil net vragen waar Sam is, als ik de wervelende lichtjes in de buis van het kanon van special agent Walker zie. In plaats van groen zijn ze zwart en rood.

Ze grijnst als ze de geschrokken uitdrukking op mijn gezicht ziet. 'Als je mazzel hebt, John Smith, of hoe je ook werkelijk heten mag, laten we je wel een video zien van de verhoortechnieken die we op Sam toepassen. En als je écht mazzel hebt, laten we je ook wel een paar beelden zien van dat leuke blonde vriendinnetje van je. Hoe heet ze ook alweer?'

'O shit,' zegt Negen. Ik hoor hem gewoon grijnzen, want hij weet wat er nu gaat gebeuren. 'Dát had je nou niet moeten zeggen.'

Even kan ik geen woord uitbrengen. 'Sarah,' fluister ik dan. 'Ik weet dat ze voor jullie werkt. Wat hebben jullie gedaan om haar tegen mij op te zetten?'

Agent Purdy grijpt zijn kanon en gaat op zijn stoel zitten. 'Dat is toch zeker een geintje? Die meid wilde ons helemaal niets vertellen, en neem maar van mij aan dat we haar heel veel gevraagd hebben, op heel veel verschillende manieren. Ze liet helemaal niets los. Die meid is verliefd.'

Opnieuw ben ik volkomen verbijsterd. Ik was er zo zeker van dat Sarah met de overheid samenwerkte om me te arresteren. Toen ik haar vorige week in Paradise tegenkwam, deed ze zo raar. We ontmoetten elkaar in het park, maar toen kreeg ze ineens allerlei mysterieuze sms'jes – om twee uur 's nachts. Een paar seconden later werden we omsingeld door agenten en tegen de grond gewerkt. Ik kan niets anders bedenken om dat te verklaren. Die sms'jes moeten van de politie afkomstig zijn geweest. Hoe hadden ze anders kunnen weten dat Sam en ik daar waren? Verdomme. Nu weet ik niet wat ik ervan denken moet. En ze is nog steeds verliefd op me?

'Waar is ze?' vraag ik dringend.

'Ver, ver weg,' zegt special agent Walker. Zit ze me te jennen?

'Wie kan dat nou wat schelen, gast?' schreeuwt Negen. 'Je moet het grote geheel zien, Johnny. Het grote geheel! Daar zit zij niet in! En Sam ook niet!'

Ik negeer hem. Nu ik weet dat de Amerikaanse regering Sam én Sarah gevangenhoudt, ben ik vastbesloten hen allebei te vinden. Ik denk na over mijn volgende zet, mijn volgende vraag, en dan voel ik hoe Bernie Kosar uit de zak van mijn spijkerbroek kruipt.

Het is bijna tijd om te gaan, zegt hij. *We nemen de vrouw mee, om ons de weg te wijzen naar Sam en Sarah.*

'Negen,' zeg ik. 'Klaar om te gaan?'

'God, ja. Daar ben ik al een hele tijd klaar voor. Ik moet echt nodig pissen.'

Special agent Walker kijkt snel even heen en weer tussen Negen en mij. Ze weet niet op wie ze het kanon nu moet richten, en dus zwaait ze het tussen ons heen en weer. Agent Purdy staat weer op en doet hetzelfde. De bewaker achter in de vrachtwagen richt zijn geweer op ons.

'Als ze zich bewegen, moet je schieten, maar pas op dat je geen vitale organen raakt!' zegt agent Purdy, die nu naast special agent Walker gaat staan.

Bernie Kosar springt van mijn schoot en kruipt naar de glazen deur toe. Hij fladdert met zijn kleine kakkerlakkenvleugeltjes om me een teken te geven en zegt dat ik tot vijf moet tellen.

'Hé, Negen?' vraag ik.

'Ik ben al bij drie, gast,' zegt hij.

'Kop dicht!' roept Walker. Mijn armband begint te trillen en het lijkt wel of er duizenden spelden tegelijk in mijn pols prikken, maar ik let er niet op. Negen verbreekt al zijn boeien alsof het hem geen enkele moeite kost en ik doe hetzelfde, al moet ik me daar wél voor inspannen. Negen schopt tegen de plexiglazen muur aan de voorkant van zijn kooi, en het hele ding vliegt met een ploppend geluid uit zijn sponning. Terwijl hij eroverheen stapt, opent de bewaker het vuur. Met een glimlach brengt Negen zijn hand omhoog en houdt de kogels midden in de lucht tegen. Dan laat hij zijn hand zakken en een voor een vallen de kogels op de vloer.

Hij kijkt me aan. 'Heb jij soms hulp nodig, gabber?' Hij trapt een wand van mijn kooi in, en ik stap eruit. BK klimt haastig weer in mijn zak.

Voordat de bewaker ook maar iets kan uitrichten, gebruik ik mijn telekinese om hem tegen het plafond te duwen en zijn wapen tot een nutteloos stuk metaal te verbuigen. Agent Walker en Purdy openen nu allebei het vuur op ons met hun Mog-kanonnen, maar Negen houdt de energiestromen tegen. Glimlachend schudt hij met zijn vinger naar de twee FBI-agenten. 'Nee, nee, nee. Jullie moesten inmiddels toch beter weten.' Hij kijkt me aan. 'Zet je schrap, Johnny, want het wordt een wilde rit!'

De truck schiet van de weg en slaat onmiddellijk om. Zonder enige waarschuwing pakt Negen me vast, geeft me een arm en trekt me met zich mee totdat ik mijn evenwicht weer vind. Als hamsters in een tredmolen hollen we tegen de linkerwand van de truck op, zodat we horizontaal blijven terwijl de truck om en om rolt. Overal klinkt het geknars van scheurend metaal en terwijl het uit alle hoeken vonken regent, worden de bewaker en de twee FBI-agenten als lappenpoppen alle kanten opgesmeten. Dan komt de truck met een enorme dreun tot stilstand. De klap is zo hard dat de achterdeuren open vliegen en we springen eruit. Er reed een stel politiewagens achter ons, en die komen nu allemaal met piepende banden en loeiende sirenes tot stilstand.

'Hé, John?' zegt Negen, die totaal niet onder de indruk lijkt.

'Ja?' zeg ik, en ik schud mijn hoofd om het duizelige gevoel kwijt te raken dat ik aan die om zijn as wentelende vrachtwagen heb overgehouden. Allebei kijken we aandachtig naar de politiewagens achter ons, met hun zwaailichten.

Dan loopt Negen terug naar de truck en ik doe hetzelfde. 'We moeten onze kistjes zien terug te krijgen, maat. En Bernie Kosar heeft gelijk. We moeten die vrouwelijke agent meenemen.'

'Zeker.' Ik klop op mijn zak, om er zeker van te zijn dat BK er nog in zit.

'Waarom regel jij dat niet, terwijl ik me met de mensen hier bezighoud.' Telekinetisch tilt Negen twee politiewagens van de grond, en de agenten die erin zitten doen verwoed hun best om eruit te springen.

Ik loop terug naar de truck, die nu smeulend in de greppel naast de weg ligt. 'Ik spring de vrachtwagen in, stap om de bewaker en agent Purdy heen, die kreunend op de vloer liggen, en pak onze kistjes. Special Agent Walker zit tegen de restanten van een metalen bank, en tuurt versuft naar het bloed op haar handen. Haar rode haar hangt los om haar schouders, en er zit een lange snee in haar slaap. Het Mogadorische 'kanon' is nu een hoopje onderdelen aan haar voeten. Ze kijkt toe hoe ik de kistjes onder mijn armen neem en me voor haar op één knie laat zakken.

'U gaat met ons mee.' Ik vraag het niet.

Ze doet haar mond open om iets te zeggen, en een stroompje bloed loopt uit haar mond. Dan zie ik het stuk metaal dat uit haar schouder steekt. Ik zet mijn kistje neer en probeer haar op te tillen, maar ze kreunt en spuwt nog meer bloed. Ik laat haar los, want ik ben bang dat ze doodbloedt als ik haar opnieuw probeer op te tillen, voordat ik te weten ben gekomen waar Sam en Sarah worden vastgehouden.

'Waar zijn ze?' vraag ik. 'Zeg op! Nu! Je kunt nu elke seconde doodgaan, dame, en ik probeer de Aarde en mijn vrienden te redden. Vertel op! Waar zijn Sam en Sarah?' Het hoofd van special agent Walker valt mijn kant op, en haar groene ogen worden groot en rond, alsof ze me voor het eerst werkelijk ziet. De schoten buiten komen dichterbij. 'Jij... jij bent een alien,' fluistert ze dan.

Gefrustreerd schop ik tegen de zijwand van de vrachtwagen. 'Ja, ik ben een alien! Maar ik ben hier om jullie te helpen, als jullie me daar nou gewoon eens de kans voor zouden willen geven! Nou, voordat je tijd om is, moet je me vertellen waar ze zijn. In Washington?'

Ze begint moeizaam te ademen, en het lijkt wel of ze me niet meer ziet. Ik raak haar kwijt. Ik raak haar kwijt en ik weet nog steeds niet waar Sarah en Sam zitten. Plotseling merk ik dat mijn stem heel wat zachter klinkt. 'Vertel me nou maar gewoon waar ze zijn, alsjeblieft.' We kijken elkaar nu recht in de ogen en ik zie dat ik haar eindelijk heb weten te bereiken.

Special agent Walker opent haar mond. Ze wil iets zeggen, maar ze moet het een paar keer proberen voordat ze iets weet uit te brengen. 'In het westen. In...' Dan sterft haar stem langzaam weg en haar ogen vallen dicht. Haar bebloede handen ballen zich tot vuisten en ontspannen zich dan weer. Haar hele lichaam ontspant zich nu.

'Wacht! Hou vol!' Panisch grijp ik naar mijn kistje, en ik probeer het open te krijgen om mijn helende steen te pakken. Ik denk alleen maar dat als het me lukt haar te genezen, zij me zal vertellen waar ze zijn. Ik heb net mijn hand op het slot van het kistje gelegd, als een stel agenten met getrokken pistool door het open achterluik de vrachtwagen binnen springt.

'Weg van de agent! Weg jij! Of we schieten! Plat op de grond! Handen op je rug! Nú!' Ze blaffen bevelen, maar ik kan niet gehoorzamen. Ik wíl ook niet gehoorzamen. Ik moet de helende steen pakken. Ik moet horen wat special agent Walker wilde zeggen. Ik breng mijn hand omhoog naar het kistje en ik hoor de politiemensen schreeuwen. 'Handen omhoog. Handen omhoog. Handen omhoog!' Toch steek ik mijn hand in het kistje.

Ik hoor het eerste schot, dat onmiddellijk wordt gevolgd door tientallen andere. Terwijl de kogels me om de oren fluiten, voel ik de tinteling in mijn pols sterker worden dan ooit. Het doet geen pijn meer, en de armband breidt zich uit, zodat mijn hele arm nu in een laag rood materiaal gehuld is, die zich vervolgens nog verder uitbreidt en als een paraplu open floept. Ik heb geen idee wat er gebeurt, en het kan me ook werkelijk niet schelen. Het enige waar ik aan kan denken is mijn helende steen, en de roerloze Walker, zo dichtbij en toch zo nutteloos. Plotseling bevind ik me achter een twee meter hoog schild dat zich over mijn hoofd heen krult, en zich onder mijn voeten wurmt. De kogels ketsen erop af.

Een orkest van schoten barst uit, en ontelbare kogels ketsen af op mijn schild. Na een paar minuten klinken er steeds minder schoten, met steeds langere tussenpozen, net als popcorn die bijna klaar is. Als de schoten eindelijk ophouden, verdwijnt het rode materiaal weer in de hoes om mijn arm, die vervolgens inkrimpt tot een armband om mijn pols. En dat allemaal uit eigen beweging. Terwijl ik ernaar sta te kijken, verbaas ik me over de effectiviteit ervan, en de perfecte timing.

Walker ligt nog steeds bewusteloos aan mijn voeten. De agenten die daarnet hun vuurwapens nog op de achterzijde van de vrachtwagen gericht hielden, zijn nu verdwenen, maar buiten hoor ik schoten. Ik voel me verscheurd tussen de aandrang om mijn helende steen te zoeken en Walker weer bij kennis te brengen, en naar buiten te gaan om te zien of Negen hulp nodig heeft. Ik wil agent Walker weer bij kennis brengen, ik wil haar dwingen me te vertellen waar Sam en Sarah zijn, maar ik kan Negen niet alleen laten als die nu in de problemen zit. Ik besluit dat Walker wel even kan wachten – ze is duidelijk niet van plan om ergens naartoe te gaan en ik moet gewoon maar hopen dat ze niet doodgaat voordat ik me met haar kan bezighouden. Ik maak van de gelegenheid gebruik om onder elke arm een kistje te proppen en ren naar buiten. Zodra ik tevoorschijn kom, zie ik de politiemensen in tegenovergestelde richting wegrennen. Ik weet niet wat Negen heeft uitgespookt, terwijl ik in de vrachtwagen mijn armband wat beter leerde kennen, maar zo te zien zijn ze allemaal doodsbang.

'Hé, Negen?' roep ik. 'Wat heb je met die lui uitgespookt?'

Hij glimlacht. 'Ik heb gewoon mijn telekinese gebruikt om ze allemaal tien meter hoog de lucht in te tillen. En toen heb ik ze voor de keuze gesteld: nog hoger of weghollen. Volgens mij hebben ze een wijs besluit genomen, denk je ook niet?'

'Ja, zo te zien hebben ze de juiste keuze gemaakt,' zeg ik.

'Hé, ik dacht dat we die agente mee zouden nemen,' zegt Negen.

'Ze ligt nog binnen. Ze is bewusteloos en ik wilde mijn helende steen op haar gebruiken,' zeg ik, 'maar ik dacht dat ik maar beter eerst even kon kijken hoe het met jou ging.'

'Gast, jij maakt je zorgen om míj? We hebben haar nodig om ons te vertellen waar we naartoe moeten! Jij bent degene die weigert om ook maar één stap te zetten die niet naar je vrienden leidt, weet je nog wel?' Negen pakt een machinegeweer van de grond en schiet ermee in de lucht. 'Ga dat mens halen! Ik hou me wel even bezig met deze speelgoedjes hier.'

De politiemensen trekken zich te voet steeds verder terug. Sommigen zoeken dekking achter de bomen langs de weg. Negen richt het geweer boven hun hoofd. Het machinegeweer schokt tegen zijn schouder en de kogels zoeven door de boomkruinen. Terwijl ik terugloop naar de vrachtwagen, hoor ik hem grinniken. Hij geniet van het spektakel.

Ik maak mijn kistje open, haal de helende steen tevoorschijn en stap de vrachtwagen binnen om te kijken hoe erg Walker eraan toe is.

Maar ze is er niet. Ik kijk om me heen, alsof ze in staat geweest zou zijn om op te staan en naar een ander deel van de vrachtwagen te lopen. Ik ben hopeloos in de war over wat ik nu zie. Of liever gezegd: over wat ik nu níét zie, want er is niemand te bekennen. De lijken die hier een paar minuten geleden nog lagen, zijn allemaal weg. Shit.

Ik ben woedend op mezelf. Ik kan niet geloven hoe ongelooflijk ik dit verknoeid heb. Niet alleen weten we nog steeds niet waar ze Sam en Sarah vasthouden, maar hoogstwaarschijnlijk lopen Purdy en Walker daar nog steeds vrij rond.

11

Zes

Nummer Acht zit op het gras. Achter hem ligt het stille meer. 'Ik heb vele verschillende namen. Sommige mensen noemen me Vishnu, anderen Paramatma of Parameshwara. Ik ben ook bekend via mijn tien avatars van wie jullie er drie hebben ontmoet en bestreden. Met veel succes, zou ik daaraan toe kunnen voegen.'

'Als het jouw avatars zijn, zijn ze een deel van jou. En dat houdt in dat jíj het nodig vond om de oorlog te verklaren aan drie meisjes die probeerden jou te vinden.' Crayton klinkt boos. 'Vishnu was toch een vredige god?'

'Je hebt heel wat uit te leggen,' voegt Marina daaraan toe.

Onze boosheid lijkt hem niet te deren, en hij blijft rustig zitten. 'Ik moest er zeker van zijn dat jullie zijn wie jullie beweren te zijn. Ik moest er zeker van zijn dat jullie klaar waren om mij te ontmoeten. Mijn excuses als ik daarmee jullie gevoelens, of iets anders, heb gekwetst. Jullie hebben jezelf bewezen, mocht dat jullie minder boos maken.'

Ik heb er genoeg van. Ik ben moe en ik heb honger. Om nog maar te zwijgen van het feit dat ik de halve wereld rondgevlogen ben en het tegen een heel leger heb opgenomen om hier te komen. Antwoorden wil ik horen. Ik sta op, met mijn gebalde vuisten langs mijn zij. 'Ik ga je een vraag stellen, en als je daar geen rechtstreeks antwoord op geeft, gaan we hier weg. Dit is geen filosofische discussie; en je had niet het recht om ons op de proef te stellen. Ben jij Nummer Acht of ben je dat niet?'

Hij kijkt me aan en tuit zijn lippen. De kleur van zijn huid verandert van blauw naar donkerbruin. Als hij zijn hoofd schudt, valt zijn kroon af en groeit zijn haar uit tot een dikke bos ongekamde krullen. Twee van zijn armen verdwijnen, en binnen enkele seconden zit er een tiener met ontbloot bovenlijf naast ons op het gras. Commandant Sharma hapt naar adem.

Hij is nogal mager, maar goed gespierd. Met zijn volle lippen en dikke zwarte wenkbrauwen is hij eigenlijk best een stuk, moet ik zeggen. Er hangt een blauwe Lorische amulet om zijn nek.

Hij is een van ons.

Ella kijkt naar Crayton, die zijn ingehouden adem uitblaast. Zijn mond gaat open, alsof hij iets wil zeggen, maar de jongen is degene die het woord neemt.

'Mijn Cêpaan heeft me oorspronkelijk Joseph genoemd, maar ik heb vele verschillende namen gehad. In deze regio kennen de meeste mensen me onder de naam Naveen.' Hij laat een korte stilte vallen en kijkt me aan, dan trekt hij een gerafelde broekspijp omhoog, om de littekens van Eén, Twee en Drie op zijn enkel te onthullen. 'En als je met alle geweld de Loriër wilt uithangen, ja, dan kun je me Nummer Acht noemen.'

De woede die in me kwam opwellen doet 'poef!' en is spoorloos verdwenen. We hebben een nieuwe Garde gevonden. We zijn zojuist weer een stuk sterker geworden.

Crayton doet een stap naar voren en steekt hem zijn hand toe. 'We zijn al een hele tijd naar je op zoek, Acht. We hebben lang en ver gereisd. Ik ben Crayton, Ella's Cêpaan.'

Acht staat op en geeft Crayton een hand. Hij is lang, en alle spieren bij zijn maag en bovenlijf zijn heel scherp getekend. Het is duidelijk dat hij jarenlang getraind heeft, terwijl hij zich hier in het gebergte in zijn eentje moest zien te handhaven.

Ella staat ook op. 'Ik ben Ella,' zegt ze. 'Ik ben Nummer Tien.'

'Hé!' zegt Acht, en hij kijkt haar recht in de ogen. 'Hoezo nummer Tien? Er zijn er maar negen. Wie heeft jou wijsgemaakt dat je Nummer Tien bent?'

Plotseling krimpt Ella in elkaar om in een meisje van zes te veranderen. Ik neem aan dat het erg ontmoedigend is als je identiteit in twijfel wordt getrokken door een voormalig standbeeld. Crayton geeft Ella een por en haastig verandert ze weer terug in haar slungelige twaalf jaar oude zelf.

Acht reageert daarop door anderhalve meter langer te worden, zodat hij hoog boven haar uit torent. 'Is dat alles wat je te bieden hebt, Tien?'

Er verschijnt een vastberaden uitdrukking op Ella's gezicht, en zo te zien probeert ze nog een paar jaar ouder te worden, maar er gebeurt niets. Een paar seconden later haalt ze haar schouders op: 'Ik neem aan van niet.' Crayton richt zich tot Acht. 'Ik breng je later wel op de hoogte, maar er is na dat van jullie nog een schip opgestegen van Loriën. Ella en ik waren aan boord van dat schip. Ze was destijds nog maar een baby.'

'Is dat alles, of is er soms ook nog een Nummer Tweeëndertig waarvan ik moet weten?' zegt Acht. Hij neemt zijn normale lengte weer aan. Zijn stem is wat hees, maar heeft een vriendelijke klank. Het valt me nu pas op dat zijn ogen diepgroen van kleur zijn. Echt heel bijzonder. Te oordelen naar de blik op Marina's gezicht, merkt zij dat allemaal ook op. Onwillekeurig moet ik glimlachen terwijl ze zenuwachtig een haarlok van haar voorhoofd wegduwt.

'Ella is de laatste,' antwoordt Crayton. 'Dit is Zes, en dit is Marina, Nummer Zeven. Je bent kennelijk in staat om van vorm te veranderen. Is er nog iets wat we over jou moeten weten?'

In reactie daarop verandert Acht in een tweekoppige giraffe die van zes meter hoog op ons neerkijkt. Ik doe mijn best om niet te glimlachen.

'Ik beschik inderdaad over die Erfgave,' zegt de linkerkop.

De rechter buigt zijn nek en neemt een slokje uit het meer voordat hij opkijkt en eraan toevoegt: 'Onder andere.'

'O ja? Wat dan nog meer?' vraagt Marina.

Acht verandert weer in een jongen en huppelt over het water van de vijver alsof het ijs is. Als hij de vijver rond is begint hij te sprinten voordat hij plotseling tot stilstand komt, zodat er een golf water op Marina af komt.

Maar Marina laat zich niet in haar hemd zetten door deze nieuweling. Zonder ook maar een spier te vertrekken steekt ze haar hand op, houdt het water midden in de lucht tegen en duwt het dan met haar telekinese terug naar Acht, die het op zijn beurt hoog de lucht in laat schieten, als een geiser. Ik weet niet precies wat voor een spelletje we nu aan het spelen zijn, maar ik wil er niet buiten blijven en daarom neem ik de macht over de wind over, en gebruik die om de geiser over de vijver te duwen, totdat Acht aan drie zijden wordt omgeven door een muur van water.

'Wat heb je verder nog?' roep ik, en daarmee daag ik hem uit om door te gaan.

Acht verdwijnt van de plek waar ik hem heb klemgezet tussen muren van water en een ogenblik later komt hij weer tevoorschijn op de muur boven de vijver. Hij verdwijnt opnieuw en staat dan op niet meer dan een paar centimeter afstand recht tegenover me.

Achts plotse nabijheid is zo schokkend, dat ik hem in een reflex een stomp in zijn maag geef. Hij gromt en struikelt naar achteren.

'Zes! Wat doe je nou?' roept Marina.

'Sorry,' zeg ik. 'Het was een reflex.'

'Dat had ik wel verdiend,' zegt Acht, en hij haalt zijn schouders op over Marina's beschermende gedrag.

'Dus je kunt jezelf teleporteren?' Zegt Marina. 'Dat is écht cool.'

Plotseling staat hij naast haar en hij slaat achteloos een arm om haar schouder. 'Daar ben ik een fan van.' Marina giechelt en schudt zijn arm van haar schouder. Ze giechelt? Dat kan toch niet waar zijn?

Acht glimlacht, verdwijnt en als hij weer tevoorschijn komt, staat hij op Craytons schouders, en doet met wild armgezwaai en wiebelende knieën overdreven nadrukkelijk alsof hij probeert zijn evenwicht te bewaren. 'Maar soms kies ik wel een stomme plek uit om neer te komen.' Plotseling is Acht de grappenmaker van onze groep.

Die speelsheid van hem raakt me, en ik vraag me af of die in ons voordeel zal werken of ons juist kwetsbaarder maakt. Ik besluit het maar als een positieve eigenschap te beschouwen. Ik zie gewoon al voor me hoe geërgerd en verward de Mogadoren zullen reageren vlak voordat deze knul hen tot as doet vergaan. Crayton buigt zich voorover, en alsof ze hier van tevoren op geoefend hebben, springt Acht van zijn schouders, maakt een salto en komt met beide benen op de grond neer. Hij klapt in zijn handen en is duidelijk erg met zichzelf ingenomen.

'Waar is je Cêpaan?' vraagt Marina.

Plotseling verschijnt er een ernstige uitdrukking op Achts vrolijke gezicht. We weten allemaal wat dit betekent. Onmiddellijk zie ik voor me hoe Katarina met een prop in haar mond aan de muur geketend zat. Ik denk aan John en zijn Cêpaan, Henri. Ik schud die herinneringen van me af, voordat de tranen me in de ogen springen.

'Hoe lang geleden?' Crayton stelt vriendelijk de vraag die we allemaal willen stellen. Acht draait zich om en tuurt naar het veld vol hoog opgeschoten gras achter ons. Met zijn geest duwt hij het gras naar links en naar rechts, zodat zich een smal pad aftekent, en dan kijkt hij op naar de ondergaande zon. 'Hoor eens, we moeten hier weg. Het wordt donker. Onderweg vertel ik jullie wel over Reynolds en Lola.'

Commandant Sharma holt naar hem toe en grijpt hem bij de pols. 'En ik? Wat kan ik voor u doen? Zeg me dat alstublieft.' Ik schrik op. Ik ging zo volkomen op in onze kennismakingsbijeenkomst, en de commandant heeft zich zo stil gehouden, dat ik zijn rol hierin even volkomen vergeten was.

'Commandant,' zegt Acht. 'U hebt zich een trouwe vriend getoond, en ik wil u en uw soldaten bedanken voor al uw harde werk. Vishnu zou heel gelukkig zijn met uw toewijding, maar ik vrees dat onze paden zich nu scheiden.'

Te oordelen naar de uitdrukking op het gezicht van de commandant, had hij gedacht dat hij heel wat langer bij Vishnu betrokken zou blijven.

'Maar ik snap het niet. Ik heb alles gedaan wat u van me vroeg. Ik heb u naar uw vrienden gebracht. Mijn manschappen zijn voor u gestorven.'

Acht kijkt commandant Sharma recht in de ogen. 'Ik heb nooit gewenst dat iemand zijn leven voor mij zou geven. Daarom heb ik geweigerd de berg te verlaten en met u door de straten te lopen. Het spijt me als mensen hun leven hebben verloren, meer dan u ooit zult weten. Geloof me, ik weet hoe het voelt om mensen kwijt te raken. Maar nu dienen we ieder onze eigen weg te gaan.' Hij houdt vol, maar ik zie dat dit hem moeite kost.

'Maar...'

Acht valt hem in de rede. 'Vaarwel, commandant.'

De man draait zich om. Er ligt een wanhopige blik in zijn ogen. Arme vent. Maar hij is een soldaat, en hij weet wanneer hij een bevel moet opvolgen, wanneer hij moet accepteren dat de zaken nu eenmaal op een bepaalde manier zullen verlopen. 'U verlaat me.'

'Nee,' zegt Acht. 'U verlaat mij. U gaat iets groters en beters tegemoet. Een wijs man heeft me ooit gezegd dat je alleen door een goed iemand te verlaten, een beter iemand kunt ontmoeten. U zult samen zijn met uw Vishnu, en u zult hem pas leren kennen als ik verdwenen ben.'

Het is naar om te zien: Sharma's mond zakt open en hij wil iets gaan zeggen, maar sluit weer als Acht zich omdraait en zonder om te kijken het pad af loopt. Aanvankelijk denk ik dat Acht te streng is, maar dan dringt het tot me door dat dit de vriendelijkste manier is waarop hij kan doen wat nou eenmaal gedaan moet worden.

'Hé! Wacht!' roept Crayton Acht na. 'De voet van de berg is de andere kant op. We moeten naar de luchthaven.'

'Eerst moet ik jullie allemaal iets laten zien,' roept hij terug. 'En misschien hebben we geen luchthaven nodig.'

'Waar ga je heen? Er zijn dingen die je nog niet weet. We moeten praten. We moeten een plan maken!' zegt Crayton.

'Ik wilde maar dat ik die bril niet kapot had gemaakt,' zegt Ella. 'We kunnen hem niet gewoon volgen zonder te weten waar hij ons naartoe brengt en of het een goed idee is. Hij mag dan wel denken dat hij alles weet, maar dat hoeft niet zo te zijn.'

We kijken toe hoe Crayton nadenkt over wat hem nu te doen staat. Ik weet wat ík ervan denk: we hebben eindelijk een andere Garde gevonden, en we moeten nu bij elkaar blijven. Ik knik naar Achts snel uit het zicht verdwijnende gedaante. Crayton kijkt me aan en geeft dan een knikje terug. Hij pakt Marina's kistje op en loopt achter Acht aan. Zonder iets te zeggen geven Marina and Ella elkaar een hand en volgen hem. Ik ben de hekkensluiter. Ik gebruik mijn extra sterke gehoor om te luisteren of de commandant de plek verlaat waar we hem hebben achtergelaten, maar ik hoor niets. Ik stel me voor hoe hij daar stil en zwijgend nog een hele tijd blijft staan. Ik begrijp wel waarom het moest gebeuren, maar toch heb ik met de man te doen. Na trouwe dienst wordt hij nu plotseling aan de kant gezet. Ik kijk naar Achts kaarsrechte rug en heb met hen allebei te doen.

Acht blijft maar doorlopen. We volgen hem een berg af naar een open vallei. Overal waar ik kijk zie ik de besneeuwde bergtoppen van de Himalaya. Dichterbij zie ik hier en daar stukken bos, die van elkaar gescheiden worden door velden vol gele en paarse bloemen. Het is prachtig. We laten de schoonheid ervan tijdens het lopen tot ons doordringen, totdat Crayton de stilte verbreekt.

'Nou. Wie waren Reynolds en Lola?'

Acht houdt zijn pas in, zodat we naast elkaar kunnen lopen. Hij bukt zich en plukt wat paarse bloemen, die hij vervolgens met zijn hand verplettert. 'Reynolds was mijn Cêpaan. Hij lachte veel. Hij lachte altijd eigenlijk. Hij lachte zelfs nog als we op de vlucht waren en onder een brug moesten slapen, of ons tijdens de moesson schuil moesten houden in een lekkende schuur.' Hij kijkt ons een voor een recht in de ogen. 'Herinnert iemand van jullie zich hem nog?'

We schudden allemaal van nee, zelfs Crayton. Ik wilde maar dat ik me nog iets kon herinneren. Maar ik was nog maar twee jaar oud toen we de reis maakten.

Acht gaat verder: 'Hij was een groot Loriër en een heel goede vriend van me. Maar Lola... Lola was een mens op wie hij verliefd werd na onze komst hier. Dat was acht jaar geleden. Ze ontmoetten elkaar op de markt en vanaf dat moment waren ze onafscheidelijk. Reynolds was zo verliefd. Lola trok snel bij ons in. Ze kwam bijna nooit het huis uit.' Acht schopt door de bloemen. 'Ik had in de gaten moeten hebben dat ze niet te vertrouwen was. Ik had het kunnen merken aan de manier waarop ze vaak naar me liep te kijken, hoe ze altijd wilde weten waar ik was, wat ik aan het doen was. Ik wilde haar niet in de buurt van mijn kistje laten, hoe vaak ze het ook probeerde. Maar Reynolds stelde zoveel vertrouwen in haar dat hij haar uiteindelijk alles heeft verteld.'

'Niet slim,' zeg ik. John heeft het Sarah verteld en kijk eens wat dat hem heeft opgeleverd. Mensen ons geheim toevertrouwen is te riskant, en liefde maakt het alleen maar riskanter.

'Ik kan zelfs niet beschrijven hoe boos ik was. Toen ik me realiseerde wat hij had gedaan, raakte ik echt buiten mezelf. We hebben dagenlang ruzie gehad. Het was voor het eerst dat we ruzie hadden. Ik vertrouwde hem volkomen en het was niet zo dat ik hém plotseling niet meer vertrouwde. Het ging om háár. Rond die tijd begon Lola erop aan te dringen dat we met haar mee moesten gaan naar de bergen voor een wandel- en kampeertochtje. Ze zei dat ze een plek kende die daar heel geschikt voor was. Ze slaagde erin om Reynolds ervan te overtuigen dat dat hem zou helpen om weer vrede met me te sluiten, dat het onze band zou verbeteren. Ik vond Lola's plan om ons weer met elkaar te verzoenen nogal vergezocht, maar toch ging ik mee.' Hij blijft even stilstaan en wijst naar een bergtop pal ten noorden van ons. 'We gingen naar die berg daar. Ik had mijn kistje meegenomen. Rond die tijd kon ik al teleporteren, en ik had ook telekinese. En ik was veel sterker dan een mens. Ik moest oefenen en ik dacht dat de berglucht me zou helpen om sterker te worden, sneller. Maar zodra we in de bergen waren, probeerde Lola ons van elkaar te scheiden. Ze deed alles wat ze maar kon om Reynolds zover te krijgen dat hij me alleen liet. Uiteindelijk moest ze echter terugvallen op plan B.' Hij kijkt de andere kant uit en loopt weer verder. We geven hem een korte voorsprong om even tot zichzelf te komen.

'En wat was plan B?' vraagt Marina vriendelijk, zonder hem te willen opjagen. Hij moet ons dit allemaal vertellen, maar we hoeven hem niet te martelen.

'Op onze derde avond in de bergen ging ze hout sprokkelen voor het vuur, zodat Reynolds en ik voor het eerst tijdens die trip met elkaar alleen waren. Ik wist dat er iets mis was. Ik had zo'n onheilspellend, misselijkmakend gevoel in mijn maag. Lola kwam snel weer terug – met een stuk of tien Mogadoren. Reynolds hield zoveel van haar dat hij intens verdrietig werd voordat hij bedacht bang te zijn. Hij schreeuwde tegen haar en smeekte haar om uit te leggen waarom ze hem dit aandeed, en niet alleen hem maar ons, mij. Toen gooide een van de Mogadoren een zak met gouden munten naar haar toe. De Mogadoren hadden haar een hoop geld beloofd als ze hun een díénst wilde verlenen.' Acht spreekt dat woord vol minachting uit. 'Ze dook erop af, als een hond die op een kluif af duikt. Het ging allemaal zo snel. Terwijl ze dook, bracht een van de Mogadoren een gloeiend zwaard omhoog en stak haar in de rug, net op het moment dat de zak met gouden munten aan haar voeten ontplofte. Reynolds en ik stonden daar maar, bevroren, toe te kijken hoe ze stierf.'

Ik weet de aanvechting te bedwingen om snel naar voren te stappen, zijn hand vast te pakken en er een kneepje in te geven om hem te laten merken hoe goed ik zijn gevoelens begrijp. Ik kijk naar zijn kaarsrechte, trotse rug, zie zijn doelbewuste, lange passen, en besef dat hij nu vooral wat ruimte nodig heeft. Dat is in elk geval wat ik wil op momenten dat ik eraan denk hoe Katarina gestorven is.

Zijn laatste woord, stierf, blijft in de lucht hangen. Een hele tijd later schraapt Crayton zijn keel en zegt: 'We hoeven nu niet meer te horen, hoor. Je kunt ermee ophouden als je dat wilt.'

'Ze konden mij niet doden.' Achts stem begint luider te klinken, alsof hij probeert de trieste herinneringen te overschreeuwen. Ik ken die truc. Meestal werkt hij niet. 'Zelfs als ze een rechtstreekse treffer maakten met een van hun zwaarden, in mijn nek of mijn maag, stierf ik niet. Maar zij wél! De dodelijke wonden die ze mij hadden willen toebrengen, liepen ze zelf op. Ze konden me niet doden vanwege de beschermformule, en ik heb alles gedaan wat ik maar kon om Reynolds te beschermen. Maar in de chaos waren we van elkaar gescheiden geraakt, en ik had te lang gewacht met teleporteren. Reynolds was...' Hij laat een korte stilte vallen. 'Een van hen nam mijn kistje mee. Ik probeerde hem tegen te houden. Ik greep een van de zwaarden en probeerde hem ermee in zijn maag te steken, maar ik miste hem op een haar na. Ik ben er behoorlijk zeker van dat ik wel zijn hand heb afgehakt, trouwens. Maar goed, hij wist te ontkomen. Onmiddellijk nadat hij het bos in was gerend, zag ik een piepklein zilveren ruimtescheepje omhoogschieten. De andere Mogadoren heb ik gedood.' Zijn stem klinkt nu zo kil, en zo volkomen emotieloos, dat ik huiver.

'Ik ben mijn Cêpaan ook verloren,' zegt Marina even later zachtjes.

'Ik ook,' zeg ik, en ik kijk snel om naar Ella, die dichter bij Crayton is gaan staan. Zij heeft hem tenminste nog. Hopelijk zullen we de laatste Cêpaan die we kennen niet ook nog verliezen.

Boven ons wordt de hemel nu elke seconde donkerder. Marina biedt aan om voorop te lopen, zodat ze ons met haar Erfgave om in het donker te kunnen zien de weg kan wijzen. Ik glimlach als ik zie dat ze Acht bij de hand neemt. Het doet me genoegen dat iemand hem probeert te troosten.

'Ik heb zoveel tijd hier in de bergen doorgebracht,' zegt Acht.

'Helemaal alleen?' vraagt Ella.

'Een deel van de tijd ben ik alleen geweest. Ik wist niet waar ik heen moest. Toen kwam ik op een dag een oude man tegen. Hij zat onder een boom, met zijn ogen dicht. Hij was aan het bidden. Mijn Erfgave om andere gedaanten aan te nemen, had zich enkele maanden eerder gemanifesteerd en ik benaderde hem in de vorm van een zwart konijntje. Hij voelde me naderen en lachte nog voordat hij zelfs zijn ogen maar opende. Iets aan zijn gezicht wekte mijn vertrouwen. Ik denk dat hij me aan Reynolds deed denken, aan Reynolds zoals hij was geweest, voordat Lola in ons leven kwam. Dus sprong ik de struiken in en teleporteerde naar een rij bomen die een eindje de andere kant op stonden. Toen ik hem opnieuw benaderde, in mijn gewone gedaante, bood hij me wat sla aan. Het was duidelijk dat hij wist wie ik was, dat hij altijd zou weten wie ik was, welke gedaante ik ook aannam.'

'We komen nu bij een ander meer,' zegt Marina, die Acht daarmee in de rede valt. Nu het stil is, hoor ik het water kabbelen, en iets verderop het zachte ruisen van een waterval.

'Ja, het is niet ver meer,' bevestigt Acht. 'Binnenkort kunnen we eten en slapen.'

'Nou, wat is er toen gebeurd? Met de oude man?' vraagt Crayton.

'Zijn naam was Devdan, en hij was een zeer verlicht, spiritueel mens. Hij heeft me alles verteld over het hindoeïsme en over Vishnu, en ik luisterde geboeid. In mijn gedachten bracht ik zijn verhalen in verband met de manier waarop wij probeerden Loriën te redden. Hij leerde me oeroude Indiase vechtsporten, zoals kalarippayattu, silambam en gatka. Ik werkte met mijn Erfgaven, mijn krachten, om te zien hoe ver ik kon komen met alles wat ik van hem leerde.

'Op een dag ging ik hem opzoeken op de gewoonlijke plek, maar hij was er niet. Dag in dag uit ging ik erheen. Maar hij kwam nooit meer terug, en ik was weer alleen. Pas vele maanden later liep ik commandant Sharma en zijn leger tegen het lijf, terwijl ik aan het trainen was.' Hij aarzelt voordat hij verdergaat. 'Helaas – of misschien was het juist wel een gelukkig toeval, daar ben ik nog niet helemaal uit – was ik op dat moment in de gedaante van Vishnu, en ze zwoeren me tegen alle kwaad te beschermen. Ik wist dat dat kwam omdat ik de gedaante had aangenomen van hun god, en ik vond het verschrikkelijk om misbruik te maken van hun religieuze geloof, maar de verleiding was onweerstaanbaar. Ik denk dat ik het nog veel erger vond om alleen te zijn.'

Marina wil ons om het meer heen leiden, maar Acht zegt dat ze recht naar de waterval die we in de verte horen, moet lopen.

'Zijn de Mogs ooit nog teruggekomen?' vraagt Crayton.

'Ja. Zo nu en dan vliegen ze over de bergen in hun zilveren scheepjes om te zien of ik er nog ben. Maar dan verander ik gewoon in een vlieg of mier, en ze vliegen door zonder me op te merken.'

'Dat zou een verklaring vormen voor alle ufo-meldingen in deze omgeving,' zegt Crayton.

'Ja, dat zijn de Mogadoren,' zegt Acht. 'Elke keer dat ze hier komen, nemen ze minder voorzorgen tegen ontdekking. Ik heb er een paar dagen niet één gezien, maar de afgelopen zes tot acht maanden komen ze veel vaker dan vroeger. Ik ging ervan uit dat dat inhield dat het conflict aan het escaleren was.'

'Dat klopt,' zeg ik. 'We zijn elkaar aan het opzoeken, en sluiten ons bij elkaar aan. Marina, Ella en ik hebben elkaar nog maar een paar dagen geleden ontmoet in Spanje. Nummer Vier wacht op ons in Amerika. En nu hebben we jou gevonden. De enigen die we nu nog missen zijn Vijf en Negen.'

Acht zwijgt even. 'Ik wil jullie allemaal bedanken dat jullie dit hele eind gereisd hebben om mij te ontmoeten. Het is zo lang geleden sinds ik werkelijk met iemand heb kunnen praten. Over mijn echte leven bedoel ik.'

We zijn nog maar een paar meter van de waterval. 'Wat doen we nu?' Ik moet roepen om boven het kabaal van het water uit te komen.

'Nu gaan we klimmen!' roept Acht terug, en hij gebaart naar een steile stenen muur recht voor ons.

Ik leg mijn hand op de gladde steen en schop er even tegen met mijn voet om houvast te vinden. Mijn voet glijdt onmiddellijk weg en als ik het opnieuw wil proberen, hoor ik Acht hoog boven me. Hij staat al boven, en roept iets naar ons. Teleportatie is nog beter dan ik dacht. Het zou weleens beter kunnen zijn dan onzichtbaarheid. Ik vraag me af of we die twee op de een of andere manier zouden kunnen combineren.

'Gebruik gewoon je telekinese om omhoog te zweven,' zegt Marina tegen me. 'Jij neemt Ella. Ik neem Crayton.'

Ik doe wat ze zegt en we zweven omhoog. Het is eigenlijk een stuk gemakkelijker dan ik me had voorgesteld. Acht kampeert boven aan de steile helling. Het duurt niet lang voordat we om een kampvuur zitten, met een kookpot met een zachtjes pruttelende stoofpot erboven. De boomkruinen beschermen ons tegen pottenkijkers van bovenaf, en met het water onder ons, vormt dit een perfecte schuilplaats. Achts lemen hut is op de een of andere manier zowel deprimerend als ideaal. De muren staan schots en scheef en de deur is een min of meer ovale opening, maar het is er ook warm en droog, en het ruikt er naar verse bloemen. Binnen zijn een eigengemaakte hangmat en een tafeltje, en er hangen drie kleurige tapijten aan de muur.

'Leuk optrekje hier,' zeg ik, terwijl ik terugloop naar het kampvuur. 'Ik ben al zo lang op de vlucht dat ik helemaal vergeten ben hoe het is om een eigen huis te hebben. Al is het maar een hut.'

'Deze plek heeft iets heel bijzonders. Een deel van mij zal altijd hier blijven. Ik zal het werkelijk missen,' zegt hij en hij kijkt tevreden om zich heen.

'Wil dat zeggen dat je met ons meegaat?' vraagt Marina.

'Natuurlijk ga ik met jullie mee. Het is tijd voor ons om bij elkaar te komen en samen te werken. Nu Setrákus Ra op Aarde is, moet ik met jullie meegaan.'

'Is Setrákus Ra op Aarde?' vraagt Crayton, die zich plotseling duidelijk niet op zijn gemak voelt.

Acht neemt zijn eerste hap van de stoofpot. 'Hij is een paar dagen geleden aangekomen. Hij verschijnt aan me in mijn dromen.'

12

Vier

In West-Virginia zijn we op een vrachttrein gesprongen. Ik heb geprobeerd wat te slapen, maar het is te onrustig in mijn hoofd. Ik knijp mijn ogen tot spleetjes om gewend te raken aan het ochtendlicht dat door de kieren tussen de latten van de wagon naar binnen valt, en tot mijn opluchting zie ik dat we nog steeds in westelijke richting rijden. Dat is het enige wat special agent Walker heeft gezegd voor haar verdwijnen: het westen. Dus, daar gaan we heen. Ik probeer niet te denken aan de mogelijkheid dat ze ons opzettelijk misleid heeft, en in plaats daarvan hou ik mezelf dan maar voor dat ze dacht dat ze op sterven lag en niets meer te verliezen had, zodat ze geen reden had om me nog iets voor te liegen.

Ik laat me op mijn rug rollen. Het plafond van de wagon is vies, met een reeks vlekken in vele verschillende kleuren erop. Ik lig zo lang naar een donkerblauwe plek recht boven mijn hoofd te turen dat ik uiteindelijk weer in slaap val. Ik droom, dat doe ik vaak. Maar deze droom is anders, meer een nachtmerrie dan een visioen.

Ik ben in West-Virginia, en ik zit weer in de gevangeniscel. Maar deze keer is die leeg en van bovenaf hel verlicht. De ronde kooi waarin Sam werd vastgehouden is nu leeg. Het enige wat erop wijst dat hij hier ooit gezeten heeft, is een plasje nog niet gestold bloed op de vloer. Ik loop naar het midden van de cel, kijk panisch om me heen en probeer zijn naam te roepen, maar zodra ik mijn mond opendoe, wordt alle lucht van bovenaf uit mijn keel weggezogen, zodat het lijkt alsof ik stik. Ik zak op mijn handen en knieën, en probeer wanhopig weer lucht te krijgen.

Nog steeds naar adem happend, kijk ik op. Nu ben ik in een grote arena, met duizenden uitzinnige Mogadoren op de tribunes. Ze joelen en smijten van alles naar me toe, terwijl er een gevecht uitbreekt tussen de toeschouwers onderling. De vloer van de arena bestaat uit glimmende zwarte platen van steen. Moeizaam krabbel ik overeind, maar als ik een stap naar voren doe, zakt de bodem achter me weg, zodat er niets anders overblijft dan een zwarte afgrond. Boven me zie ik een reusachtig groot gat, en daarboven zie ik een groepje wolken dat langzaam door een blauwe lucht zweeft. Het duurt even voordat het tot me doordringt waar ik me bevind – in een bergtop.

'Vier!' Het is de stem van Negen. Negen! Ik ben niet alleen. Ik kijk om me heen en probeer iets terug te roepen, maar mijn keel zit nog steeds dicht. Dan schijnt er plotseling een felle lichtstraal uit mijn mond. In een reflex draai ik me om en kijk zoekend om me heen totdat de lichtbundel eindelijk op Negen valt. Hij is aan de andere kant van de arena, maar iets blokkeert mijn zicht op hem. Het is Sam. Hij hangt tussen ons in, geketend aan zijn polsen. Agent Purdy en special agent Walker staan onder hem, met hun Mog-kanonnen op zijn borstkas gericht. Zonder aarzelen hol ik naar mijn beste vriend toe, en na elke stap zakt de rotsbodem zodra ik mijn voeten optil. Het gebrul van de menigte wordt steeds luider, totdat het absoluut oorverdovend is.

Als ik hem bijna heb bereikt, valt de zwarte rots waar de agenten op staan plotseling omlaag, zodat ze in de afgrond tuimelen.

'Help! Help me, alsjeblieft. Help!' gilt Sam. Hij draait wanhopig met zijn armen en benen in een poging om zich uit zijn ketenen te bevrijden.

Ik probeer mijn telekinese te gebruiken om hem los te maken, maar die werkt niet. Ik probeer mijn Lumen te gebruiken, maar mijn handpalmen blijven donker. Mijn Erfgaven laten me in de steek.

'Laat de anderen ook komen, John,' zegt Sam. 'Haal ze allemaal hiernaartoe.'

Zijn stem klinkt raar, alsof het zijn stem niet is. Het lijkt wel of iets boosaardigs – of een boosaardig iemand – hem als spreekbuis gebruikt.

Plotseling staat de gebruinde, magere jongen die ik in mijn laatste visioen heb gezien weer naast me. Ook nu weer is hij doorzichtig, als een geestverschijning. Als ik zie dat hij een Lorische amulet om zijn nek draagt, steek ik mijn hand naar hem uit, maar hij schudt zijn hoofd en houdt zijn vinger voor zijn lippen. De jongen springt op Sam en klimt langs zijn benen en lijf omhoog totdat hij zijn handen om de handboeien weet te krijgen. Ik zie hoe hij zich inspant en probeert de boeien stuk te trekken, en ik zie de verrassing op zijn gezicht als het tot hem doordringt dat hij daar niet de kracht voor heeft.

In mijn vorige visioen vroeg hij me welk nummer ik was, en ik voel nu een enorme aandrang om met hem te praten. Ik hoest, ik schraap mijn keel, en ik besef dat ik nu eindelijk mijn stem weer terugheb. Ik roep: 'Ik ben Nummer Vier!' net op het moment dat het stil wordt in de arena.

'Heb je je besluit genomen?' vraagt Sam. Hij blijft moeizaam met zijn bovenlijf kronkelen in een poging om zich uit zijn boeien te bevrijden, en de andere jongen doet nog steeds verwoed zijn best om de kettingen kapot te trekken. Sam kijkt me aan en ik zie dat hij kastanjebruine ogen heeft. Dit is Sam niet, waarschuw ik mezelf.

Ineens begint Sams lijf zo hevig te trillen dat de andere jongen zijn houvast verliest en ik alleen maar vol afgrijzen kan toezien hoe hij valt en in dezelfde afgrond verdwijnt die ook de twee agenten al heeft verzwolgen. Vervolgens wordt Sam in een purperen gloed gehuld, en zijn ketenen breken uit eigen beweging. In plaats van te vallen, zoals de jongen en de agenten, blijft hij echter zweven. Hij hangt nu midden in de lucht. Er wordt een lichtbundel op hem gericht en ik kijk vol ongeloof toe hoe Sam steeds groter wordt en de gedaante van Setrákus Ra aanneemt. De drie Lorische amuletten om Ra's nek stralen een felle gloed uit, en dat geldt ook voor het paarse litteken om zijn keel. 'Wil je het mens terug?' brult hij.

'Ik néém hem terug!' roep ik woedend. Ik kan geen kant op, overal om me heen is een gapende afgrond. Er is niets waar ik mijn voeten op zou kunnen zetten om dichterbij te komen.

Setrákus zweeft langzaam naar de grond. Hij komt neer en de rotsbodem blijft solide in plaats van weg te vallen, zoals bij de rest van ons. 'Geef je je over? Prima. Dan kun je me nu je amulet overhandigen.'

Ik kijk omlaag en ik zie dat mijn amulet al verdwenen is. Ik kijk weer op en zie het aan de gigantische vuist van Setrákus Ra bungelen. Zijn gebarsten lippen openen zich in een grijns vol scherpe, schots en scheef staande tanden.

'Nee! Ik geef me niet over!' Zodra ik dat zeg voel ik plotseling een gewicht om mijn nek. Mijn amulet is terug.

De andere jongen springt uit de afgrond waarin hij was gevallen en komt vlak naast Setrákus Ra neer. Hij houdt zijn hoofd hoog opgeheven, en net als ik roept hij: 'Ik zal me nooit overgeven! Laat Devdan gaan en vecht met mij!'

'De tijd verstrijkt,' zegt Setrákus Ra, en het dringt tot me door dat hij het tegen ons allebei heeft – dat hij het de hele tijd al tegen ons allebei heeft. Hij probeerde ons allebei zover te krijgen dat we ons overgeven. Dacht hij soms dat hij ons beiden zou kunnen overtuigen om ons op te offeren omdat we geloofden dat hij de anderen dan in leven zou laten? Ik kan alleen maar hopen dat geen van de anderen zijn leugens gelooft.

De blauwe vlek op het dak van de goederenwagon is plotseling het enige wat ik nog zie, en ik ga met een ruk rechtop zitten, terwijl ik probeer de droom van me af te schudden, die me met een zwaar gevoel in mijn hoofd heeft achtergelaten. Ik voel aan de armband om mijn pols. Voordat ik wegzakte in mijn visioen, mijn nachtmerrie, had ik ontdekt dat ik die af kon doen door me te concentreren op de vermogens ervan. Maar zodra de armband van mijn pols verdween, voelde ik me niet meer veilig, en haastig deed ik hem weer om. Ik voel er opnieuw aan, en vraag me af of het goed of slecht is dat ik daar zo op ben gaan vertrouwen. Plotseling voel ik iets kleins tegen mijn rug stuiteren, en ik spring op en draai me om.

Het is duidelijk dat ik op scherp sta na mijn droom. Het is Bernie Kosar maar, deze keer in de vorm van een beagle. Van al zijn incarnaties bevalt mij die het beste.

'Weer een nachtmerrie?' zegt Negen gapend. Hij zit in een hoek van de wagon, op zijn kistje, en kerft met een spijker verstrooid symbolen in de muur. Hij is het toonbeeld van iemand die níét op scherp staat. De zolen van zijn blote voeten zijn zwart.

'Ze beginnen echt heel raar te worden,' zeg ik, en ik hoop dat ik niet zo diep geschokt klink als ik nu ben. Het laatste wat ik kan gebruiken is dat Negen me gaat beschouwen als een jongetje dat bang wordt van zijn eigen nare dromen. 'En volgens mij zijn er anderen die tegelijk met mij hetzelfde dromen.'

Negen houdt de spijker voor zijn ogen om die beter te kunnen bekijken. Hij houdt zijn hoofd scheef, alsof het een zeldzaam voorwerp is, in plaats van iets doodgewoons. Met het puntje van zijn tong tussen zijn lippen, ziet hij eruit alsof hij al zijn energie concentreert op deze ene spijker. Met een glimlachje knijpt hij hem krom tussen zijn vingers, zodat het ding in twee precies even lange stukken breekt. Daarna kijkt hij naar mij en zegt: 'En wat wil dat zeggen? Denk je dat ze allemaal een soort visioen hebben? Of net zulke drukbezette nachten vol wilde actie hebben als jij?'

Ik haal mijn schouders op. 'Ik weet het niet. Ik zie telkens weer een heel magere jongen met zwarte krulletjes. Hij draagt een amulet, dus ik moet er wel van uitgaan dat hij een van ons is. We zijn ons bewust van elkaars aanwezigheid, maar de gebeurtenissen in de droom lijken in sommige opzichten meer op hem te zijn toegesneden en in andere opzichten juist op mij. Ik zie jóú ook in die visioenen.'

Negen fronst zijn wenkbrauwen, maakt dan zijn kistje open en begint erin te rommelen. Ik hoop dat hij er iets uit haalt wat zal helpen om de visioenen te ontcijferen en erachter te komen wat ik daarmee moet, aangenomen dat ik er iets mee moet. 'Ik zou graag willen proberen om met behulp van de rode steen contact op te nemen met de anderen, maar ik vermoed dat de overheid die op de een of andere manier heeft afgetapt. En dat kán helemaal niet.' Hij leunt achterover en er verschijnt een gefrustreerde uitdrukking op zijn gezicht.

Ik loop door de lege wagon naar hem toe. Hij heeft een geel blokje in zijn hand, dat ik nog nooit eerder heb gezien. 'Wat denk je dat dat inhoudt, als de overheid die steen van jou aftapt? Hoe denk je dat dat heeft kunnen gebeuren? Ik bedoel, dat moet het werk van de Mogs zijn, maar hoe hebben ze de overheid zover gekregen dat die met hen wil samenwerken?'

Negen kijkt me aan alsof hij zijn oren niet kan geloven. 'Dat méén je toch niet? Wat maakt het nou uit waarom ze samenwerken, of wat de Mogs allemaal hebben moeten zeggen om de overheid aan hun kant te krijgen? Het gaat erom dát ze samenwerken. De Amerikaanse overheid en de Mogadoren vormen een team! Voor hen is het officieel: wíj zijn de schurken!'

'Maar de Mogs zullen de Aarde vernietigen, of erger nog, zodra ze eenmaal met ons hebben afgerekend. Weet de overheid dat dan niet? Is het niet duidelijk dat wij juist de goeien zijn?'

'Kennelijk niet. En wie weet hoe dat komt? Misschien gebruiken ze elkaar gewoon, en proberen ze allebei de andere partij onverhoeds pootje te haken. Wat het ook zijn mag, de overheid móét de Mogs wel onderschatten. Als dat niet het geval was, zouden al die ambtenaartjes het in hun broek doen van angst.' Negen stopt het gele blokje in zijn mond. Er verschijnt een voldane uitdrukking op zijn gezicht.

'Wat is dat?' vraag ik.

'Voeding,' zegt hij een beetje moeizaam, want zijn mond zit vol. 'Het is een voedselsubstituut. Je zuigt erop en dan heb je een tijdje geen honger meer. Kijk maar eens. Misschien heb jij er ook wel een.'

Ik maak mijn kistje open en zoek naar een geel blokje. Mijn handen gaan over de witte tablet die ik in het geheime kantoor van Malcolm Goode heb gevonden, en ik neem een seconde de tijd om op de knopjes daarvan te drukken. Nog steeds niets. Ik schuif hem opzij. Ik vind geen geel blokje, maar wel een blauw exemplaar. Ik houd het omhoog, zodat Negen het kan zien. 'Denk je dat dit hetzelfde doet?'

Hij haalt zijn schouders op. 'Geen idee. Dat weet je pas als je het probeert. Doe 't maar.'

Ik aarzel even en leg het blokje dan op mijn tong. Onmiddellijk vult mijn mond zich met ijskoud water. Ik slaag erin om een klein deel ervan op te drinken, maar dan verslik ik me, zodat ik moet hoesten en het blokje op de vloer terechtkomt. Negen spuwt het gele blokje in zijn hand en houdt het me voor, maar ik sla het aanbod af.

'Je moet toch een keer eten,' zegt hij.

Bernie Kosar loopt naar Negen toe en opent zijn bek. 'Ja hoor, Bernie Kosar,' zegt die welwillend, en hij legt het gele blokje op de tong van de hond.

'In elk geval gaan we naar het westen, waar Sam en Sarah zijn. Ik ben het beu om voortdurend weg te vluchten en onder te duiken. We moeten eerst de belangrijke zaken regelen. We gaan hen zoeken.'

'Dat is jouw mening. Het afgelopen jaar heb ik alleen maar opgesloten gezeten, en ik ben voortdurend gemarteld. Gewoon vrij kunnen bewegen en zelf uitmaken waar ik ben en waar ik naartoe ga, is een luxe die ik voorlopig niet ga opgeven. Ontspan je nou maar gewoon, Johnny. Ik heb een idee, en jij moet het plan niet uit het oog verliezen. We gaan geen tijd verspillen aan het terugvinden van jouw mensenvriendjes. Neem contact op met de anderen, we komen dan bij elkaar, en als we er klaar voor zijn, nemen we het op tegen Setrákus Ra. In die volgorde.'

Ik draai me om en stomp een gat in de zijwand van de treinwagon. De klap komt zo hard aan dat de wielen aan één kant van de wagon even het contact met de rails verliezen. Ik ben boos en ik heb het gevoel dat ik nu in hoog tempo mijn zelfbeheersing aan het verliezen ben. 'En hoe denk je precies dat we de anderen zullen vinden als ons enige communicatiemiddel weleens afgeluisterd zou kunnen worden? Ik vind dat we naar Californië moeten gaan, of welke grote overheidsinstelling daar in het westen dan ook, en dat we moeten eisen dat ze Sarah vrijlaten, en als ze dat niet doen dan slaan we de boel kort en klein! Of we dreigen naar de media te stappen en ze te vertellen dat de overheid onder één hoedje speelt met een stelletje boosaardige aliens. Ik ben benieuwd hoe ze daarop reageren.'

Negen lacht en schudt zijn hoofd. 'Eh, nee. Dat gaat niet gebeuren.'

'Wel verdomme,' zeg ik, 'dan weet ik het ook niet meer. Waarom gaan we niet terug naar Paradise om te kijken of Sarah daar misschien is? Als ik alleen maar kan zien dat ze veilig is, dan zal ik verder niet meer zeuren. We zijn nu toch zeker niet ver meer van Ohio?'

Negen loopt naar het gat dat ik zojuist in de wand heb gestompt en tuurt naar buiten. Als hij antwoordt, spreekt hij met zachte stem. 'Wat mij betreft, ziet het er allemaal hetzelfde uit, man. Weet je, de Aarde is in geen enkel opzicht beter dan Loriën. Ja hoor, hier en daar ziet de Aarde er best mooi uit, maar Loriën was overal mooi. Het was de mooiste planeet van alle melkwegstelsels. In die visioenen van je heb je toch gezien hoe het er vroeger uitzag?' De hartstocht die nu in zijn stem doorklinkt, verrast me.

Als hij over Loriën praat lijkt hij zo ontspannen en gelukkig. Zo heb ik hem nog nooit eerder gezien. Voor het eerst zie ik een jongetje met heimwee. Maar dat gaat snel voorbij. Snel plooit hij zijn gezicht weer in het gebruikelijke zure en geringschattende masker.

'We gaan níét naar Ohio om te kijken of een van die ménsen van jou soms lekker veilig thuis zit. Dit is onze thuisplaneet niet, Vier. De mensen hier zijn onze broeders en zusters niet. Alles wat wij hier op Aarde doen, doen we voor onze échte thuisplaneet, voor onze échte broeders en zusters, en voor de Ouderlingen die hun leven hebben gegeven om ons aan boord van dat schip te brengen.'

Negen doet een stap naar achteren, haalt uit en stompt nog een gat in de wand van de wagon, vlak naast dat van mij. Maar anders dan die van mij, is zijn stomp zo hard en zo snel dat de wielen onder ons gewoon op de rails blijven. Negen steekt zijn hoofd naar buiten en haalt diep adem. Door het andere gat zie ik zijn zwarte haar wapperen in de wind. Dan trekt hij snel zijn hoofd weer terug, balt zijn vuisten en draait zich om. 'Als je Loriën niet in je hart met je meedraagt, dan moet je dat nu zeggen. Ik blijft niet optrekken met een verrader. Ons enige doel is alles in het werk te stellen om Setrákus Ra en zijn leger te verslaan. Meer niet. Heb je dat begrepen?'

Ik besluit dat ik maar beter even mijn mond kan houden. Mijn gevoelens voor Sam en Sarah zullen nooit verdwijnen, dat weet ik. Maar Negen heeft wel gelijk wat betreft belangrijke zaken. We kunnen niemand helpen als we er niet eerst voor zorgen dat we sterker worden, en dat gebeurt alleen maar als we de anderen weten te vinden. Ik moet me concentreren op Loriën. Als we Setrákus Ra eenmaal hebben verslagen, zullen Sam en Sarah – net als alle andere aardbewoners – veilig zijn. Ik knik.

Negen gaat zitten en doet zijn ogen dicht. Hij klemt zijn handen zo strak om zijn knieën dat zijn knokkels wit zien. 'We zijn net langs een bord gereden met een plaatsnaam erop die ik herken. We zijn een paar honderd kilometer verwijderd van het onderduikadres dat mijn Cêpaan heeft ingericht. We kunnen daarheen gaan, een pizza bestellen en misschien een beetje tv-kijken. En daarna kun jij rustig wat rondhangen, zuchten en verdrietige dingen over je arme, verloren Sarah denken, terwijl ik de deur uit ga, een of ander lekker stuk opscharrel om een uurtje lol mee te hebben, en dan zien we daarna wel hoe we contact opnemen met de rest.'

Bernie Kosar laat het gele blokje uit zijn bek vallen en kijkt naar me op. Hij hoeft niet eens te vragen of ik het blauwe blokje op zijn tong wil leggen. Hij doet zijn mond dicht en zucht tevreden.

Ik kijk naar Negen. Hij is zo zeker van zichzelf, zo vol zelfvertrouwen. 'En hoe gaan we dan contact opnemen met de anderen? De macrokosmos wordt afgeluisterd! We hebben geen andere manier om met hen te communiceren!'

'Nee, dit is perfect,' zegt Negen, en hij begint nu duidelijk enthousiaster worden. 'Wacht maar tot je dat onderduikadres van mij gezien hebt, Vier. Dat is echt te gek. Alles wat we maar willen, is daar te vinden. Alles wat we maar nodig hebben, kunnen we daar krijgen. We gaan uitrusten en trainen, en dan zijn we straks fantastisch in vorm, klaar voor wat er ook maar op ons af komt. En dan vinden we vanzelf wel een manier om contact op te nemen met de rest van de Garde.'

13
Zeven

Ik blijf nog urenlang wakker en zit buiten in het vuur te staren. In de hut ligt Ella te slapen in de hangmat; Zes en Crayton liggen te snurken onder een paar dekens op de vloer. Na een tijdje gaan de hoog oplaaiende vlammen en knappende houtblokken over in gloeiende stukken houtskool. Ik kijk toe hoe de rook opkringelt en onder de boomkruinen boven ons blijft hangen. Na verloop van tijd dooft het vuur helemaal.

Ik kan gewoon niet slapen. Jarenlang ben ik alleen geweest met mijn afgunst en woede, terwijl ik opgesloten zat in dat weeshuis. Nu kan ik mijn gevoelens eindelijk de vrije loop laten. Nu geloof ik dat we met z'n allen álles kunnen bereiken wat we maar willen. Dus ik weet niet waarom ik nog steeds dat vervelende gevoel in mijn maag heb, telkens als ik maar even de tijd krijg om na te denken. En toch weet ik wat dat betekent: ik voel me eenzaam. Maar ik ben niet alleen, houd ik mezelf telkens weer voor.

Ik kijk naar Acht, die zo dicht mogelijk bij het vuur ligt te slapen, om warm te blijven. Zoals hij daar in elkaar gedoken op de grond ligt, ziet hij er in het vroege ochtendlicht eigenlijk maar klein uit. Hij slaapt onrustig, onder een dun dekentje van gevlochten ranken. Ik kijk toe hoe hij onrustig ligt te draaien in zijn slaap en met zijn handen door zijn toch al verwarde haar woelt. Ik por de gloeiende kooltjes op, om er nog zo veel mogelijk warmte uit te krijgen, en het geluid daarvan is al voldoende om hem bijna te wekken. Ik weet niet waarom, maar ik heb het gevoel dat ik hem moet beschermen. Tegelijkertijd denk ik aan zijn gespierde armen, en wil ik dat hij mij beschermt. Het zal iets te maken hebben met tegenpolen die elkaar aantrekken. Hij is speels en ik, tja, ik ben dat niet.

Als Crayton eindelijk wakker wordt en de anderen wekt, zitten er diepe groeven in zijn voorhoofd. Hij is duidelijk ongerust. We proberen allemaal zo snel mogelijk de slaap van ons af te schudden. Ik weet dat Crayton zich afvraagt hoe hij ons allemaal in een vliegtuig kan krijgen.

Mijn gedachten keren terug naar Achts visioen van Setrákus Ra. Die vormt de grootste dreiging van allemaal. Hij is zelfs nog gevaarlijker dan een hele menigte zwaarbewapende Mogs. Ik weet dat Crayton denkt dat we nog niet gereed zijn om het tegen Setrákus op te nemen. We hebben onze Erfgaven nog niet volledig ontwikkeld, we hebben nog geen kans gezien om gezamenlijk te oefenen, en we moeten Vier, Vijf en Negen zien te vinden voordat we het opnemen tegen zo'n grote bedreiging als Setrákus Ra. Toen ik gisteravond iets dergelijks zei, hoorde Acht het hoofdschuddend aan. Hij ergerde zich duidelijk aan alle scepsis. 'Samen worden we hem wel de baas,' zei hij. 'Dat weet ik. Ik heb hem in mijn dromen gezien, en zijn kracht gevoeld. Ik weet waartoe hij in staat is, maar ik weet ook waartoe wij in staat zijn, en dat is veel meer dan alles wat hij ooit kan bereiken. Ik geloof in ons. Maar we zullen ons doel niet bereiken als we er niet allemaal vol overtuiging naartoe werken.'

'Ik ben het met je eens dat we Setrákus Ra ten val moeten brengen. Maar eerst moeten we de anderen zien te vinden. De kans dat we hem verslaan wordt een stuk groter als jullie allemaal samen zijn,' beargumenteerde Crayton. Ik kon de ongerustheid horen in zijn woorden.

Acht bleef echter voet bij stuk houden. Het was duidelijk dat hij geloofde dat ons groepje sterk genoeg is om het tegen Setrákus Ra op te nemen. 'Mijn dromen hebben me naar jullie toe geleid. En mijn dromen zeggen me dat we hiertoe in staat zijn; we kúnnen er nu niet vandoor gaan, zelfs niet om de anderen te gaan zoeken.'

Nu staat Acht op en rekt zich uit, zodat zijn T-shirt omhoogkruipt en een stukje van zijn buik zichtbaar wordt. Hij bukt zich, pakt een wandelstok op en laat die ronddraaien. Ik kan mijn ogen niet van hem afhouden. Dat is voor mij zo'n nieuw en ongewoon gevoel, dat ik er tegelijkertijd verlegen en opgewonden van word. 'Waar willen jullie naartoe?' zegt hij, en hij kijkt om zich heen, zodat duidelijk is dat hij dit aan ons allemaal vraagt.

'Naar de oostkust van de Verenigde Staten,' zegt Zes. Ze schopt tegen de onderkant van zijn wandelstok als die langsscheert, en het ding komt met een grote boog in haar hand terecht. Die twee vormen samen echt een komisch duo. Zes gooit de stok terug. Hij duikt er met veel vertoon op af en mist heel nadrukkelijk. Dat spelen van hen lijkt eigenlijk nogal op flirten, en ik moet toegeven dat ik daar jaloers van word. Zelfs als ik dat zou willen, zou ik me nooit zo kunnen gedragen met Acht, of met wie dan ook, maar zo is Zes gewoon, gemakkelijk in de omgang. Geen wonder dat ze zoveel plezier hebben.

'Oké, als jullie daar naartoe willen, hebben we een paar mogelijkheden. Een vliegtuig? Hebben we genoeg geld om tickets te kopen voor ons allemaal?'

Crayton klopt op het borstzakje van zijn overhemd en knikt. 'Dat zal geen probleem zijn.'

'Mooi. We gaan terug naar New Delhi, kopen tickets en over een dag of zo zijn we in de Verenigde Staten. Maar we kunnen natuurlijk ook binnen een paar uur in de staat New-Mexico zijn.'

'We kunnen niet allemaal teleporteren,' merkt Zes op, en met haar teen maakt ze een tekeningetje in de Aarde.

'Misschien ook wel,' zegt Acht, met een doortrapt glimlachje op zijn gezicht. Zes heeft een cirkel getekend en Acht steekt zijn voet uit om er twee ogen, een neus en een brede glimlach aan toe te voegen. Ze grijnzen naar elkaar. 'We hoeven alleen maar een kort wandelingetje te maken, en vervolgens is het gewoon een kwestie van vertrouwen en een gigantische sprong in het duister.' Hij geniet er duidelijk van om ons zo lang mogelijk voor een raadsel te laten staan. Ik zie de anderen knikken. Ze worden zo meegesleept door zijn zelfvertrouwen, dat ze vergeten hem om details te vragen. Ik wil niet degene zijn die opmerkt dat we geen idee hebben wat hij van plan is.

'Dat klinkt heel wat sneller dan een vliegtuig,' zegt Ella. 'En ook heel wat flitsender.'

'Ik vind het een interessant idee,' zegt Crayton, en hij tilt mijn kistje op zijn schouder. 'Laat ons maar eens zien wat je bedoelt, hoe sneller hoe beter. Als Setrákus Ra al op Aarde is, dan moeten we snel zijn.'

Acht zwaait met zijn wijsvinger, en geeft daarmee aan dat Crayton geduld moet hebben. Dan trekt hij zijn T-shirt en lange broek uit. Wauw. 'Ik ga 's ochtends altijd even zwemmen,' zegt hij. 'En dat gaat voor.'

Acht sprint naar de rand van het klif, waar de waterval zich in de leegte stort, en zonder te aarzelen duikt hij er vanaf. Als een vogeltje lijkt hij door de lucht te zweven en zich te laten meevoeren op de luchtstromingen. Ik hol naar het klif en kijk over de rand. Ik ben nog net op tijd om te zien hoe hij van vorm verandert, als een rode zwaardvis in het water plonst en dan in zijn eigen gedaante weer bovenkomt. Plotseling voel ik de aandrang om er ook in te springen en ik volg hem.

Ik schrik ervan hoe koud het water is, maar als ik weer bovenkom om adem te halen, voel ik dat mijn gezicht helemaal rood aangelopen is. Wat is er met me aan de hand? Over het algemeen ben ik niet zo impulsief.

'Mooie duik,' zegt Acht. Hij zwemt naar me toe en als hij heel dicht bij me is, begint hij te watertrappen. Hij schudt zijn hoofd en zijn zwarte, glimmende krullen slieren om zijn hoofd. 'Hoe word je het liefste genoemd: Marina of Zeven?'

'Maakt niet uit,' zeg ik. 'Zeg maar wat je wilt.' Ik voel me verlegen.

'Marina, dat bevalt me wel,' zegt hij, en hij zegt het zo vastberaden, dat het duidelijk is dat hij voor ons allebei beslist. 'Is dit de eerste keer dat je in India bent, Marina?'

'Ja. Ik heb een hele tijd in Spanje gewoond. In een weeshuis.'

'Een weeshuis, hè? In elk geval had je dan een heleboel kinderen om je heen, met wie je vriendjes kon worden. Anders dan ik.'

Ik kan wel zien hoe eenzaam hij is geweest. Ik besluit hem niet te vertellen hoe het werkelijk geweest is: dat alle andere meisjes een hekel aan me hadden en dat ik geen vrienden had tot Ella kwam opdagen. Ik haal gewoon mijn schouders op. 'Dat zal wel. Maar nu ben ik gelukkiger.'

'Weet je? Ik mag jou wel, Marina,' zegt hij. Zoals hij het uitspreekt, lijkt het wel alsof hij mijn naam over zijn tong laat rollen, om er meer van te kunnen genieten. 'Jij bent stil, maar cool. Je doet me denken aan...'

Plotseling is er een grote plons, recht tussen Acht en mij in. De golven drijven ons uit elkaar en ik zie hoe Zes opduikt. Haar natte blonde haar valt perfect in model langs haar rug. Ze zegt geen woord, terwijl ze weer onder water verdwijnt en Acht met zich mee trekt. Ik duik ook, en kijk toe hoe ze samen worstelen, en hoe Acht lachend om genade smeekt en Zes hem loslaat.

'Verdomme, jij bent sterk,' zegt hij, nadat hij hoestend weer boven water is gekomen.

'Als je het maar niet vergeet,' zegt ze grinnikend. 'En mogen we nu eindelijk weg?'

De aanblik van Zes en Acht, zo innig met elkaar verstrengeld, maakt me jaloers, maar dit is niet het juiste moment daarvoor.

Ik duik met mijn hoofd onder water. Ik wil even de tijd nemen om tot mezelf te komen. Ik laat het water mijn longen binnendringen en zink telkens dieper totdat mijn tenen de modderige, met keien bezaaide bodem raken. Ik laat me in de koele modder zakken en probeer mijn gedachten te ordenen. Ik ben boos op mezelf, omdat ik me zo kwetsbaar voel. Dit is een verliefdheid! Meer niet. En kan het me wérkelijk wat schelen als Acht Zes' perfecte blonde haar mooier vindt dan mijn slordige krullenbol? Ik bedoel, zíj vormt geen bedreiging voor me. We moeten samenwerken, als een team, en elkaar vertrouwen. Ik wil niet boos zijn op Zes, zeker niet na alles wat ze voor me gedaan heeft. Ik sta op en terwijl ik heen en weer loop over de bodem van het meer, probeer ik iets geestigs te bedenken wat ik kan zeggen als ik weer boven water kom. Ik kan dit wel aan.

Het dringt tot me door dat ik me rechtstreeks onder de plek bevind waar de waterval in de vijver stort. Het water hier is helder en sprankelend. Ik zie iets glimmen. Het is een langwerpig zilverkleurig voorwerp, dat vastzit in de modder.

Ik zwem ernaartoe om het eens wat beter te bekijken. Het is een meter of vijf lang en als ik eromheen loop, zie ik tot mijn stomme verbazing dat het een soort cockpit is, met een langwerpige voorruit. En dan zie ik een kistje, dat daar gewoon op de stoel in de cabine ligt. Ik geloof mijn ogen niet. Is het mogelijk dat dit het zilverkleurige schip is dat Acht heeft zien wegvliegen op de dag dat de Mogs aanvielen en zijn Cêpaan werd vermoord? Ik hoor een gedempte kreet en het dringt tot me door dat ik die zelf maak. Ik grijp een hendel op de romp en trek. De hendel geeft niet onmiddellijk mee, daar is de waterdruk hier op de bodem te sterk voor, maar ik blijf trekken, en het duurt niet lang voordat de deur van de cockpit openzwaait. Het water stroomt naar binnen en vermengt zich met het water dat al in de cockpit stond. Het kistje voelt slijmerig aan als ik het vastgrijp en snel naar boven zwem.

Het eerste wat ik zie, is Zes en Acht die samen op het gras zitten te praten. Ella laat Achts wandelstok ronddraaien, eerst boven haar hoofd en dan vlak voor haar neus. Crayton zit naar haar te kijken, en steunt met zijn kin op zijn handen. Ella ziet me uit het water komen en prikt de stok in het gras.

'Marina!' roept ze.

'Hé, daar ben je! Waar was je naartoe?' roept Acht, en hij loopt naar de rand van het klif.

'Kom eruit, Marina,' roept Zes. 'We moeten nu echt opschieten!'

Ik til het kistje uit het water, en houd het boven mijn hoofd, zodat ze het allemaal kunnen zien. Ik maak me er niet eens druk om dat er vies modderwater af druipt dat op mijn hoofd druppelt. Ik grijns zo breed dat mijn gezicht gewoon pijn doet. Ik geniet van hun verbaasde gezichten, hun opengezakte monden en wijd opengesperde ogen. Ik geniet er zo enorm van dat ik mijn telekinese gebruik om het kistje naar Acht en Zes toe te laten zweven en het daar midden in de lucht te laten hangen.

'Kijk eens wat ik heb gevonden, Acht!' Acht verdwijnt van het gras en verschijnt in de lucht, naast zijn kistje. Hij slaat zijn armen eromheen en drukt het aan zijn borst, ook al zit het onder het slijm. Daarna teleporteert hij zich terug naar de rand van het meer, met het kistje nog in zijn handen. 'Ongelooflijk,' zegt hij na een lange stilte. 'Al die tijd lag het vlak onder mijn neus.' Hij lijkt nogal aangeslagen.

'Het lag in een Mog-schip op de bodem van het meer,' zeg ik, en ik loop het water uit.

Acht verdwijnt weer en teleporteert zich zo pal voor me, dat onze neuzen elkaar bijna raken. Voordat het tot me doordringt hoe fijn het is om zijn warme adem op mijn gezicht te voelen, tilt hij me op en kust me hard op mijn mond, terwijl hij zijn armen om me heen slaat, me optilt en zich met mij in zijn armen om zijn as laat draaien. Mijn spieren verstijven en plotseling heb ik geen idee waar ik met mijn handen naartoe moet. Ik weet helemaal niet wat ik nu moet doen, en dus laat ik het allemaal maar gebeuren. Hij smaakt tegelijkertijd zoet en zout. De hele wereld verdwijnt en ik voel me alsof ik in het donker rondzweef.

Als hij me weer neerzet, trek ik mijn hoofd wat naar achteren en kijk hem recht in zijn ogen. Eén blik en ik weet dat dit intens romantische moment voor hem een spontaan gebaar van dankbaarheid was. Niet meer en niet minder. Ik ben een idioot. Ik moet deze verliefdheid echt van me afzetten.

'Op die plek zwem ik eigenlijk nooit. Vanaf het eerste begin ben ik er altijd vanaf de andere kant in gedoken,' zegt Acht. 'Ik ben altijd in hetzelfde stuk van het meer blijven steken.' Hij schudt zijn hoofd. 'Dankjewel, Marina.'

'Eh, graag gedaan hoor,' fluister ik, nog steeds wat versuft van het eerste deel van zijn bedankje.

'Wil je het kistje niet openmaken, nu je het zo innig verwelkomd hebt?' vraagt Crayton. 'Allee, schiet een beetje op!'

'O! Ja, natuurlijk!' roept Acht, en hij teleporteert zich terug naar het kistje.

Zes loopt naar me toe. 'Marina! Dat was fantastisch!' Ze slaat haar armen om me heen en doet dan een stapje naar achteren, pakt me bij mijn schouders en schudt me heen en weer, terwijl ze me intussen veelbetekenend toelacht. En fluisterend voegt ze daaraan toe: 'En vergis ik me nou, of werd je daarnet gekust?'

'Wonderlijk, hè?' fluister ik, en ik neem haar aandachtig op om te zien of ik ergens een teken van jaloezie bespeur. 'Maar volgens mij heeft het niet veel te betekenen.'

'Het is helemaal niet wonderlijk. Het is eigenlijk best wel gááf,' zegt ze, en het is duidelijk dat ze het fijn voor me vindt, als een vriendin of een zus. Ik schaam me dat ik daarnet nog zo jaloers op haar was. Alle ogen zijn op Acht gericht en Ella doet tromgeroffel na om de opening van het kistje aan te kondigen.

Acht legt zijn handpalmen op het slot. Vrijwel ogenblikkelijk begint het kistje te trillen en dan springt het open. Snel steekt hij zijn armen er tot aan zijn ellebogen in en hij probeert alles tegelijk aan te raken. Hij is net een kind in een speelgoedwinkel, zo opgewonden is hij. We komen allemaal om hem heen staan en kijken toe. Ik zie dat sommige stenen sprekend op die van mij lijken, maar andere dingen zijn volkomen anders. Er is een glazen ring, een krom stuk van een gewei, een zwart lapje dat een blauwe en rode gloed uitstraalt als Acht het aanraakt. Hij pakt een dun staafje goud, zo lang als een potlood en houdt het omhoog. 'Ach, wat is het fijn om jou weer te zien.'

'Wat is dat?' vraagt Zes.

'Ik weet niet hoe het werkelijk heet, maar ik noem het een duplicator.' Acht houdt het boven zijn hoofd, alsof het een toverstaf is. Dan buigt hij zijn pols en het ontrolt zich naar de grond toe, net als een rol behang. Het duurt niet lang voordat het zo groot is als een deuropening. Hij laat het los en de deuropening blijft voor hem in de lucht hangen. Acht gaat erachter staan en zo nu en dan zien we een paar handen en voeten terwijl hij wild op en neer springt en met zijn armen zwaait.

'Oké,' zegt Zes. 'Dit is het raarste wat ik ooit heb gezien.'

Acht teleporteert zich zodat hij naast haar komt te staan, en houdt zijn hoofd wat scheef, terwijl hij nadenkend aan zijn kin krabt, alsof hij een jurylid is in een tv-show. Met een ruk kijken we allemaal weer naar de gouden deuropening. De handen en voeten zwaaien nog steeds heen en weer. Wacht even! Het zijn er nu twee! De Acht die naast Zes staat, klapt in zijn handen, opent zijn handpalmen en de gouden deur rolt zich erin op en vliegt terug naar zijn hand. Onmiddellijk is de tweede Acht verdwenen.

'Indrukwekkend,' zegt Crayton, terwijl hij langzaam en nadrukkelijk in zijn handen klapt. 'Dat zal binnenkort heel goed van pas komen. Op zijn minst zul je daarmee voor een goede afleiding kunnen zorgen.'

'Ik heb er weleens gebruik van gemaakt om stiekem de deur uit te gaan,' geeft Acht toe. 'Reynolds is er nooit achter gekomen wat ik daarmee kon doen. Zelfs voor zijn dood probeerde ik altijd al uit te zoeken hoe ik mijn Erfgaven zo goed mogelijk kon gebruiken.'

Crayton gooit Achts kleren naar hem toe en pakt mijn kistje op. 'En nu moeten we echt voortmaken.'

'O, kom op,' zegt Acht, terwijl hij zijn broek aantrekt. Terwijl hij rondhopst, knippert hij met zijn ogen naar Crayton en zegt met een zeurderig stemmetje: 'Ik heb net mijn kistje terug. Mag ik niet even opnieuw kennismaken? Ik heb het zó gemist.'

'Later,' zegt Crayton kortaf, maar als hij zich naar ons toe keert, zie ik dat hij glimlacht.

Acht laat het gouden staafje weer in zijn kistje vallen, pakt er een groen kristal uit, en stopt dat in zijn zak. Daarna doet hij het kistje dicht en tilt het met een theatrale zucht op. Met zijn zieligste stemmetje zegt hij: 'Nou, goed dan. Dan moet onze reünie maar even wachten. Als jullie mij willen volgen?'

*

'Hoe vaak heeft Setrákus Ra je in je dromen bezocht?' vraagt Crayton. We lopen nu al meer dan vijf uur, en omdat we bergopwaarts gaan, schieten we niet erg op. Acht loopt voor ons uit over een kronkelpad dat eigenlijk meer een rotsrichel is dan een weg. Overal ligt een dun laagje sneeuw, en de wind is akelig sterk. We hebben het allemaal ijskoud, maar Zes beschermt ons met haar Erfgave, en duwt de wind en de sneeuw van ons weg. Macht over het weer is een heel nuttige Erfgave, dat is wel zeker.

'Hij spreekt me al een tijd lang toe, en probeert me in de val te lokken, en me zover te krijgen dat ik mijn zelfbeheersing verlies,' zegt Acht. 'Maar nu hij op Aarde is, verschijnt hij steeds vaker in mijn dromen. Hij treitert me, hij vertelt leugens, en nu probeert hij me zover te krijgen dat ik mezelf opoffer, zodat jullie allemaal terug kunnen naar Loriën. De afgelopen dagen heeft hij meer vat op me weten te krijgen dan daarvoor.'

'Wat wil je daar precies mee zeggen?' vraagt Crayton.

'Gisternacht had ik een visioen waarin hij mijn vriend Devdan geketend aan een muur hing. Ik weet niet eens of dat nou een visioen is van iets wat op dat moment ook werkelijk gebeurt, of dat het niet meer dan een truc is, maar het begint echt op mijn zenuwen te werken.'

'Vier droomt ook van hem,' zegt Zes.

Acht draait zich met een ruk om en kijkt haar verbaasd aan. Terwijl hij in gedachten duidelijk druk bezig is om dit nieuwe stukje informatie in te passen in wat hij al wist, doet hij een paar stappen naar achteren. Zijn voet komt gevaarlijk dicht bij de rand van de rotsrichel, zodat ik geschrokken naar adem hap en zenuwachtig mijn hand naar hem uitsteek. Maar zonder ook maar even te aarzelen, gaat hij verder: 'Weet je, volgens mij heb ik hem gisteravond gezien. Tot je dat zei, had ik er niet meer aan gedacht. Heeft hij blond haar? Is hij lang van stuk?'

'En knapper dan jij? Ja, dat is hem,' zegt Zes glimlachend.

Acht blijft staan en kijkt peinzend voor zich uit. De afgrond aan onze linkerhand is meer dan vijfhonderd meter diep. 'Weet je, ik ben er altijd van uitgegaan dat ik dat was, maar kennelijk had ik het mis,' zegt hij peinzend.

'Ervan uitgegaan dat jij wát was?' vraag ik, en ik probeer hem met wilskracht weg te trekken van de afgrond.

'Pittacus Lore.'

'Waarom zou je dat denken?' vraagt Crayton.

'Omdat Reynolds mij heeft verteld dat Pittacus en Setrákus altijd in staat waren om met elkaar te communiceren. Maar nu weet ik dat Vier dat ook kan, en dat vind ik verwarrend.'

Acht loopt weer verder, maar dan vraagt Ella: 'Hoe kan iemand nou Pittacus Lore zijn?'

'Ieder van ons wordt verondersteld de rol van de oorspronkelijke tien Ouderlingen op zich te kunnen nemen,' legt Zes haar uit. 'Dus ik neem aan dat dat inhoudt dat een van ons de rol van Pittacus Lore op zich zal nemen. Viers Cêpaan heeft hem dat verteld, in een brief. Dat heb ik zelf gelezen. Uiteindelijk worden we verondersteld zelfs nog sterker te worden dan zij. Daarom komen de Mogs nu zo snel in actie, voordat we gevaarlijker worden, en beter in staat zijn om onszelf te beschermen en hen aan te vallen.' Ze kijkt naar Crayton, die knikt terwijl ze dat zegt.

Ik heb het gevoel dat ik de enige ben die maar zo weinig – of eigenlijk, niets – weet over mijn geschiedenis. Adelina weigerde me ook maar iets te vertellen. Ze wilde nooit ook maar één van mijn vragen beantwoorden of zelfs geen hint geven van wat ik op een goede dag allemaal zou kunnen. Daarom lig ik nu enorm ver op alle anderen achter. De enige Ouderling van wie ik ooit zelfs maar gehoord heb, is Pittacus Lore, laat staan dat ik weet welke van de tien ik zou kunnen worden. Ik moet gewoon maar geloven dat ik er als het eenmaal zover is, vanzelf wel achter kom wie ik ben. Soms word ik erg verdrietig als ik denk over alles wat ik zo graag al had willen weten, en als ik eraan denk hoe mijn kindertijd eruit had moeten zien. Maar ik heb geen tijd om te treuren om dingen die toch niet meer veranderd kunnen worden.

Ella komt naast me lopen, en strijkt met haar hand over de mijne. 'Je kijkt zo treurig. Gaat het wel?'

Ik lach haar vriendelijk toe. 'Ik ben niet verdrietig. Maar ik ben wel boos op mezelf. Ik heb Adelina er altijd de schuld van gegeven dat ik mijn Erfgaven niet heb ontwikkeld zoals ik had gekund. Maar moet je Acht eens zien. Hij is zijn Cêpaan verloren, maar hij roeide met de riemen die hij had, en is voortdurend blijven trainen.'

Zwijgend lopen we een paar minuten door, totdat Acht de stilte verbreekt. 'Hebben jullie weleens gewenst dat de Ouderlingen ons een rugzak hadden meegegeven in plaats van een kistje?' zegt hij, terwijl hij zijn kistje in zijn andere arm neemt.

Met een schuldig gevoel kijk ik op naar Crayton en ik maak aanstalten om mijn kistje van hem over te nemen, maar hij duwt me vriendelijk weg.

'Ik houd het nu wel voor je vast, Marina. Ik weet zeker dat je binnenkort de last alleen zult moeten dragen, maar ik zal je helpen zolang ik dat nog kan.'

We lopen nog een paar minuten door totdat het pad over de rotsrichel plotseling ophoudt bij een steile afgrond. We zijn hier maar een meter of honderd van de top, en ik tuur naar de Himalaya, die zich nu links van ons ontvouwt. De bergen zijn enorm groot en lijken zich eindeloos ver uit te strekken. Het is een adembenemend tafereel, en ik hoop dat het me altijd zal bijblijven.

'Zo, en waar gaan we nu naartoe?' vraagt Zes, terwijl ze sceptisch omhoogkijkt naar de bergtop. 'We kunnen op geen enkele manier van hieruit recht naar de top lopen. Maar heel veel andere mogelijkheden zijn er zo te zien ook niet.'

Acht wijst naar twee grote rotsblokken die schuin tegen elkaar geleund staan en balt zijn vuist. De twee rotsblokken wijken uiteen, zodat er een stenen wenteltrap zichtbaar wordt die naar het binnenste van de rotsen leidt. We volgen Acht de trap op. Ik voel me even claustrofobisch als kwetsbaar. Als iemand ons hier volgt, komen we er nooit meer uit.

'We zijn er bijna,' roept Acht over zijn schouder.

De stenen traptreden zijn zo koud dat ik een ijzige kilte door mijn voeten en lijf voel optrekken. Uiteindelijk komen we uit in een enorme grot die in de berg is uitgehakt.

We lopen de grot binnen en kijken vol ontzag om ons heen. De grot is wel honderd meter hoog en de wanden zijn keurig gepolijst. In een van de rotswanden zijn twee stel verticale lijnen van ongeveer een meter hoog uitgehakt, die zijn anderhalve meter van elkaar gescheiden. Tussen de twee bij elkaar horende lijnen in bevindt zich een blauw driehoekje, en horizontaal daarboven zijn drie golflijntjes uitgehakt.

'Moet dat soms een deur voorstellen?' vraag ik, terwijl ik de lijnen aandachtig opneem.

Acht doet een stap opzij, om het ons allemaal beter te laten zien. 'Het moet geen deur voorstellen, het ís een deur. Het is een deur naar de verste uithoeken van de Aarde.'

14
Vier

Ik trek mijn capuchon over mijn hoofd en laat mijn schouders hangen. Negen heeft een smerig honkbalpetje op, en een zonnebril met een gebarsten glas. Die heeft hij allebei gevonden op het rangeerterrein waar we van de trein zijn gesprongen. Nadat we een uur naar het zuiden zijn gelopen, staan we nu tegen de achtermuur van een perron geleund op een andere trein te wachten. Deze trein rijdt op een spoor dat zich een eind boven de grond bevindt. In Chicago noemen ze deze lijn 'de el', een afkorting van *elevated railway*, de verhoogde spoorweg. Met onze kistjes in onze armen vallen we nogal op tussen de andere passagiers met hun koffertjes of rugzakken, maar ik doe mijn best om zo nonchalant mogelijk te doen. Bernie Kosar ligt veilig te slapen in mijn T-shirt, nu in de gedaante van een kameleon. Ik ben nog steeds een beetje nijdig omdat ik het raar vind dat iemand een onderduikadres zou kiezen in zo'n dichtbevolkt gebied. Ik weet dat Henri nooit zo'n zichtbare locatie gekozen zou hebben.

We zeggen niets terwijl de trein met veel kabaal het station binnenrijdt. Bellen rinkelen, deuren schuiven open en Negen loopt voor me uit naar de laatste wagon. Nadat de trein zich in beweging heeft gezet, kijken we toe hoe de stad Chicago steeds dichterbij komt.

'Geniet nou maar gewoon van het uitzicht,' zegt Negen. Hoe dichter we de stad naderen, hoe beter hij zich op zijn gemak lijkt te voelen. 'Ik vertel je meer als we zijn uitgestapt.'

Ik ben nooit eerder in Chicago geweest. Terwijl we ratelend door allerlei verschillende buurten rijden, passeren we een enorm aantal flatgebouwen en huizen. Het lijken er wel een miljoen. In de straten onder ons is het druk met auto's en vrachtauto's, mensen, honden die worden uitgelaten en baby's in kinderwagens. Iedereen ziet er zo gelukkig uit, en lijkt zich zo veilig te voelen, dat ik onwillekeurig wens dat ik een van hen was. Dat ik gewoon op weg was naar mijn werk of naar school, of misschien een ommetje ging maken met Sarah, om ergens koffie te drinken. Een normaal leven. Zo'n simpel idee, maar ik kan me er bijna niets bij voorstellen. De trein komt tot stilstand, mensen stromen de trein uit en anderen wringen zich naar binnen. Het wordt zo druk dat twee meisjes, een blonde en een brunette, zich genoodzaakt zien om zo dicht bij ons te komen staan dat ze bijna over ons heen geleund staan.

'Zoals ik al zei,' zegt Negen met een vergenoegde glimlach, 'geniet nou maar gewoon van het uitzicht.'

Na een paar minuten stoot de blonde tegen het kistje onder mijn voeten. 'Hé! Jezus, jongens. Wat moeten jullie met die enorme dozen?'

'Stofzuigers.' Ik ben zenuwachtig en Negens verhaal van gisteravond is het eerste wat me te binnen schiet. 'We zijn handelsreizigers.'

'Echt waar?' vraagt het meisje met het bruine haar. Ze lijkt teleurgesteld en ik ben zelf ook wel een beetje teleurgesteld in mijn imaginaire leven.

Negen zet zijn kapotte zonnebril af en geeft me een por in mijn ribben. 'Dat was een geintje. Mijn vriend hier is soms een echte grapjurk. We werken voor een kunstverzamelaar, en we brengen deze kunstvoorwerpen naar het Art Institute of Chicago.'

'Echt waar?' vraagt de blonde. De twee meisjes kijken elkaar snel even aan; dit lijkt hen wel aan te staan. Terwijl ze haar blik weer op ons richt, schuift ze een haarlok achter haar oor. 'Daar studeer ik.'

'Echt waar?' zegt Negen met een tevreden glimlach.

De brunette bukt zich en kijkt nieuwsgierig naar het ingewikkelde houtsnijwerk op het deksel van mijn kistje. Ik vind het afschuwelijk dat ze er zo dichtbij staat. 'Nou, wat zit er in? Een piratenschat?'

We moeten níét met die meiden praten! We moeten met helemaal niemand praten. Wij zijn niet zomaar tieners die proberen niet op te vallen tussen de mensen om ons heen. Wij zijn *voortvluchtige aliens*. We hebben nog maar kortgeleden een hele vloot politie- en legervoertuigen vernield. Er staat een prijs op mijn hoofd, en ik durf te wedden dat er binnenkort ook wel een prijs op dat van Negen wordt gezet, als het niet al zover is. We zouden ons ergens op het platteland moeten schuilhouden, in Ohio of zelfs in het westen. Waar dan ook, maar niet in een afgeladen trein midden in Chicago, waar we met een paar meisjes zitten te flirten! Ik doe mijn mond open om te zeggen dat de kistjes leeg zijn, om ze te laten ophouden met al dat gevraag en om te zorgen dat ze ons met rust laten, maar Negen is me voor.

'Misschien kunnen mijn vriend en ik vanavond wel even bij jullie langskomen. Dan kunnen we jullie laten zien wat erin zit.'

'Waarom kunnen jullie ons dat niet gewoon nu al laten zien?' vraagt de brunette pruilend.

Negen kijkt nadrukkelijk om zich heen. Hij draaft nu wel een beetje door. 'Omdat ik jullie nog niet vertrouw. Jullie zijn eigenlijk best wel een beetje... verdacht. Dat snappen jullie zelf toch ook wel? Twee van die bloedmooie meiden... Jullie zouden zo uit een spionagefilm kunnen zijn weggelopen.' Hij knipoogt naar me. En dan wordt het me plotseling duidelijk: hij is net zo onhandig in de omgang met meisjes als ik. Hij overcompenseert en maakt zich daarmee belachelijk. Nu ik dat begrijp, vind ik hem ineens een stuk aardiger, zelfs al zet hij ons nu allebei totaal voor schut.

De meisjes kijken elkaar eens aan en glimlachen. De blonde zoekt in haar tasje, schrijft een nummer op een velletje papier en geeft dat aan Negen. 'Bij de volgende halte moeten we eruit. Bel me na zevenen maar even, dan kijken we wel of we later op de avond met jullie kunnen afspreken. Ik ben Nora.' Ik weet nu totaal niet meer hoe ik het heb. Die stunt van hem wérkte!

'En ik ben Sarah,' zegt het meisje met de bruine haren. Natuurlijk heet ze zo. Ik hoor het hoofdschuddend aan. Als dat al geen rood knipperlicht vormt, dat duidelijk aangeeft dat we nu meteen een einde aan dit gesprek moeten maken, dan weet ik niet wat het wél is.

Negen geeft hun allebei een hand. 'Ik ben Tony, en deze kanjer naast me is Donald. Ik klem mijn kaken op elkaar en zwaai beleefd naar ze. *Donald?*

'Cool,' zegt Nora. 'Nou, tot later dan maar.' De trein komt tot stilstand en ze stappen uit. Negen leunt over me heen en zwaait naar hen door het raampje. Nadat de trein het station uit is gereden, zit hij zachtjes in zichzelf te grinniken. Hij ziet er heel zelfvoldaan uit.

Met mijn elleboog geef ik hem een stoot in zijn ribben: 'Ben je nou helemaal gek geworden? Waarom vestig je nou opzettelijk zo de aandacht op jezelf – op ons? Je hebt het recht niet om me mee te sleuren in dat stomme gedoe van jou. En waarom zou je in hemelsnaam ook maar iets doen wat die twee meiden aanmoedigt om naar onze kistjes te kijken? Laten we hopen dat meiden die stom genoeg zijn om die lulverhalen van jou te geloven, ook stom genoeg zijn daar verder over na te denken!' Ik vond hem een heel stuk aardiger toen hij gewoon een loser leek.

'Rustig aan, *Donald*. Zou je misschien iets zachter kunnen praten? En niet zo piepen alsjeblieft. Het heeft niets om het lijf. Er zal ons heus niets gebeuren.' Hij leunt achterover, met zijn handen gevouwen achter zijn hoofd. Als hij weer iets zegt, klinkt hij ineens heel wat minder zelfverzekerd. 'Sandor zou enorm trots op me geweest zijn daarnet, weet je dat? Het zal je verbazen, maar over het algemeen ben ik eigenlijk best wel onzeker tegenover meisjes. En hoe leuker ik ze vind, hoe erger het wordt. Maar dat is nu voorbij. Na alles wat ik het afgelopen jaar heb meegemaakt, is er eigenlijk niets meer wat me nog werkelijk bang maakt.'

Ik reageer niet. Ik hang onderuitgezakt op mijn stoel en kijk toe hoe de stad steeds groter en groter wordt, en de architectuur steeds interessanter. Ik zie schouwburgen, winkels en prachtige restaurants met gevels die alleen maar uit glas bestaan. Sommige gebouwen schitteren zo fel in het zonlicht dat ik een hand voor mijn ogen moet houden. De wegen onder ons staan vol files, en het getoeter is zelfs hierboven nog te horen. Er is geen plaats ter wereld die sterker zou kunnen verschillen van Paradise, Ohio dan dit. Onze trein stopt nog twee keer voordat Negen zegt dat ik moet opstaan. Bij de volgende halte stappen we uit. Een minuut later lopen we over Chicago Avenue naar het oosten, allebei met ons kistje onder de arm. Recht voor ons ligt Lake Michigan.

Als het om ons heen wat minder druk wordt, zegt Negen: 'Sandor hield van Chicago. En hij dacht dat het heel slim was om onder te duiken op een plek waar iedereen je kan zien, in een stad als deze. Je zult hier beslist niet opvallen, en er is altijd een menigte in de buurt om in te verdwijnen... die manier van denken. Ik bedoel, laat het maar eens tot je doordringen, waar is een mens nou anoniemer dan in een drukke stad?'

'Henri zou het nooit goed gevonden hebben. Als hij in zo'n stad zou zijn, zou hij gek zijn geworden. Hij vond het vreselijk om ergens te zijn waar hij niet kon zien wie ons in de gaten hield. Wie mij in de gaten hield.'

'En dat is de reden waarom Sandor de beste Cêpaan ooit was. Hij had zijn vaste regels, en de eerste en belangrijkste daarvan luidde: "Doe geen domme dingen."' Negen zucht. Merkwaardig genoeg heeft hij echt geen idee hoe beledigend al dit geklets over die Sandor van hem is.

Ik ben razend, en het kan me niet schelen of hij dat merkt of niet. 'Ja hoor, als die Sandor van jou zo geweldig was, hoe komt het dan dat ik jou in een gevangeniscel van de Mogadoren heb gevonden?' Op het moment dat ik het zeg, voel ik me al afschuwelijk. Negen mist Sandor, en we lopen hier rond in de laatste stad waar ze met elkaar gewoond hebben, waar Negen van Sandor te horen heeft gekregen dat hij veilig was. Ik weet hoe fijn zulke geruststellende woorden kunnen zijn.

Negen blijft abrupt staan, midden op een drukke straathoek, terwijl mensen links en rechts langs ons heen lopen. Dan doet hij een paar stappen naar me toe, totdat onze neuzen nog maar een paar centimeter van elkaar verwijderd zijn. Hij heeft zijn vuisten gebald, en zijn kaken op elkaar geklemd. 'Je hebt me in die cel gevonden omdat *ík* een fout had gemaakt. Het was *míjn* fout, niet die van Sandor. En weet je? Waar is jouw Cêpaan dan gebleven? Denk je dat die van jou zoveel beter was dan die van mij? Word eens wakker, idioot! Ze zijn allebei dood, dus het lijkt me heel onwaarschijnlijk dat de ene zoveel beter was dan de andere.'

Ik voel me rot om wat ik zojuist heb gezegd, maar ik ben het echt spuugzat dat Negen probeert me te koeioneren. Ik duw hem weg. 'Hou je koest, Negen. En dat *méén* ik. Hou je koest! En ik wil niet dat je me toespreekt alsof ik je kleine broertje ben.'

Het licht springt op groen en woedend steken we de straat over. Ik loop achter hem aan Michigan Avenue op, en we lopen zwijgend verder. Aanvankelijk ben ik te boos om op mijn omgeving te letten, maar geleidelijk aan word ik me bewust van de wolkenkrabbers hoog boven me. Ik kan er niets aan doen. Deze stad is echt zo ontzettend gaaf. Ik kijk om me heen. Negen ziet hoe ik de stad bewonder, zíjn stad, en ik voel dat hij wat minder boos wordt.

'Zie je dat grote zwarte gebouw daar, met die witte torens erbovenop?' vraagt hij. Het lijkt hem zoveel plezier te doen om dit gebouw te zien, dat ik vergeet dat ik boos op hem ben. Ik kijk recht omhoog. 'Dat is het John Hancock Center. Het is het op vijf na hoogste gebouw van het hele land. En dat, broertje van me, is waar we naar op weg zijn.'

Ik grijp hem bij de arm en trek hem naar de zijkant van het trottoir. 'Wacht eens even. Is dát je onderduikadres? Een van de hoogste gebouwen in de stad, en jij denkt dat we ons daar kunnen schuilhouden? Dat is toch zeker een geintje hoop ik? Je bent hartstikke gek, man!'

Negen lacht als hij de ongelovige blik op mijn gezicht ziet. 'Ik weet het. Ik weet het. Het was een idee van Sandor. En hoe langer ik erover nadenk, hoe briljanter ik het vind. We hebben daar meer dan vijf jaar gewoond, zonder enig probleem. De beste plek om je te verstoppen, is een plek waar iedereen je kan zien.'

'Oké. Maar vergeet je niet dat jullie op een gegeven moment gepakt zijn? We gaan daar níét onderduiken, Negen. Geen sprake van. We gaan terug naar de metro en dan maken we een nieuw plan.'

Negen rukt zich los. 'We zijn gepakt, *Donald*, door toedoen van iemand van wie ik dacht dat ze mijn vriendin was. Ze werkte samen met de Mogs en ik was zo stom dat ik dat niet doorhad. Zij heeft me verraden, maar ik kon niet verder kijken dan die lekkere kont van haar, en dus is Sandor gevangengenomen. Ik moest toezien hoe hij gemarteld werd, en er was niets wat ik daartegen kon doen. Sandor was de enige van wie ik méér hield dan van wat dan ook ter wereld, maar uiteindelijk kon ik hem alleen nog maar uit zijn lijden verlossen. De dood, het geschenk dat maar blijft geven.' Zijn minachtende grijns kan het verdriet in zijn stem niet maskeren. 'Spoel een jaar door en dan zie ik ineens jouw lelijke gezicht voor de deur van mijn gevangeniscel.' Hij wijst omhoog naar het

John Hancock Center. Daarboven zijn we veilig. Dat is de veiligste plek waar je ooit zult zijn.'

'We zitten daar in de val,' zeg ik. 'Als de Mogs ons daarboven aantreffen, kunnen we nergens naartoe.'

'O, dat zou je nog meevallen.' Hij knipoogt en loopt naar het gebouw toe.

Plotseling ben ik me heel sterk bewust van het grote aantal mensen dat langs ons heen loopt. Ik ben zo zenuwachtig als ik weet niet wat, zonder ook maar enig idee waar ik anders naartoe zou moeten. Het enige wat ik zeker weet, is dat de Mogadoren steeds beter in staat zijn om op te gaan in de bevolking, en dus heb ik er geen enkel vertrouwen in dat ik het zelfs maar in de gaten zou hebben als er zojuist een langs was gekomen. Die gedachte vind ik zo angstaanjagend dat ik letterlijk begin te trillen van de zenuwen. En ik moet ervan uitgaan dat er in Chicago duizenden camera's staan, en nu de Mogs en de overheid samenwerken, hebben de Mogs waarschijnlijk toegang tot al die camera's. Geweldig. We worden op dit moment gefilmd door buitenaardse monsters met een verborgen camera en daar kunnen we helemaal niets tegen beginnen! Binnen, waar binnen dan ook, is het heel wat veiliger dan hier blijven rondhangen. Ik laat mijn hoofd hangen en loop achter Negen aan.

De lobby is verbazingwekkend luxueus. Er zijn een concertvleugel, lederen fauteuils en kristallen kroonluchters. Aan het andere uiteinde van de ruimte zie ik twee balies met bewakingspersoneel erachter. Negen overhandigt me zijn kistje en neemt zijn petje af. Een van de beveiligingsmedewerkers is een grote, kale man, die achter de balie blijft zitten, totdat hij Negen opmerkt. Dan geeft hij plotseling een brul en springt op.

'Hé! Moet je eens kijken wie daar komt aanzetten! Niet geschreven, niet gebeld, waar heb jij in hemelsnaam gezeten?' vraagt de man, terwijl hij Negen enthousiast de hand schudt en zijn andere hand om zijn arm klemt. Hij blijft daar maar staan, en lacht Negen stralend toe. De verloren zoon is behouden teruggekeerd, enzovoort. Dat zal het wel zijn, denk ik.

Negen staat hem vriendelijk toe te grijnzen, en dat is duidelijk gemeend. Hij legt zijn vrije hand op de schouder van de man. 'O, volgens mij kun je maar beter vragen waar ik niét geweest ben.'

'Maar de volgende keer moet je ons wel even waarschuwen als je ervandoor gaat. Ik heb me ongerust gemaakt! Nou, waar is die oom van jou?' Hij kijkt over Negens schouder, alsof hij verwacht dat Sandor elk ogenblik kan komen.

Negen aarzelt geen moment. 'In Europa. In Frankrijk, om precies te zijn,' zegt hij, zonder ook maar een spier te vertrekken. Hij is goed. Ik weet hoe moeilijk dit voor hem moet zijn.

'Een baantje als gasthoogleraar of zo?'

'Ja,' zegt Negen. En hij knikt naar mij. 'Hij blijft daar nog best een tijd. Hij denkt er zelfs over om daar een vaste baan aan te nemen, en dus heb ik een tijdje gelogeerd bij mijn vriend Donald, in het zuiden van Chicago. Maar we willen een tijdje hierboven zitten, zodat we kunnen samenwerken aan een project voor geschiedenis. Kijk maar eens naar deze dozen, man. Daar hebben we maanden werk aan!'

Ik kijk naar de kistjes in mijn armen, en de bewaker doet een stap opzij en laat ons door. 'Zo te horen hebben jullie een goed plan gemaakt, jongens. Hé, aangenaam kennismaken Donald. Succes met je project!'

'Van hetzelfde,' zeg ik. 'En bedankt!' Ik probeer vriendelijk te doen, maar het kost me moeite. Voor Negen is het kennelijk geen probleem dat deze vent volkomen op de hoogte is van zijn komen en gaan, en het opmerkt als hij een tijd van huis is, maar de leugen die Negen hem zojuist heeft verteld, zou straks misschien moeilijk hard te maken kunnen blijken. In gedachten hoor ik hoe Henri me waarschuwt dat dit precies het tegenovergestelde is van wat we nu eigenlijk zouden moeten doen. Ik probeer mijn zenuwen van me af te zetten, die mijn maag een dubbele salto's achterover laten maken. Het heeft geen zin om achteraf te bedenken dat je iets misschien beter wat anders had kunnen aanpakken.

We lopen naar een rijtje liften toe en Negen drukt op een knop. Boven een van de liftdeuren licht een pijl omhoog op.

'Hé, Stanley?' Net als we de lift in willen stappen, komt de beveiligingsmedewerker op een drafje naar ons toe gelopen. De sleutelbossen aan zijn riem maken een rinkelend geluid.

Ik kijk Negen grijnzend aan. 'Stanley?' vorm ik met mijn lippen. Dat is nog erger dan Donald!

'Niet nu,' mompelt hij terug.

'Ik heb een hele stapel pakketjes voor je. We hebben ze maar voor jullie opgeslagen. We wisten niet waar jullie uithingen, en jullie hadden geen ander adres opgegeven, zodat ze niet konden worden doorgestuurd. Wil je dat ik ze naar boven laat brengen?'

'Als je ons eerst even een uurtje de tijd geeft om ons een beetje in te richten, oké?' zegt Negen.

'Absoluut, chef.' De beveiligingsmedewerker salueert als we de lift binnenstappen.

Zodra de deuren dicht zijn, voel ik Bernie Kosar van mijn ene schouder naar de andere kruipen. Hij vertelt dat hij het moe is om zich schuil te houden. 'Nog een paar minuten,' zeg ik.

'Ja, BK,' zegt Negen. 'We zijn bijna thuis. Eindelijk.'

'Hoe komt het dat je er zo zeker van was dat je hier gewoon weer terug kon komen? Ik bedoel, je bent echt een hele tijd weggeweest.' Er lijkt geen enkele situatie of idee te zijn dat Negen ooit doet twijfelen aan de juistheid van zijn beslissing en overtuigingen. Ik wilde maar dat ík zo kon zijn. Zelfs al heeft hij het niet altijd bij het juiste eind, dan maakt het hem toch wel een fijn teamlid en een uitstekende strijder.

'Sandor heeft alles geregeld. De huur wordt automatisch overgemaakt van zijn bankrekening. En we zijn altijd nogal vaag gebleven over wat hij voor de kost deed. Als we een paar maanden weg waren, hadden we het altijd over zijn "gasthoogleraarschap". Het is duidelijk dat de mensen dat wel geloofden.'

Negen toetst een paar cijfers in op een klein toetsenbordje onder de verdiepingsnummers en de lift schiet omhoog. De nummers stijgen zo snel dat het nauwelijks tot me doordringt hoe ver we omhooggaan. Pas als we de tachtigste verdieping zijn gepasseerd, begint de lift vaart te minderen. De lift komt tot stilstand en de deuren schuiven geruisloos open. We stappen rechtstreeks een appartement binnen. Ik kijk omhoog naar de reusachtige kristallen kroonluchter die boven twee banken in de woonkamer hangt. Zo te zien is alles hier helder wit en afgezet met een gouden randje.

'Is dit jullie appartement? Dat meen je toch niet?' zeg ik.

'Ja hoor, we hebben een privé-ingang,' zegt hij in reactie op mijn verbaasde blik.

Ik dacht dat alleen mensen op de televisie zo woonden. Ik vind het echt verbijsterend dat deze flat eigendom is van een lid van de Garde.

In de rechterbovenhoek van de kamer zie ik een camera die op ons gericht staat, en onmiddellijk houd ik mijn hand voor mijn gezicht. Maar Negen legt uit dat de camera is aangesloten op een gesloten circuit, en dat de beelden alleen maar kunnen worden bekeken in het appartement zelf.

'Na u,' zegt hij, en hij maakt een buiging en zwaait met zijn arm, in een overdreven nadrukkelijk welkomstgebaar.

'Ongelooflijk, dat jullie de hele verdieping hebben,' zeg ik, en ik kijk met open mond rond.

Ik hoor Negens hand over de muur strijken, terwijl hij zegt: 'Twéé hele verdiepingen eigenlijk.' Negen drukt op een andere knop, en tientallen donkere jaloezieën gaan omhoog, en onthullen vensters van de vloer tot aan het plafond. De hele kamer baadt nu in het zonlicht. Bernie Kosar springt uit mijn jasje en verandert in een beagle. Ik loop naar het raam en kijk naar buiten. Het uitzicht is ongelooflijk. De hele stad ligt aan mijn voeten. Links ligt Lake Michigan. Van hieruit ziet het eruit als een helblauw gekleurd laken. Ik zet mijn kistje op een pluchen leunstoel en druk mijn voorhoofd tegen het venster. Terwijl ik neerkijk op de daken van de andere gebouwen, hoor ik achter me een zoemend geluid, en even later stroomt er frisse lucht uit de luchtgaten vlak bij mijn voeten.

'Hé, heb je honger?' vraagt Negen.

'Zeker,' zeg ik. Het is raar, maar vanaf deze hoogte lijkt alles nep: de auto's, de boten, de treinen op de verhoogde spoorweg die zich door de stad kronkelt. Tot mijn verbazing voel ik me hier veilig, ik bedoel, écht veilig. Ik heb het gevoel alsof hierboven niets me kan deren, niets me onverhoeds te grazen kan nemen. Het is een hele tijd geleden dat ik me zo veilig heb gevoeld. Het is een wonderlijk gevoel.

Ik hoor de deur van een koelkast opengaan. 'Ik vind het zo fantastisch om me eindelijk eens te kunnen ontspannen,' roept Negen vanuit de keuken. 'Hé, doe alsof je thuis bent: neem een douche, eet een diepvriespizza. We hebben zelfs nog tijd om te chillen, of wat te slapen voordat het tijd is om die meisjes te bellen. Hoe lang is het geleden dat je zoiets kon zeggen? Man, het is fijn om thuis zijn.'

Het is moeilijk om dit uitzicht de rug toe te keren: het heeft iets hypnotiserends. Ik wil hier gewoon blijven staan, hier op deze plek, en genieten van dat veilige gevoel. Al is het wel jammer dat Henri, Sarah, Sam en Zes er niet zijn.

Er slaat iets zachts en ribbeligs tegen mijn achterhoofd. Een energiereep.

'Ik laat je het huis wel even zien.' Negen klinkt een beetje hysterisch, alsof hij het echt fantastisch vindt om zijn speeltjes te laten zien.

Ik kauw op de energiereep, terwijl we door een woonkamer lopen die vol staat met pluchen banken en leren fauteuils. Boven een marmeren open haard hangt een reusachtige flatscreen-tv, en op de glazen salontafel staat een vaas met namaakorchideeën. Alles is bedekt met een laagje stof. Negen strijkt met zijn vinger over een met een bijzonder dikke laag stof bedekte tafel en zegt dat hij wel een schoonmaakservice zal bellen. In de gang maakt hij de eerste deur rechts open.

Mijn mond zakt open. Recht voor me zie ik twee grote Mogadoren, allebei in een zwarte regenjas. Ze hebben een witte huid en lang zwart haar, en staan bijna in de deuropening, met hun wapens in de aanslag. Mijn wekenlange training met Zes en Sam golft op in mijn hersenen en ik spring op de dichtstbijzijnde Mog af, duik onder zijn armen door en geef hem een uppercut op zijn kin gevolgd door een stootschop in zijn middenrif. De Mogadoor is verdoofd en valt recht achterover. Ik kijk om me heen naar iets waarmee ik hem kan steken, maar ik zie alleen maar gewichten en bokshandschoenen. Maar dan rent Negen de kamer binnen en geeft de andere Mogadoor een schop in zijn kruis en knijpt hem dan speels in zijn neus. De Mog zwaait heen en weer op zijn hielen en smakt dan achterover. Het kost me nog een paar tellen voor het tot me doordringt dat dit alleen maar poppen zijn. Negen slaat dubbel en als hij eindelijk weer op adem komt, geeft hij me een klap op mijn rug.

'Tjonge jonge, dat zijn echt uitstekende reflexen!' zegt hij brullend van het lachen.

Mijn wangen voelen gloeiend heet aan. 'Je had me wel even kunnen waarschuwen.'

'Dat is toch zeker een geintje? Ik loop hier al over te denken sinds we op de trein zijn gestapt. Man, dat was geweldig!'

Bernie Kosar loopt de kamer binnen en snuffelt aan de rubberen voeten van de Mogadoor die ik tegen de grond heb geslagen. Hij kijkt naar me op.

'Die zijn om te oefenen, BK,' zegt Negen, met zijn borst trots vooruit, met een weids gebaar naar de ruimte waarin we ons nu bevinden. 'We noemen het de collegezaal.'

Voor het eerst kijk ik nu eens goed om me heen. Het is een reusachtige, lege ruimte. Aan de andere kant zie ik een controlepaneel dat wel iets weg heeft van een cockpit. Negen loopt ernaartoe, gaat aan de knoppen zitten en begint schakelaars om te zetten en commando's in te toetsen. Vanuit de muren, het plafond en de vloer komen wapens en decorstukken voor gevechtsituaties tevoorschijn. Hij laat zijn stoel honderdtachtig graden draaien en kijkt me aan. Het is duidelijk dat hij graag wil zien dat ik diep onder de indruk ben. Onmiddellijk ben ik jaloers op alle tijd die hij hier moet hebben doorgebracht. En dat is me aan te zien.

'Dit is...' Ik kijk naar het plafond. Ik kan er zelfs geen woorden voor vinden. Ik geneer me voor alles wat ik al die tijd heb uitgevoerd. Mijn zogenaamde oefenruimte was de sneeuw in mijn achtertuin, of met Zes en Sam in de openlucht. Plotseling neem ik het Henri kwalijk dat we zo vaak zijn verhuisd, en hij me niet het soort training heeft geboden dat ik duidelijk nodig had om mijn steentje bij te kunnen dragen. Als wij zo'n oefenruimte hadden ingericht als deze, had ik misschien net zoveel zelfvertrouwen gehad als Negen, en was ik ook net zo sterk geweest als hij. Misschien was Sandor werkelijk een betere Cêpaan dan Henri.

'Het mooiste heb je nog niet gezien,' zegt Negen.

We lopen door de oefenruimte en achterin trekt hij een grote en zware deur open. Lange rijen planken vol wapens: geweren, zwaarden, messen, springstoffen en meer. Het is een hele muur met alleen maar ammunitie.

Negen haalt een groot automatisch geweer met een telescoopvizier van een plank en mikt ermee op mij. 'Het zou je verbazen hoe gemakkelijk het was om al deze spullen te kopen. Internet is echt een uitkomst.'

Hij loopt naar me toe met het geweer en steekt een arm over mijn schouder heen om een knop in te drukken. Aan het andere eind van de ruimte schuift een muur omhoog, zodat er een schietbaan zichtbaar wordt die langer is dan een bowlingbaan. Negen pakt een doos kogels en laadt het geweer. Daarna kijk ik toe hoe hij een papieren doelwit op dertig meter afstand aan flarden schiet.

'Maak je geen zorgen. Deze ruimte is behoorlijk goed geïsoleerd, en bovendien zitten we hier zo hoog dat niemand ons kan horen.'

Een deur verderop in de gang biedt toegang tot een surveillanceruimte. Negen loopt naar een lichtknop vlak naast de voordeur en drukt erop, terwijl hij zich bukt en zijn gezicht er vlak vóór houdt. Een zwak blauw licht strijkt over zijn ogen en de computers komen ratelend tot leven. Een irisscan. Cool, heel cool. Het is duidelijk dat Sandor in staat was om een hoogtechnologisch beveiligingssysteem te installeren. Er staan een stuk of tien computers, en zelfs nog meer monitoren. We zijn aangesloten op elke camera in het John Hancock Center, alle honderd verdiepingen, plus op zo'n beetje elke camera in de stad die wordt beheerd door de gemeentepolitie van Chicago. Negen drukt op een toets en het grootste beeldscherm in het vertrek komt tot leven en toont een foto van een gespierde man in een zwart Italiaans kostuum, waarvan zelfs op de korrelige foto al duidelijk te zien is dat het perfect van snit is, en de stof van uitstekende kwaliteit. De man heeft zwart haar en een dikke baard, en hij houdt twee laptops in zijn handen. Ik kijk naar Negen, en ik vraag me af waarom hij me dat laat zien.

'Dat is Sandor,' zegt Negen na een korte stilte. Er ligt nu een andere klank in zijn stem. Minder bravoure. Hij kijkt me aan, en ik hoor nu kwetsbaarheid. 'Kom mee. Je moet een beslissing nemen, een belangrijke.' Hij laat een stilte vallen om de spanning nog wat op te voeren. 'Welke kamer kies je als logeerkamer? Je hebt een paar om uit te kiezen. Neem rustig de tijd. De pizza's kosten niet zoveel tijd.'

15

Zes

Crayton gaat tussen Marina en Ella in staan om de in de rotswand uitgehakte lijnen beter te kunnen bekijken. Hij legt zijn handpalm midden op de deur, waarvan de contouren met de lijnen zijn aangegeven en trekt die dan weer weg. 'Interessant. De steen voelt warm aan. En wat bedoel je precies als je zegt dat dit een deur is naar de verste uithoeken van de Aarde?'

'Het zit zo,' legt Acht uit. 'Op z'n best kan ik zestig meter teleporteren. Hooguit zeventig. En hoe verder weg ik ga, hoe minder nauwkeurig ik word. Het is me een keer gebeurd dat ik wilde teleporteren naar een boomkruin op ongeveer honderd meter afstand en tussen een bergleeuwin en haar jongen terechtkwam. Dat liep uit de hand, en snel ook. Het vermogen tot teleportatie is echt gaaf, en ik heb er vaak heel veel aan gehad, maar het is minder gemakkelijk dan op het eerste gezicht lijkt. Vanuit deze grot kan ik me echter over de hele wereld teleporteren.'

Ik leg mijn hand op de rotswand en voel de warmte door me heen stromen. 'Hoe dan?'

Acht doet een stap opzij, zodat Ella en Marina ook aan de deur kunnen voelen. 'Het beste wat ik kan bedenken, is dat dit een oeroude Lorische grot is, of misschien een van de Lorische hoofdkwartieren, en dat ik gewoon een hoop mazzel heb gehad toen ik die vond, en er toen ook nog in ben geslaagd om erachter te komen wat ik hier kon doen. Maar hoe het ook zij, ik ben duidelijk niet de eerste Loriër die deze grot heeft bezocht.'

Hij is nog niet uitgesproken als ik een golf van adrenaline en angst door me heen voel gaan. Ik weet dat Crayton hetzelfde denkt als hij haastig omkijkt in de richting van waaruit we gekomen zijn, en daarna zijn blik op mij richt. Ik doe wat hij wil gaan vragen en loop snel de gang door, terwijl ik luister of ik ergens beweging hoor.

Als dit een Mogadorengrot is, dan wordt die door de Mogadoren in de gaten gehouden. Misschien worden we opgewacht door hun soldaten, of is er een alarminstallatie geplaatst die hen waarschuwt dat wij hier zijn.

'Ben je nou helemaal gek geworden?' zeg ik tegen Acht. 'Ben jij soms niet goed bij je hoofd? Maar eigenlijk zijn wij natuurlijk degenen die hartstikke gek geworden zijn. Wij zijn de idioten die jou blindelings gevolgd zijn naar een plek die bekendstaat als een Lorische schuilplaats! Wie weet hoeveel valstrikken hier zijn geplaatst!' Terwijl mijn woorden tot hen doordringen, komen Marina en Ella dichter bij ons staan. 'Hé, hé! Hoor eens, het spijt me,' zegt Acht, en hij laat zijn kistje vallen. 'Ik ben hier al zo vaak geweest zonder dat er iets gebeurde, dat ik niet het gevoel had dat we hier ook maar enig risico zouden lopen.'

'Laten we geen tijd verdoen met kritiek of verontschuldigingen,' zegt Marina, en ze doet een stap naar voren. 'Laten we nou maar gewoon zien hoe we de deur kunnen openen, zodat we de rest van de wereld kunnen bereiken. Of in elk geval ergens anders heen kunnen!'

Crayon knikt. Dan kijkt hij nog steeds argwanend om zich heen. 'Ja, laten we naar binnen gaan, waar we minder kwetsbaar zijn.'

Acht doet zijn amulet af en brengt zijn hand omhoog naar de blauwe driehoek. 'Wacht maar tot jullie zien wat er nu gaat gebeuren,' zegt hij met een glimlach. Dan drukt hij zijn amulet tegen de blauwe driehoek.

Aanvankelijk gebeurt er niets, maar na een gespannen moment beginnen de uitgehakte lijnen zich te verdiepen en schuiven ze naar elkaar toe. Acht hangt de amulet weer om zijn nek. Stof wordt de gang in geblazen en we doen een paar stappen naar achteren. Als alle lijnen elkaar raken, en zich een perfect silhouet van een deur aftekent, maakt de rechterrand zich los van de rotswand en de deur zwaait open. Er slaat een golf warme lucht over ons heen, en we staan allemaal stokstijf stil, en turen als gebiologeerd in een blauwe gloed die door de open deur de grot binnen schijnt.

De energie die ik door me heen voel stromen is overweldigend sterk, en ik word volkomen rustig. 'Wat is dat blauwe licht?' vraag ik na een tijdje.

'Dat is wat me in staat stelt om over de hele wereld te teleporteren,' antwoordt Acht, alsof dat zo voor de hand ligt dat het eigenlijk geen nadere uitleg behoeft.

Ella loopt naar de opening toe. 'Ik voel me een beetje raar.'

'Ik ook,' zegt Marina.

Met een glimlach op zijn gezicht stapt Acht door de deuropening; Crayton en Ella lopen snel achter hem aan, ik vorm met Marina de achterhoede. Terwijl we een trap op lopen is Acht aan het woord.

'Een paar jaar geleden, terwijl mijn Erfgaven steeds krachtiger werden, kreeg ik heel levendige dromen, zoals mijn huidige dromen waarin Setrákus Ra en Vier voorkomen. Ik kwam meer te weten over Loriën en over de Ouderlingen. Ik leerde over onze geschiedenis hier op Aarde, hoe we de Egyptenaren hebben geholpen bij het bouwen van de piramiden, hoe de Griekse goden in werkelijkheid Loriërs waren, hoe we de Romeinen hebben geschoold in strategie, enzovoorts. In een van de dromen werd een hoop verteld over hoe de Loriërs zich over de Aarde bewogen. Deze berg zag ik in mijn droom. We waren toen al naar India verhuisd, en ik herkende hem. Na de droom ben ik hier gaan zoeken. En toen heb ik dit alles gevonden.'

'Dat is echt superbijzonder,' zegt Marina.

De trap komt uit in een andere ruimte. Het dak hier is koepelvormig en wordt ondersteund door verschillende ongepolijste zuilen. Het dringt tot me door dat we ons in een bergtop vinden. De ruimte is leeg, behalve bij het middelpunt, waar een op ingewikkelde wijze gerangschikte verzameling rotsblokken een patroon vormt dat wel iets weg heeft van een wervelwind of maalstroom. De wervelingen komen allemaal uit één punt: een blauw stuk steen zo groot als een basketbal.

'Loraliet,' fluistert Crayton. Hij loopt naar het midden van de grot en zet Marina's kistje neer. 'Dat is het grootste stuk Loraliet dat ik ooit heb gezien.'

'Is het Loraliet de reden dat je overal naartoe kunt gaan waar je maar heen wilt?' vraagt Marina.

'Nou, dat is het probleem,' zegt Acht. 'Ik kan niet overal heen waar ik maar naartoe wil. Er zijn zes of zeven ver verwijderde plekken die ik kan bereiken. Het heeft een hoop geknoei gekost, en ik ben op een heleboel plekken terechtgekomen waar ik niet wilde zijn voordat het me duidelijk werd dat ik alleen maar plekken kon bereiken waar een groot stuk Loraliet ligt.'

'Dus waar kunnen we heen?' vraag ik.

'Nou, tot dusverre ben ik naar Peru geweest, naar het Paaseiland, naar Stonehenge, naar de golf van Aden, niet ver van Somalië – maar dat kan ik om verschillende redenen niet aanbevelen – en ik ben ook een keer in de woestijn van New-Mexico beland.'

'New-Mexico,' zeg ik onmiddellijk, en ik kijk naar Crayton. 'Als we daarheen gaan, zijn we binnen een dag bij John. Als we eenmaal in de Verenigde Staten zijn, kunnen we gemakkelijk rondreizen.'

Crayton loopt naar de muur en tuurt naar een paar tekens die daarop zijn aangebracht. 'Wacht eens even. Je zegt dus dat je geen macht hebt over waar je uitkomt? Dat is minder veelbelovend dan ik had gehoopt.'

'Nee, maar als we naar New-Mexico willen, en we komen ergens anders uit, dan blijven we gewoon net zolang teleporteren totdat we in New-Mexico zijn. Zo erg is dat niet,' zegt Acht.

'En weet je of je ons allemaal mee kunt nemen?' vraag ik. 'Als jouw teleportatie ongeveer net zo werkt als mijn onzichtbaarheid, dan hebben we misschien een probleem. Ik kan andere mensen alleen maar onzichtbaar maken als ze mijn hand vasthouden.'

'Ik weet het niet, eerlijk gezegd. Ik heb nog nooit geprobeerd om iemand anders mee te nemen,' geeft Acht toe.

'Misschien kan je twee keer achter elkaar teleporteren,' oppert Marina.

'Dit zijn echt heel interessante tekeningen,' valt Crayton ons in de rede, en hij wenkt dat we moeten komen kijken. 'Misschien zijn hier nog aanwijzingen te vinden.'

Hij heeft gelijk. De oranje muren zijn overdekt met honderden symbolen, wandschilderingen en inscripties, ze gaan door tot aan de top van de koepel.

Ik loop erheen en mijn aandacht wordt onmiddellijk getrokken door een lichtgroene afbeelding van een planeet. Ik besef onmiddellijk dat het Loriën is, en ik voel een brok in mijn keel. Daaronder, in blauw, staat een vrouwelijke gedaante over een man heen gebogen, en allebei houden ze een slapende baby in hun armen. Met witte stippen aangegeven stralenbundels lopen van de bodem van Loriën naar deze vier gedaanten toe. Naast het hoofd van de vrouw zijn, in een andere stijl, drie rijen buitenaardse symbolen in de steen gegrift. 'Wat moet dat nou voorstellen?' fluister ik verward.

Een paar meter naar links zie ik een simpele zwarte schets van een driehoekig ruimteschip. Op de vleugels zijn ingewikkelde spiralen en symbolen afgebeeld, en op de stompe neus zie ik een piepkleine verzameling rondwervelende sterren. Acht loopt erheen en wijst naar het sterrenbeeld. 'Zie je? Hetzelfde patroon als de stenen hier.'

Ik draai me om, vergelijk de twee patronen met elkaar en zie dat hij gelijk heeft. Onmiddellijk wilde ik dat Katarina hier was om dit allemaal te kunnen zien. Ik vraag me af of ze hier zelfs maar van geweten heeft. Crayton staat nu aandachtig naar de tekeningen op het dak van de grot te kijken. 'Heb jij hier ooit iets van geweten?' vraag ik.

'We zijn in grote haast van Loriën vertrokken. De planeet werd aangevallen door de Mogadoren. We hadden niet de tijd om alle informatie te verzamelen die we nodig zouden hebben. We wisten dat er plekken zoals deze bestonden, maar niemand wist precies waar, of waar die eigenlijk voor bedoeld waren. We hebben vóór ons vertrek in alle haast nog een heleboel informatie kunnen verzamelen, maar we hebben duidelijk ook belangrijke zaken over het hoofd gezien,' legt hij uit.

'Als u mij maar wilt volgen?' roept Acht, en hij wijst naar een donkere hoek van de ruimte. 'Het wordt steeds gekker en gekker.'

Hij blijft staan voor een reusachtige inscriptie in de rotsen, drie meter hoog en zes meter breed, opgedeeld in verschillende scènes. Het lijkt wel een stripboek. In het eerste kadertje zien we een ruimteschip met negen kinderen ervoor. Hun gezichten zijn gedetailleerd afgebeeld, en onmiddellijk herken ik mezelf. De aanblik van mezelf als peuter doet me wankelen op mijn benen.

'Was dit er ook al toen je de grot voor het eerst zag?' vraagt Crayton Acht, terwijl hij van de muur wegdraait.

'Ja,' antwoordt hij. 'Het was er allemaal al, net zoals jullie het nu zien.'

'Wie zou dat gemaakt kunnen hebben?' vraagt Marina, terwijl ze haar blik over de muur laat gaan. Haar stem klinkt schor van ontzag.

'Ik weet het niet.' Crayton staat met zijn handen op zijn heupen naar de tekeningen te kijken. Het is onthutsend om hem zo verward te zien.

In het volgende kadertje zien we een stuk of tien donkere gedaanten, waarvan ik alleen maar kan aannemen dat het Mogadoren zijn. Ze hebben zwaarden en geweren, en de gedaante in het midden is twee keer zo groot als de anderen. Setrákus Ra. De kleine oogjes en rechte monden van de Mogs zijn zo nauwkeurig en levensecht getekend dat de rillingen me over de rug lopen. Mijn ogen gaan naar rechts en in het volgende kadertje zie ik een meisje dat in een plas bloed ligt. Ik vergelijk haar gezicht met dat in het eerste kadertje, en het is duidelijk nummer Eén. Nummer Twee, ook een meisje, maar jonger dan Eén, ligt ook op de grond, onder de voet van een Mogadoor. Dood. Mijn maag draait zich om als ik nummer Drie zie, een jongen, ergens in een oerwoud aan het zwaard geregen. In het laatste kadertje in de bovenste rij zien we nummer Vier, die wegrent van twee Mog-soldaten en over een straal heen springt die afkomstig is uit een van hun op kanonnen lijkende geweren. Onwillekeurig hap ik naar adem. Op de achtergrond staat een groot gebouw in brand.

'Godallemachtig! Dat is de school van John,' zeg ik, en ik wijs naar het laatste kadertje.

'Wat?' vraagt Marina.

Ik wijs op de muur. 'Dat is de brand op Johns school, nadat we met de Mogadoren hadden gevochten. Ik ben erbij geweest! Dit is de school van John!'

'Ben jij dat dan, daar in de lucht?'

Ik kijk wat nauwkeuriger en zie een kleine gedaante met lang haar die boven de school zweeft. 'Oké, dit is echt heel raar. Ik snap het niet. Hoe heeft iemand...'

'Hoor eens, is dit nummer Vijf?' valt Ella me in de rede, en ze wijst op het eerste kadertje van de onderste rij. Ergens boven in een boom zien we een figuurtje dat iets naar drie Mogadoren op de grond gooit.

‘Dit is ongelooflijk. Alles is er. Het is allemaal al vastgelegd,’ zegt Crayton. ‘Iemand heeft dit allemaal voorzien!’

‘Maar wie dan?’ vraag ik.

‘O nee,’ hoor ik Marina fluisteren. ‘Wie is dit? Wie gaat er nog meer dood?’

Haastig sla ik de volgende twee kadertjes over, waarin we bij elkaar komen. In het kadertje dat ik nu bekijk, zie ik Marina en mijzelf naast een meer staan. En ik zie dat John een grot uit komt hollen, samen met iemand anders. Ik weet niet wie dat is, misschien is het Sam. Dat is niet te zeggen, want het gezicht van de jongen is afgewend. Dan bereiken mijn ogen het kadertje waar Marina naar staat te kijken. Het is een Garde, die met zijn of haar armen wijd uitgestrekt staat. Er is een zwaard dwars door het lijf van de Garde gestoken. We kunnen niet zien wie het is, want het gezicht is weggehakt. Vlak eronder, op de vloer, liggen een paar stukjes steen.

‘Wat is hier aan de hand verdomme?’ vraag ik. ‘Waarom ontbreekt alleen dat ene gezicht?’ Acht tuurt zwijgend naar de grond. ‘Heb jij dat gedaan?’

‘Niemand kan bepalen wat er gaat gebeuren,’ zegt hij.

‘En dus vond je dat je die tekening maar beter kon vernielen? Wat wilde je daar precies mee bereiken?’ vraagt Crayton. ‘Het minder waar laten lijken?’

‘Ik wist niet wat het allemaal moest voorstellen. Ik kende nog niemand van jullie. Ik dacht dat het een verhaaltje was, in elk geval tot...’

‘Ben ik het?’ valt Marina hem in de rede. ‘Ben ik degene die sterft?’

Ik heb dezelfde vraag. Ben ik degene met dat zwaard dwars door zich heen? Dat is een akelige gedachte.

‘Vroeg of laat moeten we allemaal sterven, Marina,’ zegt Acht en er ligt een vreemde klank in zijn stem.

Ella raapt de stukjes steen op en tuurt er aandachtig naar, terwijl ze hen om en om draait.

Crayton gaat recht voor Acht staan. ‘Dat je de tekening hebt vernietigd, wil niet zeggen dat het niet gebeuren gaat. Informatie voor ons achterhouden, maakt die niet meer of minder waar of voorbestemd. Ga je ons nog vertellen wie het is?’

'Ik heb jullie hier niet helemaal naartoe gebracht om jullie een beschadigd stukje van een paar tekeningen op een rotswand te laten bestuderen,' zegt Acht. 'Jullie moeten doorgaan – kijk maar eens naar de laatste twee tekeningen.'

Hij heeft onze aandacht weer. We schieten er niets mee op om ons de stuipen op het lijf te laten jagen met gepraat over wie er precies met een zwaard wordt doorstoken. We richten onze aandacht weer op de muur. In het kadertje waar Acht nu op wijst, ligt Setrákus Ra op de grond met een zwaard op zijn keel. De gedaante die het zwaard vasthoudt, is niet te herkennen. Aan weerszijden van hem liggen dode Mogadoren. In het laatste kadertje zien we een merkwaardig uitziende planeet die doormidden is gesneden. Het bovenste deel lijkt de Aarde wel, en ik zie Europa en Rusland, maar het onderste deel van de planeet is overdekt met langwerpige, wat grillig gevormde strepen, en ziet er kaal en levenloos uit. Een klein ruimtescheepje nadert het bovenste deel van de planeet van links, en een ander klein scheepje het onderste deel van rechts.

Ik probeer erachter te komen wat dat betekent als ik Ella geschrokken naar adem hoor happen.

'Het is Acht.'

We kijken allemaal om en zien dat ze de stukjes steen van de vloer nu tegen het weggehakte gezicht van de Garde heeft geduwd. Ze is erin geslaagd om de stukjes weer aan elkaar te passen. Op de tekening sterft nummer Acht.

'Het heeft niets te betekenen,' zegt hij gedecideerd.

Marina legt een hand op zijn arm. 'Hé, het is maar een tekening.'

'Je hebt gelijk,' zegt Crayton met zachte stem. 'Het is maar een tekening.'

Acht stapt bij Marina vandaan en loopt terug naar het midden van de grot; de rest van ons staat nog steeds als aan de grond genageld voor de enorme rotswand die verhalen vertelt die niemand zou kunnen of moeten kennen. Iemand heeft Achts dood voorspeld. Alles wat in de andere kaders staat klopt, dus het is lastig om een overtuigende reden te bedenken waarom uitgerekend deze voorspelling onjuist zal blijken. Geen wonder dat Acht zo'n grappenmaker is, en dat hij zo vaak doet alsof hij een reden heeft om wat minder voorzichtig te zijn dan de rest van ons. Hij probeert zich te verschuilen voor het noodlot, en daar misschien zelfs recht tegenin te gaan. Ik kijk opnieuw naar de laatste twee frames. Aanvankelijk voel ik me opgelucht als ik Setrákus Ra op de grond zie liggen, met een zwaard op zijn keel. Maar het feit dat hij nog leeft in die afbeelding, maakt me nijdig. En wat wil de laatste tekening zeggen? Daarop zien we een confrontatie die duidelijk nog aan de gang is, en de uitslag is onduidelijk. Waarom is de planeet in tweeën gedeeld? Wat wordt er op deze tekening voorspeld?

Crayton pakt Marina's kistje op, loopt naar Acht en slaat zijn arm om hem heen. Hij begint zachtjes tegen hem te praten.

'Wat denken jullie dat hij tegen hem zegt?' fluistert Marina tegen me. 'Wat kan hij hem nou vertellen dat hem een beter gevoel zou geven?'

Net als ik naar Crayton toe wil lopen, om Acht te troosten, doet een zware ontploffing de hele grond heen en weer schudden, en een golf van vuur schiet door de deuropening naar binnen. Marina grijpt me bij mijn arm en ik hoor Ella schreeuwen. De ongepolijste zuilen die het plafond ondersteunen, buigen door, beginnen scheuren te vertonen en knappen dan doormidden. Een flink stuk valt Ella's kant op, en ik gebruik mijn telekinese om haar te beschermen, en de vallende steen van haar weg te duwen. Net als ik omkijk naar Crayton en Acht, verdwijnt Acht plotseling.

'Wat gebeurt er?' schreeuwt Marina, die haar telekinese gebruikt om ons tweeën te beschermen tegen het vallende puin, terwijl ik Ella bescherm.

'Ik weet het niet,' zeg ik panisch, terwijl ik probeer door de rook en het stof heen te kijken. Plotseling verschijnt Acht in het midden van de ruimte. Er stroomt bloed uit zijn mond en zijn zij, en hij ziet asgrauw. 'De Mogadoren!' roept hij. 'Ze zijn hier.'

16

Vier

Ik lig in bed en geniet van de kamer die ik heb uitgekozen en de ongelooflijk behaaglijke kussens die ik daar heb aangetroffen. Ik val net in slaap als ik de voordeur open hoor gaan, en Negen met zachte stem met iemand hoor praten. Ik ga geschrokken rechtop zitten, en voel mijn hart in mijn keel kloppen. Dan realiseer ik me dat het de portier moet zijn die de pakketjes komt brengen en ik ga weer liggen. Bernie Kosar likt mijn voetzolen en zegt dat hij iets te eten gaat halen.

'Ik kom zo,' zeg ik tegen hem. Ik tuur naar het plafond, met mijn handen onder mijn achterhoofd.

Het plafond is beschilderd met een soort structuurverf. Ik voel mijn oogleden opnieuw zwaar worden. Voordat ik er erg in heb, lig ik niet langer naar het plafond te turen maar ben ik buiten, waar het sneeuwt.

'Concentreer je, John!' hoor ik iemand achter me zeggen. Ik kijk om en zie Henri met een hele bos keukenmessen onder zijn arm geklemd. Een ervan houdt hij in zijn hand, boven zijn schouder.

'Henri! Waar zijn we?' vraag ik.

'Heb je je hoofd gestoten?' vraagt Henri. Hij draagt een spijkerbroek en een witte sweater, allebei gescheurd en vol bloedvlekken. Ergens achter hem schijnt een blauw licht, maar als ik probeer te zien wat dat is, en bijna mijn nek verrek in een poging om hem heen te kijken, wordt Henri boos. 'Kom op, John! Het lijkt wel of je er helemaal niet met je gedachten bij bent. Concentreer je! Nú!'

Voordat ik iets kan terugzeggen, werpt Henri een mes naar me toe. Pas op het allerlaatste moment slaag ik erin het voor mijn gezicht weg te slaan. Hij werpt een tweede mes, dan een derde en een vierde. Ik weet ze allemaal te blokkeren, maar het lijkt wel of Henri over een eindeloze voorraad beschikt. Ik houd hem bij, maar het wordt wel steeds moeilijker. De messen komen steeds sneller en sneller, te snel.

'We hadden niet voortdurend op de vlucht hoeven slaan!' roep ik naar hem, terwijl ik twee messen tegelijk ontwijk.

Henri gooit het volgende mes met zo'n enorme snelheid dat mijn hand begint te bloeden als ik het wegsla. 'We kunnen niet allemaal in Chicago tussen de wolken wonen, John!'

Als het volgende mes op me af komt schieten, grijp ik het bij het heft en duw het in de besneeuwde grond. De sneeuw eromheen wordt zwart. Ik pluk nog een mes uit de lucht en duw dat eveneens in de grond. 'Als we de juiste plek hadden gevonden, hadden we een echt huis kunnen hebben! We hebben het zelfs nooit geprobeerd! En waarom heb je uitgerekend Paradise gekozen? Van alle plekken waar we naartoe hadden gekund?'

'Ik heb mijn best gedaan! En daar woonde Malcolm Goode! Jij hebt de tablet gevonden, John! Die heb je tot nu toe nog niet eens gebruikt!' roept Henri. Het blauwe licht achter hem verdwijnt en de donkere vlek in de sneeuw wordt steeds groter, zodat we in een zwarte zee lijken te staan. Henri brengt een groot mes omhoog en gooit het naar me toe. Als ik mezelf probeer te verdedigen, lijkt het wel alsof mijn handen aan mijn zij gekleefd zitten. Ik sta te kijken hoe het mes tuimelend door de lucht vliegt, en ik weet dat het me nu elk ogenblik recht tussen de ogen zal raken. Als het nog maar een meter van me vandaan is, wordt het door een reusachtige hand uit de lucht gegrist. Het is Setrákus Ra. In een vloeiende beweging grijpt hij het mes stevig beet, brengt het omhoog tot boven zijn schouder en haalt uit, zodat het mes nu weer recht op mij af komt.

Terwijl de punt van het mes zich in mijn schedel boort, roept Setrákus Ra: 'Je pizza wordt koud!'

Ik ga rechtop zitten en ben nu weer terug in bed, in de Hancock Tower. Ik druip van het zweet en hap naar lucht. Negen staat in de deuropening met een pizza op een groot bord. Hij heeft zijn mond vol en kauwt rustig door, terwijl hij zegt: 'Ik meen het, jongen, een pizza moet je eten terwijl die nog warm is. En ik wil ook nog wat oefenen voordat we onze date hebben.'

'Ik heb Setrákus Ra weer gezien,' zeg ik. Ik weet dat mijn stem nu vlak klinkt. Mijn tong voelt kleverig. 'En Henri.'

Negen slikt en maakt een wuivend gebaar met de halve pizzapunt die hij nog in zijn hand heeft. 'O ja? Ik zou er maar niet te veel over inzitten. Het zijn maar dromen. Dat houd ik mezelf ook voor, en over het algemeen werkt dat prima.'

'En hoe zorg je er dan voor dat dat zo prima werkt?' vraag ik, maar hij is alweer verdwenen. Ik stap uit bed en strompel door de gang. Ik zie Bernie Kosar aanvallen op een ontdooide karbonade op de keukenvloer. Mijn dampende pizza staat op tafel. Ik heb al zo lang niet meer van Henri gedroomd dat het me moeite kost om het visioen van me af te zetten. Terwijl ik mijn pizza eet, denk ik aan op me af vliegende messen, de sneeuw, hoe we tegen elkaar staan te schreeuwen... En dan valt het kwartje ineens. Henri heeft het over de tablet gehad. Ik heb daar nog niets mee gedaan, afgezien van ernaar zitten kijken. De weinige tijd die ik eraan heb besteed, heb ik me vooral geërgerd aan het feit dat het ding niet lijkt te werken. Haastig pak ik mijn kistje van de stoel, maak het open en haal de tablet eruit.

Er is net zo frustrerend weinig op te zien als alle andere keren dat ik ernaar heb gekeken. Het is niet meer dan een wit metalen vierkant met een scherm waarop niets te zien valt, en dus compleet nutteloos. Niets wat ik doe brengt het tot leven. Ik draai het om en tuur naar de paar poorten die erin zitten. Ze zijn driehoekig, en zien er anders uit dan alle andere poorten die ik ooit gezien heb.

'Negen?' roep ik.

'Ik ben hier!' roept hij. Zo te horen bevindt hij zich in de surveillanceruimte.

Ik prop een stuk pizza in mijn mond en kauwend loop ik met de tablet naar hem toe. Negen hangt onderuitgezakt in een bureaustoel met wieltjes, en heeft zijn voeten op de lange tafel tussen de monitoren gelegd. De meeste beeldschermen zijn verdeeld in vier verschillende vakken. Negen drukt op het toetsenbord dat hij op zijn schoot heeft liggen, en de schermen vertonen nieuwe camerabeelden. Nergens is iets te zien wat voor ons van belang is.

Negen grijnst. 'Wat zal ik als eerste opzoeken?'

'Toets maar een naam in. "Sarah Hart".'

Negen rukt met zijn vuisten aan zijn lange zwarte haar. 'Aaargh! Dat méén je toch niet, gast? Als jij eenmaal iets in je hoofd hebt, kun je nergens anders meer aan denken. Met al die krankzinnige gebeurtenissen van de afgelopen tijd is dat het eerste wat in je opkomt?'

'Het is het enige wat in me opkomt,' zeg ik. 'Doe het nou maar gewoon.'

Negen toetst haar naam in, en tot mijn teleurstelling verschijnt er niets meer op het beeldscherm dan een lijstje met schoolactiviteiten. Ik laat hem zoeken op 'Paradise, Ohio', 'Sam Goode', 'John Smith', en 'Henri Smith', maar alles wat er in beeld verschijnt heb ik al eerder gezien: de vernietigde school, de aanklacht wegens binnenlands terrorisme, de beloning voor informatie die leidt tot onze aanhouding. Ik leg de witte tablet op het tafelblad en schuif die naar hem toe. 'Hoor eens, Negen, ik heb je hulp hierbij nodig.' Ik vertel over mijn visioen, en over Henri die over de tablet begon.

'Gast, je moet nu echt een beetje chillen hoor,' zegt Negen. 'Ik was vergeten hoe persoonlijk je die dromen opvat. Ik zal eens wat proberen met dit ding hier.'

'Ga je gang,' zeg ik met een zucht.

Hij pakt de tablet, draait die een paar keer om en om en voelt aan elke vierkante centimeter van het beeldscherm. Dan kijkt hij naar de poorten aan de achterkant en klikt met zijn tong. 'Volgens mij...' zegt hij, maar zijn stem sterft weg. Hij laat zijn stoel een draai maken, staat op en loopt naar een stapel geopende bruine kartonnen dozen in de hoek van de kamer. Hij zoekt in de bovenste twee en zegt: 'Ik heb de portier gevraagd om deze uit de opslagruimte te laten halen en naar boven te brengen als ze Sandors pakketjes kwamen brengen. Ik wilde zien of er iets in een van die dozen zat wat misschien zou kunnen helpen een nieuwe manier te vinden om contact op te nemen met de anderen...' Hij zet de eerste twee dozen opzij en pakte de derde van de stapel, maakt die open, haalt er twee nieuwe laptops uit en roept: 'Bingo!' Met een triomfantelijke blik in zijn ogen houdt hij een dik zwart koord omhoog. Tot mijn verbazing zie ik dat een uiteinde van de kabel driehoekig van vorm is, net zoals die driehoekige poort in mijn tablet.

'Waar komt dat ding vandaan?'

'Dat weet ik niet. Sandor had van alles bij zich op het schip waarmee we hiernaartoe zijn gekomen. Het grootste deel daarvan heb ik nog nooit bekeken, daar was gewoon geen tijd voor. Laat staan dat ik er ooit aan toe ben gekomen om te leren hoe ik het allemaal moest gebruiken. Ik heb het een paar keer geprobeerd, maar Sandor wilde liever niet dat ik eraan zat, en ik ben er nooit iets mee opgeschoten. En bovendien, het grootste deel van de tijd kan ik niet eens het verschil zien tussen onze spullen en aardse apparatuur, en dat schiet natuurlijk ook niet op.'

Hij pakt het koord dat hij heeft gevonden en brengt de driehoekige stekker naar de driehoekige poort van mijn tablet. We houden allebei onze adem in, terwijl Negen de stekker erin duwt. Die past en we slaken allebei een zucht van verlichting. Langzaam steekt hij het andere uiteinde van het snoer in een USB-poort van de dichtstbijzijnde computer. Er verschijnt een zwarte horizontale lijn op het beeldscherm van de tablet, en een paar seconden later kijken we naar een kaart van de Aarde. Een voor een verschijnen er zeven knipperende blauwe lichtjes in beeld: twee in Chicago, vier in India of China, en één op een eiland dat volgens mij Jamaica moet zijn.

'Eh, gast,' zegt Negen, zijn stem zacht. 'Volgens mij zijn wij dat. Als in: wij allemaal.'

'Verdomme, je hebt gelijk. Daar zijn we, daar zijn we allemaal,' fluister ik. 'Met dit ding hebben we de macrokosmos niet eens nodig.'

'Wacht eens even, er zijn zeven puntjes, maar er zijn er nog maar zes van ons over,' zegt Negen, en hij fronst zijn wenkbrauwen.

Ik leun achterover. 'Ik heb je toch verteld dat er een ander schip was?'

'Inderdaad,' zegt hij, plotseling hangt hij als een gretige leerling aan mijn lippen.

'Nou, we weten dat daar een klein kind aan boord was. Dit zou kunnen betekenen dat dat kind toch de Aarde heeft bereikt! En dat wil weer zeggen dat...'

'... Setrákus Ra nu met zeven van ons te maken heeft, en niet met zes,' valt Negen me in de rede.

Terwijl we die nieuwe informatie tot ons laten doordringen, verschijnt er een klein venstertje in de rechterbovenhoek van het scherm. In dat venstertje bevindt zich een groene driehoek. Ik klik de driehoek aan en er verschijnen twee groene puntjes op de kaart. Het ene bevindt zich in het zuidwesten van de Verenigde Staten, en het andere in Noord-Afrika, mogelijk in Egypte.

'Wat zouden deze groene puntjes zijn?' vraag ik. 'Denk je dat het kernbommen zijn? Mog-bommen? Shit, ze zullen de Aarde toch niet willen opblazen?'

Negen geeft me een klap op mijn rug. 'Nee, denk nou eens even na. Een kaart waarop wij te zien zijn, is duidelijk afgestemd op... nou, op ons. Mog-bommen zijn iets heel anders. Volgens mij zijn dit onze schepen, gast!'

Ik ben sprakeloos. Dat zou weleens kunnen kloppen. En als het klopt, dan is iets wat me eigenlijk bijna te mooi leek om waar te zijn misschien ook wel waar. Nadat Setrákus Ra is gedood en de Aarde is gered, kunnen we terugvliegen naar Loriën. We kunnen helpen om onze planeet uit haar winterslaap te wekken. We kunnen weer naar huis. Plotseling wil ik wanhopig graag weten waar dat groene puntje in het zuidwesten zich precies bevindt, want dat is het groene puntje het dichtste bij ons in de buurt. 'Waar is dit?' vraag ik, en ik wijs ernaar.

Negen laat een kaart op een beeldscherm verschijnen en zegt: 'Dat groene puntje in het westen ligt in New-Mexico, het andere in Egypte.'

Als ik hem 'in het westen' hoor zeggen, moet ik denken aan het laatste wat special agent Walker tegen me heeft gezegd. Onmiddellijk is mijn besluit genomen, en het is definitief. 'Daar moeten we heen. New-Mexico.'

17

Zeven

Zodra Acht midden in de ruimte verschijnt, hol ik naar hem toe en ik leg mijn handen op de bloedende wond. Zijn bloed druipt over mijn vingers en over mijn pols, en als een volgende ontploffing de grot op haar grondvesten doet schudden, vallen we allebei op de grond. 'Het spijt me,' zegt hij met schorre stem. 'Dit is mijn schuld.'

'Ssst. Ik kan je genezen. Dat is mijn Erfgave. Ontspan je nou gewoon maar even.' Het ijzige gevoel stroomt vanuit mijn vingertoppen naar zijn ribben, en onmiddellijk verstart Acht van de pijn. De ontploffingen blijven maar komen en bij elke harde dreun krimpt Acht in elkaar, maar ik kijk hem diep in zijn ogen, en probeer met pure wilskracht te zorgen dat hij bij me blijft. 'Het is oké. Zes is hier. Zij handelt dit wel af. Het komt wel goed met ons.' Ik klink volkomen zeker, in een poging om ons allebei van de waarheid van mijn woorden te overtuigen.

'Misschien is dit wel het moment waarop ik sterf. Misschien klopte die tekening gewoon niet,' zegt hij.

Ik druk nog wat harder en eindelijk merk ik dat de wond begint te krimpen. Vastberaden schud ik mijn hoofd. 'Nee, dat is niet zo.'

Te midden van de chaos, zie ik hoe Zes Ella en Crayton achter de hoge stapel gevallen rotsblokken duwt. Ze kijkt naar Acht en mij, en voordat ik er erg in heb worden we opgetild en zweven we naar de rest van de groep toe. Als Zes ons weer neerzet, zegt ze: 'Jullie blijven hier, terwijl ik mezelf onzichtbaar maak en ga kijken hoe de zaken ervoor staan. Genees hem maar, Marina.' Ze knipoogt naar me. Haar stem maakt duidelijk dat het wel goed komt als we allemaal maar niet vergeten wat onze vermogens zijn. De enige manier om dit te overleven is samenwerking.

'Ik doe mijn best,' zeg ik, maar ze is al onzichtbaar. Onder mijn handen doen Achts longen hun uiterste best om mijn Erfgave bij te houden, en zijn gezicht wordt asgrauw. Ik voel zijn ingewanden heen en weer bewegen. Het lijkt wel alsof ze mijn krachten proberen te weerstaan. Maar dat is het niet. Dat kán niet. Hij is gewoon zwaarder gewond dan ik dacht. Of mijn Erfgave is zwakker aan het worden. Maar dat is geen optie. Ik begin in paniek te raken en moet mijn uiterste best doen om het misselijke gevoel in mijn maag in bedwang te houden. Ik moet mijn aandacht nu op hém richten, en mezelf niet laten afleiden door wat er om ons heen gebeurt.

In de verte hoor ik schoten en het gebrul van Mog-soldaten. Ik kan me alleen maar voorstellen wat Zes daar op dat moment aan het doen is. Als het nodig is, is ze een genadeloze strijder, en ze is ongelooflijk gevaarlijk voor iedereen die haar – of ons – bedreigt.

'Hoe gaat het met hem?' vraagt Crayton, terwijl hij bezorgd over Acht heen gebogen staat en snel heen en weer kijkt tussen de pijn op Achts gezicht en de paniek op het mijne.

Ella pakt Achts hand vast en zorgt daarmee dat hij zijn aandacht op haar richt. 'Het komt goed, Acht. Het gaat wel even pijn doen, maar daarna voel je je een stuk beter. Vertrouw maar op mij.' Ik zie hoe haar kalmerende woorden over hem heen spoelen, en hoe hij langzaam begint te knikken, ondanks zijn van pijn vertrokken gezicht.

We horen een oorverdovende klap en plotseling verschijnen er overal scheuren in het dak van de grot, die zich snel verspreiden en steeds breder worden. De koepel is nu een legpuzzel van stukjes die elk ogenblik kunnen losbreken, en plotseling komt het eerste stuk naar beneden, een brok steen ter grootte van een auto, en het komt recht op ons af. Ik wil mijn helende aanraking niet onderbreken, maar ik moet nu toch mijn handen van Acht afnemen omdat ik al mijn energie nodig heb voor het afweren van de steen. Als ik mijn handen weer op Achts wond leg, voelt het alsof ik weer helemaal opnieuw moet beginnen. Ik probeer zo veel mogelijk moed te putten uit de tekening op de rotswand. Daarin is te zien dat hij sterft, maar hij staat er niet afgebeeld terwijl hij hier sterft, op deze manier.

'Waar is Marina's kistje?' vraagt Ella. 'Misschien zit er iets in wat ons kan helpen.'

Crayton staat op. 'De kistjes staan allebei aan de andere kant van de grot. Ik ga ze wel halen.'

'Nee!' Ella grijpt hem bij zijn mouw, maar Crayton rent weg. Ik kijk hulpeloos toe. Er blijven stukken van het plafond naar beneden komen en Ella roept dat hij terug moet komen en op Zes moet wachten. Mijn geest draait nu op volle toeren. Zes is ergens anders bezig. Ze levert in haar eentje een gevecht met een heel leger Mogadoren, en ik weet dat ik daar nu niet meer aan moet denken, en al mijn energie op Acht moet richten. Ik voel hoe zijn lichaam begint te bezwijken onder zijn verwondingen, die ik maar niet snel genoeg lijk te kunnen helen. Ik knijp mijn ogen stijf dicht, en probeer met pure wilskracht te bereiken dat hij reageert op mijn Erfgave, maar dan zie ik dat de wond weer net zo groot is als toen ik begon, alsof ik die niet eens heb aangeraakt.

'Ella.' Ik kijk haar aan en mijn ogen vullen zich met tranen. 'Het werkt niet. Ik weet niet wat ik moet doen!'

'We hebben hem nodig, Marina,' zegt Ella vastberaden. 'Concentreer je nou maar. Je kunt het wel.'

Ik probeer weer op adem te komen, en zie hoe Crayton ternauwernood aan een scherpgepunt rotsblok weet te ontkomen. 'Hou vol, Acht. Ik ga je genezen. Straks ben je beter,' zeg ik, terwijl hij zijn ogen dichtdoet. Ik sluit me af voor het lawaai van de aanval, voor de kolkende hysterie in mijn innerlijk, en ik zeg nadrukkelijk tegen mezelf: ik kan Acht genezen. Ik zal Acht genezen, en Zes rekent wel af met de Mogs. We hebben een missie, en dit is niet het einde. Ik ga rechtop zitten. Mijn adem wordt rustiger en ik voel hoe zich een bal van ijs lijkt te vormen tussen mijn schouderbladen. Het ijs rolt van mijn ruggengraat en verlaat mijn lichaam via mijn vingertoppen. De kracht ervan duwt me bijna omver, maar mijn vingers blijven stevig op Achts wond drukken. Ik voel hoe er iets gebeurt in zijn lijf, en ik begin sneller te ademen. Mijn hart klopt nu zo snel dat ik denk dat het elk ogenblik uit elkaar kan klappen, en dan slaat Acht zijn ogen op.

'Het werkt!' roept Ella.

Ik voel een golf van duizeligheid in me opkomen. Ik wankel maar blijf rechtop staan, terwijl Achts wond zich sluit. Ik voel hoe zijn gebroken ribben onder mijn handen weer op hun plaats schuiven. Een paar seconden later sta ik mezelf toe achterover te gaan zitten. Ik ben zo uitgeput dat ik mijn ogen bijna niet open kan houden. Ik haal eens diep adem en Acht gaat rechtop zitten. Hij voelt aan de plek waar zijn wond heeft gezeten, voelt aan zijn ribben, en pakt dan mijn hand vast.

'Zoiets heb ik nog nooit gevoeld,' zegt Acht en hij kijkt me vol ongeloof aan. 'Ik weet niet goed hoe ik je moet bedanken.' Ik open mijn mond en wil antwoord geven als Zes plotseling opduikt.

Ze heeft een Mog-kanon in haar hand. Haar gezicht is overdekt met zwarte as. Ze is buiten adem, maar heeft alles onder controle. 'Ik heb ze teruggedreven, maar ik zou wel wat hulp kunnen gebruiken.'

Acht komt moeizaam overeind. 'Oké.'

'Ik dacht aan Marina,' zegt Zes, terwijl ze hem aandachtig opneemt en onmiddellijk ziet dat Acht op dit moment niet in staat is om wie dan ook te helpen. Ik voel me vereerd dat ze wil dat ik samen met haar de strijd aanga, maar ik weet dat ik nu te zwak ben om zelfs maar op te staan. 'Waar is Crayton?' vraagt Zes, en ze kijkt zoekend om zich heen.

Ik ben zo geconcentreerd geweest op het genezen van Acht dat ik Crayton helemaal vergeten ben. Ik kijk om en zie nog net dat hij de kistjes onder het puin weghaalt. Hij pakt ze allebei op en komt onze kant op lopen. Net als Zes hem wil komen helpen, klinkt er een luide dreun en wat er nog van het dak van de grot over was, komt naar beneden. Grote blokken sneeuwwitte steen tuimelen op de grotbodem, gevolgd door honderden kogels. Acht staat over Ella heen gebogen en gebruikt zijn telekinese om het puin en de kogels af te weren. Zes richt het Mog-kanon omhoog en begint te vuren. Hoog boven ons klinkt een tweede luide knal, en een paar seconden later stort een zilverkleurig ruimteschip dat als twee druppels water lijkt op het schip dat ik op de bodem van het meer heb zien liggen, boven ons in de afbrokkelende berg. Een bloedende Mogsoldaat probeert zich panisch te bevrijden uit de cockpit. Ik krabbel moeizaam op terwijl hij een gat in de glazen voorruit slaat, en voordat hij zich uit het toestel kan bevrijden, gebruik ik mijn telekinese om twee grote rotsblokken op te tillen en hem daartussen te verpletteren. Een grote aswolk zweeft over de grond.

Een raket schiet de grot binnen en blaast de rotswand op die zich het dichtste bij Crayton bevindt. Van de rotstekeningen waar we zo kortgeleden nog allemaal zo gefascineerd naar stonden te kijken, blijft bijna niets meer over. Crayton wordt opgetild door de schokgolf en komt met een smak midden in de grot terecht, vlak naast het blauwe stuk Loraliet, terwijl de kistjes over de rotsbodem schieten. Hij beweegt niet. Ik weet niet hoe ik moet reageren – het gaat allemaal veel te snel.

'Papa!' gilt Ella.

Hoewel de rotswanden overal om ons heen beginnen in te storten, hol ik samen met Ella naar Crayton toe. Ze pakt een van zijn handen vast. Ik leg mijn handen op zijn lichaam, doe mijn ogen dicht en probeer een levensteken te vinden. Ik zoek naar iets waarmee ik kan werken, iets om te genezen, maar er is niets.

'Red hem!' gilt Ella tegen me, haar gezicht is vertrokken van angst en verdriet. 'Marina, alsjeblieft, je kunt het! Je kunt hem genezen!'

'Ik doe mijn best,' zeg ik, maar het komt eruit als een snik. Hij is dood. Haar Cêpaan is dood.

'Concentreer je nou maar, net zoals je bij Acht hebt gedaan! Dat kun je nog wel een keer doen!' Ze is panisch, ze strijkt hem over zijn hoofd en houdt zijn hand vast.

Vanuit mijn ooghoeken zie ik dat Zes naar ons toe komt lopen, terwijl ze met haar kanon in de lucht schiet. Acht teleporteert en duikt naast me op. Hij buigt zich over ons heen en zegt: 'Je kunt hem genezen. Kom op, Marina.'

Ik begin te huilen. Ik kan het niet. Ik weet dat er niets is wat ik zou kunnen helen, maar ik doe mijn uiterste best om mijn Erfgave op te roepen, en smeek die om te werken. Maar Crayton is dood; er is niets waar mijn Erfgave houvast op kan krijgen. Ik breng mijn handen naar zijn verpletterde borst en maag. Ik voel al zijn gebroken botten onder mijn handen. Ella komt achter me staan en duwt op mijn schouders, zodat mijn handen nog harder op Crayton worden gedrukt.

Zes houdt op met schieten en pakt mijn arm vast. Ze kijkt me recht in de ogen. Ik schud mijn hoofd.

Snikkend zakt Ella op haar knieën. Ze kruipt naar Crayton toe en fluistert hem in zijn oren: 'Laat Marina je beter maken. Alsjeblieft, laat ons niet alleen. Alsjeblieft, papa.' Ze kijkt op, en de tranen stromen over haar wangen. Haar stemt klinkt boos. 'Je hebt het niet eens geprobeerd, Marina! Waarom wil je het niet proberen?'

Ik veeg mijn tranen weg. 'Ik heb het geprobeerd, Ella. Ik heb het geprobeerd, maar ik kon niets doen. Hij was al dood. Het spijt me.' Ik leun achterover, maar blijf mijn handen op Craytons lichaam houden.

Er slaat een raket in de muur tegenover ons, zodat die in zijn geheel losbreekt van de berg. Van onze wandeling hiernaartoe weten we dat zich daarachter een afgrond van zeshonderd meter diep bevindt. Een koude wind waait de grot binnen. 'Geef mij het kanon,' zegt Acht tegen Zes. 'Ik ben zo weer terug.' Zes aarzelt even, maar geeft het hem dan. Acht verdwijnt. Ik kijk omhoog en zie hem over de afbrokkelende rand van het gat lopen waar daarnet nog een rotswand was. Terwijl de grond onder zijn voeten afbrokkelt, springt hij van de ene plek naar de andere, en intussen blijft hij voortdurend schieten. Het duurt niet lang voordat twee zilveren Mog-schepen exploderen in een grote massa vlammen.

Ik blijf mijn handen over Crayton heen en weer bewegen, maar Zes trekt me overeind. 'Hou op. Hij is dood.' Ik kijk neer op Crayton, op zijn ruige gezicht en zijn borstelige wenkbrauwen, en ik herinner me de eerste keer dat ik hem heb gezien, in dat café in Spanje. Toen dacht ik dat hij mijn ergste vijand was. In plaats daarvan heeft hij me het leven gered. Ik strek mijn handen uit om het nog één keer te proberen, maar Zes trekt me tegen zich aan en omhelst me. Ik voel haar tranen in mijn nek, haar lippen raken mijn oor als ze fluistert: 'We kunnen niets meer uitrichten.'

Snikkend pakt Ella Craytons linkerhand, geeft er een kus op en duwt die dan tegen haar wang. 'Ik hou van je, papa.'

'Het spijt me zo,' zeg ik nogmaals.

Ze kijkt op en probeert iets te zeggen, maar kan geen woord uitbrengen. Zachtjes legt ze Craytons hand op zijn borst en aait die nog een keer, voordat ze opstaat. Acht teleporteert zich naar ons toe en overhandigt het kanon aan Zes. Opnieuw voelen we een ijskoude windstoot. Craytons jasje waait open en we zien het allemaal op hetzelfde moment: een witte envelop in de binnenzak van zijn jasje. VOOR ELLA staat erop.

Zes grist hem weg en duwt hem in Ella's handen. 'Ella, luister goed. Ik weet dat je hem niet wilt achterlaten. Dat willen we geen van allen. Maar als we nu niet onmiddellijk weggaan, sterven wij hier ook. Je weet dat Crayton zou willen dat we alles doen wat noodzakelijk zou zijn om te overleven, toch?' Ella knikt. Zes richt haar aandacht nu op Acht. 'Oké. Nou, hoe teleporteren we ons hier zo snel mogelijk vandaan? Of is er al te veel van de berg vernietigd om dat nog mogelijk te maken?'

'Ella, hou mijn kistje vast! Marina, pak je eigen kistje,' zegt Acht, en hij loopt voor ons uit naar het gloeiende blauwe Loraliet. 'Zes, je moet iemand een arm geven, zodat we allemaal tegelijkertijd weg kunnen.' Hij kijkt grimmig naar de ravage om ons heen. 'Ik hoop maar dat dit werkt.'

Hij pakt Ella's hand vast, en die van mij. Zes haakt haar arm door mijn andere arm. Ik kijk om me heen naar de brokstukken van de muren die ons verteld hebben over onze toekomst en ons verleden. Ik denk aan de vele Loriërs die hier voor ons geweest zijn. Ik vind het triest dat wij de laatsten zullen zijn die dit ooit te zien hebben gekregen. Maar ik denk ook na over de verantwoordelijkheid die wij als Loriërs allemaal dragen. Ik kijk nog een keer om naar Crayton, en dank hem voor alles wat hij heeft gedaan.

'Oké, daar gaan we dan,' zegt Acht. En dan wordt alles zwart.

18
Vier

Plotseling zit Negen op het puntje van zijn stoel. 'Godallemachtig! Vier! Moet je eens kijken. Ze zijn van positie veranderd.'

'Wie zijn van positie veranderd?' Ik pluk de tablet uit zijn hand. De blauwe stippen die ons aangeven, zijn van positie veranderd. In elk geval, sommige daarvan. Er zijn nog steeds twee blauwe puntjes in Chicago, en één op Jamaica. Maar er zijn er nu ook drie voor de Afrikaanse kust, en één in New-Mexico. Het verkrampte gevoel in mijn borst valt van me af als ik zie dat er nog steeds zeven puntjes zijn, maar het verwart me dat ze zo plotseling van de ene plek naar de andere zijn gegaan. 'Hoe hebben ze dát nou gedaan?'

'Ik heb geen idee,' zegt Negen. 'Het lijkt wel of ze geteleporteerd zijn, of op een of andere manier door de ruimte zijn gesprongen. Misschien hebben ze een stargate gevonden of zoiets?'

'Henri zei dat stargates niet bestaan,' zeg ik hoofdschuddend.

'Juist ja, net als aliens van andere planeten, volgens sómmige mensen. In feite, volgens véél mensen.'

Hij heeft gelijk. Misschien had Henri het wel mis. 'Eén Garde is in New-Mexico, Negen. Niet ver van de plek waar volgens jou ons schip weleens zou kunnen liggen. Dat kan geen toeval zijn. Denk je dat ze daar achteraan gaan?'

'Man, ik hoop van niet. Daar is het nu echt helemaal het juiste moment niet voor. We moeten nog een heleboel rotzooi opruimen voordat we weg kunnen van de Aarde.'

Ik tuur naar het blauwe puntje dat aan- en uitknippert in New-Mexico, en druk op de groene driehoek, zodat ik opnieuw te zien krijg waar de Lorische schepen verborgen liggen. Het kan geen toeval zijn dat deze blauwe stip zich daar plotseling zo dichtbij bevindt. En voeg daar nu nog aan toe dat ik te horen heb gekregen dat Sarah in het westen zit, mogelijk samen met Sam, en ik ben nu volkomen zeker van mijn zaak.

'Ik méén het, Negen. New-Mexico, daar gaan we nu heen. Alles wat we hebben gezien en te weten zijn gekomen, wijst in die richting, en zegt ons dat we daar nu onmiddellijk naartoe moeten.' Ik loop haastig de kamer uit, klap mijn kistje dicht en zet het naast de voordeur. 'BK?' roep ik. Bernie Kosar komt naar me toe gelopen, met het bot van de karbonade nog in zijn bek.

Negen loopt achter me aan. 'Hé, rustig aan, gast! We gaan nu niet als een kip zonder kop naar New-Mexico toe. Vooral niet na wat we zojuist gezien hebben. Die gasten zijn aan het teleporteren. Tegen de tijd dat wij in de lift stappen, kunnen ze al op Antarctica zitten! Of in Australië! Er zijn nog te veel onbekende factoren. We weten niet eens zeker of dat wel ons schip is. Wat als het een valstrik is?' Negen gaat voor de deur staan en slaat zijn armen over elkaar. Ik weet dat ik nu overkom als een volkomen door zijn remmen geschoten halvegare die verwoed op de liftknop staat te duwen en probeert te doen alsof Negen niet in de deuropening staat en al mijn pogingen blokkeert.

De woorden komen mijn mond uit tuimelen. 'We moeten hoe dan ook daarheen. Zelfs als de Garde die we nu zien, verdwenen is voordat we daar zijn, is New-Mexico voor ons nog steeds de meest voor de hand liggende plek om naartoe te gaan. Het is de enige plek.' Ik probeer wanhopig om hem mee te krijgen. 'We kunnen wat van je wapens meenemen.' Ik voel mijn hoofd tollen. Ik hol naar de oefenruimte en ga recht op de munitiekast af. Ik spring over de trainingsmatten om bij de kast te komen, als ik boven me metalen ringen hoor rinkelen. Negen komt plotseling uit de lucht vallen, recht voor me, en steekt zijn hand op. 'Hé, wacht eens even, makker. Even diep ademhalen,' zegt hij en hij steekt zijn handen op, met de handpalmen naar me toe gericht. 'Ik denk dat we naar Paradise moeten.'

'Is dat soms een geintje? Waarom wil je nú ineens naar Paradise?' Ik doe die jongen nog eens wat.

'Terwijl jij lag te slapen, heb ik nagedacht. We moeten terug naar de plek waar jij de tablet hebt gevonden. Je hebt eerder gezegd dat daar ook papieren lagen, en een skelet en een stel kaarten. Volgens mij hebben we iets over het hoofd gezien, iets wat we moeten weten om Setrákus Ra te kunnen verslaan.'

'Je snapt het niet,' zeg ik, terwijl ik me langs hem heen wring. 'Er gebeurt op dit moment van alles in het westen. Heb je een auto?'

Hij geeft me een harde por in mijn rug. Ik val bijna, maar kan mezelf tegenhouden. Ik sta daar, met mijn rug naar hem toe, woedend.

'Ik heb inderdaad een auto, maar wij gaan eerst naar Paradise. We moeten iets vinden om ons te helpen in de strijd.'

'Geen sprake van.' Ik draai me om en deze keer geef ik hém een duw, en voordat ik er erg in heb, houden we elkaars armen stevig vast. Negen schopt mijn voeten onder me vandaan en ik val op de grond.

Bernie Kosar blaft, en zegt dat we moeten ophouden.

'Kalm aan,' zegt Negen, en hij zwaait naar hem. 'Beschouw dit maar als een lichte training voordat we op weg gaan naar Ohio.'

'Inderdaad. We zijn aan het trainen,' zeg ik woedend, terwijl ik overeind krabbel. 'Met alles wat we de afgelopen tijd geleerd hebben.'

Negen geeft een stoot maar die weer ik af. Dat lukt me echter niet bij zijn rechtse hoek. Mijn ribben voelen aan alsof ze zojuist door een voorhamer geraakt zijn. Ik val op mijn knieën, en grijp naar mijn middel. Hij geeft me met de zijkant van zijn voet een schop in mijn middenrif, zodat ik languit achteroversmak.

'Kom op, man!' roept hij, terwijl hij op me neerkijkt. 'Doe eens wat beter je best zeg! Denk je soms dat je zomaar de woestijn in kunt rijden en het op kunt nemen tegen elke vijand die je maar tegenkomt, als je mij niet eens aankunt?'

Ik spring overeind en verras hem met een harde stoot in zijn maag. Terwijl hij dubbelklapt, geef ik hem een knietje in zijn gezicht.

'Dát bedoel ik, Vier!' Er druipt bloed uit zijn kapotgeslagen lippen, maar hij kijkt me stralend aan. We cirkelen om elkaar heen. 'Zal ik jou eens wat vertellen? Omdat je laat merken dat je van plan bent het echt tegen me op te nemen, wil ik een deal met je sluiten. Als je mij verslaat, gaan we naar New-Mexico. Onmiddellijk. Ik zal je zelfs laten rijden. Maar als ik win, blijven we nog een paar uur hier, we zoeken het een en ander uit en we maken een écht plan. En daarna gaan we terug naar Paradise en dalen we af in die put.'

'En jij noemt mij een lafaard?' zeg ik.

We blijven om elkaar heen cirkelen en weten elkaar een paar keer hard te raken. Ik hoor een van Negens ribben knappen als ik hem een stoot geef met mijn rechterelleboog. Ik haal uit met mijn andere elleboog, maar hij geeft me een harde schop tegen mijn linkerknie. Ik voel kraakbeen scheuren en de pijn schiet door mijn hele been. Kreupel slaag ik erin om nog een paar flinke stoten te geven, maar ik kan niet lopen, en dat is voor Negen een enorm voordeel. Hij springt achter me en schopt mijn andere been onder me uit. Mijn hoofd slaat tegen de vloer en de wereld wordt helemaal wit. Als ik weer weet waar ik ben, houdt Negen mijn armen met zijn knieën tegen de grond gedrukt. Het gevecht is voorbij. Daarmee zijn ook onze kansen verkeken om de Garde te vinden die zich nu in het westen bevindt.

'Ik haal een helende steen,' zegt Negen, terwijl hij langzaam opstaat. Hoewel alles om hem heen nu wazig is, kijk ik toe hoe hij met een hand op zijn zij de kamer uit strompelt. Bernie Kosar jankt.

'Dit is bullshit, weet je dat?' roep ik hem na. 'Dit is geen manier om over zulke gewichtige zaken te beslissen! Die Garde in New-Mexico kan in zijn eentje doodgaan, en dat kan jou helemaal niet schelen!'

Negens stem dreunt door het appartement. 'Wij zijn soldaten, Johnny! En soldaten sterven. We zijn hier naartoe gestuurd om te trainen en te vechten, en sommigen van ons zullen het niet overleven. Zo gaat dat nou eenmaal in een oorlog.'

Langzaam hink ik op mijn ene goede been de kamer binnen. Door de vensters zie ik de zon ondergaan. BK zit op de vloer in het laatste zonlicht en kijkt naar me. Hij smeekt ons om te gaan zitten en op een nuchtere manier onze volgende stap te bespreken en te plannen.

Negen loopt de kamer in met een helende steen tegen zijn ribben gedrukt. Hij gooit die naar mij toe en ik druk hem onmiddellijk tegen mijn linkerknie. Door de pijn heen voel ik hoe het kraakbeen zich langzaam weer hecht. Het duurt niet lang voordat de helende steen zijn werk heeft gedaan, en snel is de pijn helemaal verdwenen.

Ik leg een hand op het raamkozijn en zeg: 'Als we niet naar New-Mexico gaan, laten we dan met Setrákus Ra afrekenen. Nu. Jij en ik. Als we hem kunnen uitschakelen, gaat de rest van de Mogs misschien ook wel dood, en dan hebben we twee werelden gered.'

Negen ploft op een leren bank en legt zijn voeten op de glazen salontafel. Hij zucht en doet zijn ogen dicht. 'Sorry, Johnny, maar zelfs als Setrákus Ra sterft, vechten de Mogs gewoon door. Net zoals wij na de dood van Pittacus Lore gewoon door zijn blijven vechten. Zoek nou eens niet de hele tijd naar een gemakkelijke uitweg en zie de waarheid onder ogen. We vechten gewoon door totdat de laatste van ons gedood wordt.'

Ik kijk uit het raam en verzamel de kracht die ik nodig heb om te zeggen wat ik al wekenlang wil zeggen, sinds ik Henri's brief heb gelezen: 'Pittacus is niet dood. Ik ben Pittacus.'

'Wat zeg je nou?'

Ik kijk hem aan. 'Ik zei dat ik die Pittacus Lore ben.'

Negen leunt achterover en begint zo hard te lachen dat hij bijna van de bank rolt. 'Jíj bent Pittacus? Waarom denk je in hemelsnaam dat jíj Pittacus Lore bent?'

'Ik voel het,' zeg ik. 'Dat is de reden waarom Loriën in winterslaap is. Pittacus leeft voort in mij.'

'O ja? Weet je, volgens mij voel ik dat ook wel,' zegt hij spottend, en hij voelt aan zijn romp. Hij staat op en loopt met lange passen naar me toe. 'Maar, hé, als jij Pittacus bent, de sterkste en de wijste Ouderling van Loriën, dan heb ik Pittacus zojuist een flink pak slaag gegeven. Ik vraag me af wie ík dan ben.'

'Iemand die mazzel heeft,' zeg ik, en ik heb er al spijt van dat ik erover begonnen ben.

'Werkelijk? Zo te horen wil iemand het nog eens proberen.'

Nou is het wel genoeg, zegt Bernie Kosar. *Niet meer vechten. Spaar jullie krachten.*

Ik negeer hem. 'Prima, dan vechten we nog een keer.'

'Als je het nog een keer tegen me op wilt nemen, kiezen we daarvoor wel een andere omgeving. En om het nog interessanter te maken, Pittacus, stel ik voor dat we allebei een artikel uit onze kistjes gebruiken.'

'Prima.'

Ik open mijn kistje en grijp onmiddellijk naar de dolk met het tien centimeter lange lemmet. Het heeft een bloedgeul die begint te vibreren zodra ik het heft vastpak, dat zich uit eigen beweging snel om mijn vuist wikkelt. Ik zie dat er nog Mogadoren-as in de bloedgeul zit. De geur daarvan doet me verlangen naar een nieuw gevecht.

Met zijn rechterhand pakt Negen een korte, zilveren toverstaf. Oké, dat maakt me inderdaad zenuwachtig: ik heb gezien hoe hij al die pikens in West-Virginia met dat ding buiten gevecht heeft gesteld. Als hij mijn dolk ziet, zwaait hij met zijn vingertje. 'Ah, ah, ah. Ik zei één voorwerp.'

'Ik heb mijn dolk. Meer niet. En dat is alles wat ik nodig heb.'

'En hoe zit het dan met die leuke armband van je?'

'Eh, daar had ik niet meer aan gedacht. Waarschijnlijk is dat een betere keuze. Dankjewel.' Ik laat de dolk weer in mijn kistje vallen.

'Kom mee,' zegt Negen. Zonder aandacht te besteden aan Bernie Kosar, die ons smeekt om hiermee op te houden, loop ik achter Negen aan naar de lift toe. We zwijgen allebei. Ik neem aan dat het gevecht zich zal afspelen in de donkere kelder van het gebouw, tussen pilaren en muren van beton, zodat onze speciale vermogens voor de wereld verborgen zullen blijven. In plaats daarvan gaat de lift omhoog. De deuren schuiven open en Negen toetst een cijfercombinatie in op een toetsenbordje naast de deur voor ons, zodat die met een klik open gaat. We staan op het dak van het John Hancock Center.

'O nee, ben jij soms echt gestoord of zo? Veel te veel mensen kunnen ons hier zien!' zeg ik hoofdschuddend, en ik draai me om en wil weer naar binnen lopen.

Negen loopt het dak op. 'Níémand kan ons hierboven zien. Dat is nou juist zo leuk aan op het dak staan van een van de hoogste gebouwen van de stad.'

Ik wil niet de indruk wekken dat ik terugschrik, dus ik loop achter hem aan en ik doe mijn best om heel wat meer zelfvertrouwen uit te stralen dan ik werkelijk voel. Maar ik ben niet voorbereid op de felle wind die me zo hard raakt dat ik bijna weer terug in de deuropening word geduwd. Negen loopt door. Zijn zwarte haar wappert om zijn hoofd. Zo te zien doet de wind hem niets. Zijn witte T-shirt bolt op, totdat hij het uittrekt en het over de rand van het dak laat waaien. Als hij het middelpunt van het dak heeft bereikt, maakt hij een scherpe beweging met zijn pols, zodat de zilveren staf aan beide uiteinden uitschuift tot hij bijna twee meter lang is en een rood licht uitstraalt. Negen draait zich om, en wenkt dat ik dichterbij moet komen. Als een koorddanser haal ik eens diep adem en zet de ene voet voor de andere om naar hem toe te lopen. We bevinden ons nu in de reusachtige schaduw van de opdoemende witte naalden aan de andere kant van het dak, en als ik hem bijna heb bereikt, draait Negen zich om en rent daarnaartoe.

Ik heb geen idee wat hij nu gaat doen, en dus blijf ik staan om te zien wat zijn volgende zet wordt. Zonder zijn pas in te houden rent hij langs de naald omhoog tot hij het allerhoogste punt heeft bereikt. De naald zwiept heen en weer in de wind, en als ik Negen daar hoog boven me zie, word ik al duizelig als ik alleen maar naar hem kijk. Negen houdt de rode staaf boven zijn hoofd en voordat het tot me doordringt waar hij nu mee bezig is, gooit hij die naar me toe. Zodra het ding zijn hand verlaat, duikt Negen recht op me af, zodat ik nu twee voorwerpen die op me af komen vliegen tegelijk moet zien te ontwijken. Ik slaag erin om me te laten wegrollen van de scherpgepunte staf, en zie hoe die zich onder een schuine hoek in een metalen balk boort. Snel draai ik me om naar Negen, die net op dat moment een poging doet om me te tackelen. Ik geef hem zo'n harde stomp dat hij een eindje over het dak vliegt.

Ik buig voorover en trek Negens rode staf uit de metalen balk. Henri en ik hebben nooit getraind met iets wat hier zelfs maar in de verste verte op leek, maar zonder me daarom te bekommeren laat ik het ding boven mijn hoofd ronddraaien en storm op hem af. Negen blijft staan en zet zich schrap voor mijn aanval. Ik haal uit met de staf, en raak hem dwars op zijn lijf, maar hij slaat de staf weg met zijn pols en haalt onmiddellijk daarna uit met zijn voet om me een schop tegen mijn pas genezen knie te geven. Snel trek ik mijn been naar achteren, zodat hij mist, maar hij slaagt er wel in om de staf vast te grijpen. We worstelen nu allebei om de controle over de staf: we draaien rondjes en schoppen, duiken weg en blokkeren. Hij gebruikt zijn telekinese om mijn voeten van de grond te tillen. Ik begin me te verzetten, maar dan dringt het tot me door dat ik daar met de sterke wind hier, gebruik van kan maken. Ik let goed op dat mijn volgende zet samenvalt met een flinke windstoot, en dan spring ik over de staf heen. Binnen een fractie van een seconde sta ik achter Negen en ik trek de staf tegen zijn keel aan.

'We zouden al op weg moeten zijn naar New-Mexico,' zeg ik, terwijl ik ons naar de deur van de lift trek.

Met zijn achterhoofd geeft Negen me een kopstoot, recht tegen mijn neus, zodat ik de staf loslaat. Terwijl ik strompelend een paar stappen naar achteren zet en hard tegen een schakelkast aan loop, grijpt hij de staf beet.

'Ben jij nou aan het woord, Johnny? Of is het Pittacus?' zegt hij spottend en hij haalt uit met de staf. Mijn armband ontvouwt zich net op tijd om de slag af te weren. De schakelkast waar ik nu vlak naast sta, wordt door zijn staf doormidden gesneden. Overal regent het vonken, ook achter mijn open schild en op mij. Als ze op mijn shirt terechtkomen, zorg ik dat het vuur zich kan verbreiden. Mijn schild krimpt ineen en Negen staat verbijsterd te kijken hoe ik word verteerd door de vlammen. Hij schudt de verrassing van zich af. 'Waarom veranderde je niet in een menselijke vuurbal toen we in hetzelfde team zaten?' schreeuwt hij.

Het vuur rondom mijn lijf knettert en suist in de harde wind. Ik loop naar hem toe. Hij denkt dat dit allemaal een spelletje is, maar ik niet. 'Zijn we nu eindelijk klaar?'

'Nog niet helemaal.' Er verschijnt een brede grijns op zijn gezicht.

In mijn handpalm vorm ik een vuurballetje. Ik denk dat ik hem wel duidelijk zal maken dat ik niet in staat ben om het grappige van de situatie in te zien als ik de vuurbal naar zijn benen gooi, maar hij slaat die als een hockeyspeler weg met het uiteinde van zijn staf. Ik laat nog twee vuurballen over het dak naar hem toe rollen, telkens wat sneller, maar hij gebruikt zijn geestkracht om ze opzij te duwen. De eerste rolt van het dak en dooft uit zonder schade aan te richten; de andere blijft liggen tegen de rand van de enorme luchtinlaat van een ventilator. De hitte doet het ding wegsmelten, en daarna zorgt de harde wind ervoor dat het hele omhulsel van de enorme ventilator wordt losgerukt, zodat de machine nu blootligt.

Ik breng mijn handen boven mijn hoofd, om een vuurbal zo groot als een ijskast te maken, maar terwijl die vuurbal gestaag aanzwelt, komt Negen met de staf over zijn schouder op me af stormen. Hij plant een uiteinde van de staf in het dak en gooit zichzelf, met zijn voeten vooruit op mijn vlammende borstkas. Hij schreeuwt het uit van de pijn als zijn schoenzolen mijn brandende lijf raken en ik word naar achteren gesmeten.

De wereld die daarnet alleen maar uit rood en geel bestond is nu een verzameling grijze en blauwe kleuren. Ik rol om en om en tijdens mijn laatste rol dringt het tot me door dat ik rechtstreeks op de blootliggende ventilator af schiet. Op het allerlaatste moment spreid ik mijn armen en benen en maar enkele centimeters van de dodelijke ventilatorbladen verwijderd, lukt het me nog net om mezelf tegen te houden. De ventilator is krachtig genoeg om wat er nog over is van het al bijna uitgebrande vuur te doven, voordat ik eraf spring en me weg laat rollen.

'Probeer je wat af te koelen?' vraagt Negen, met zijn handen op zijn heupen, alsof hij simpelweg mijn techniek beoordeelt. Hij heeft zijn half gesmolten schoenen uitgeschopt.

'Ik begin net een beetje op te warmen!' Ik spring overeind en zet me schrap voor zijn volgende aanval.

Negen sprint naar wat voor hem links is, en ik volg hem. Hij springt over een paar pijpleidingen heen op de verhoogde dakrand en ook nu volg ik zijn voorbeeld. We zijn nu allebei nog maar enkele centimeters verwijderd van een driehonderd meter lange val naar de straat onder ons. Mijn hart slaat een tel over als ik zie hoe Negen van de rand stapt. Ik geef een schreeuw en leun over de rand om hem vast te grijpen, maar terwijl ik dat doe, zie ik dat hij in plaats van zijn dood tegemoet te vallen, horizontaal op een venster staat, met zijn armen over elkaar, met diezelfde brede grijns op zijn gezicht. Ik heb te diep over de rand geleund terwijl ik probeerde hem op te vangen, en maai panisch met mijn armen om mijn evenwicht weer te hervinden. Maar dat lukt niet en plotseling tuimel ik de afgrond in. Negen rent over de zijkant van het gebouw omhoog en geeft me een harde opwaartse kaakstoot. Ik val achterover maar zie geen kans om op het dak neer te komen, want Negen grijpt me in mijn nekvel, draait zich om en tilt me over de rand.

'Nou, Nummer Vier, om te zorgen dat ik je veilig en wel weer neerzet hoef je het alleen maar te zeggen.' Met zijn andere hand houdt hij de staf boven zijn hoofd. 'Zeg dat je Pittacus niet bent.'

Ik schop naar hem, maar hij strekt zijn arm uit, zodat ik hem net niet kan raken. Ik slinger nu machteloos heen en weer.

'Zeg het,' herhaalt hij met zijn tanden op elkaar geklemd. Ik doe mijn mond open, maar kan mezelf er niet toe brengen om iets te ontkennen waarvan ik zo zeker weet dat het waar is. Ik geloof dat ik inderdaad Pittacus Lore ben. Ik geloof dat ik degene ben die in staat is om een einde te maken aan deze oorlog, en dat ook echt zal gaan doen. 'Jij wilt haastig naar New-Mexico om ons ruimteschip te vinden. Je wilt er zelfs geen seconde serieus rekening mee houden dat het weleens een valstrik zou kunnen zijn. En vervolgens zeg je dat je het tegen Setrákus Ra wilt opnemen, maar je bent niet eens in staat om mij in een gevecht van man tot man te verslaan. Jij bent hem niet. Echt niet. Dus laten we nou ophouden met die flauwekul. Je hoeft het alleen maar te zeggen, Vier.'

Hij klemt zijn hand nog strakker om mijn keel. Alles wordt wazig om me heen. Ik kijk op naar de wolkeloze hemel en zie die rood worden, net zoals in die nacht dat de Mogadoren Loriën binnenvielen. Gezichten van afgeslachte Loriërs duiken met korte flitsen voor me op. Hun geschreeuw weergalmt in mijn oren. Ik zie de ontploffingen, het vuur en alle doden. Ik zie kraulen met Lorische kinderen tussen hun kaken. Het verdriet dat ik op dat moment voel, is zo overweldigend groot dat ik weet dat ik alles kan doorstaan wat me wordt aangedaan, ook Negen die mijn nek fijnknijpt.

'Zeg het!'

'Dat kan ik niet,' weet ik piepend uit te brengen.

'Je bent niet goed bij je hoofd, jij!' schreeuwt hij, en hij knijpt nog harder. Nu zie ik bommen op Loriën neervallen. Ik zie de aan flarden gereten lijken van mijn volk, ik zie hoe mijn planeet vernietigd wordt. Boven op een hoge stapel lijken zie ik mijn dode vader in zijn blauw-zilveren pak. Negen schudt me woest heen en weer, en mijn voeten zwaaien wild door de lucht. 'Jij bent Pittacus niet!'

Ik knijp mijn ogen dicht om te ontkomen aan al die beelden van bloedvergieten die ik nu wazig voor me zie, en vol afschuw wacht ik op wat komen gaat. In gedachten zie ik Henri's brief voor me: 'Nadat jullie alle tien geboren waren, onderkende Loriën jullie kracht, jullie ziel, jullie wilskracht, jullie compassie, en heeft jullie belast met de rol die jullie allemaal op je moesten nemen: de rol van de oorspronkelijke tien Ouderlingen. Wat dit betekent is dat jullie die vertrokken zijn na verloop van tijd veel sterker zullen worden dan alles wat Loriën ooit heeft meegemaakt, zelfs veel sterker dan de oorspronkelijke tien Ouderlingen van wie jullie je Erfdeel hebben gekregen. De Mogadoren weten dit en daarom zitten ze jullie nu zo koortsachtig achterna.'

Wat dat allemaal ook mag inhouden, ik weet dat Negen me niet zal doden. Daar is een lid van de Garde te belangrijk voor, of hij nou Pittacus is of niet. Samenkomen en als één man vechten, als de Gardes die we door onze geboorte zijn, is belangrijker dan wat onderling geruzie. Dat is echter een schrale troost, want terwijl ik de wind iets van richting voel veranderen, zwaait mijn lijf nog steeds heen en weer. De hand om mijn nek opent zich en met een felle scheut in mijn maag merk ik dat ik val. Zou ik het mis gehad kunnen hebben? In plaats daarvan voel ik binnen een seconde hoe mijn voeten de grond raken. Ik doe mijn ogen open en merk dat ik weer op het dak sta. Negen loopt weg, met zijn hoofd gebogen. Hij maakt een beweging met zijn pols en de lange rode staf krimpt tot een zilveren staafje. Over zijn schouder roept hij: 'De volgende keer laat ik je vallen!'

19

Zes

Ik lig op mijn buik in het gloeiend hete zand. Het zit in mijn mond en in mijn neus. Ik krijg nauwelijks lucht. Ik wéét dat ik zou moeten opstaan, dat ik me op mijn rug zou moeten laten rollen, maar de pijn in mijn botten is daar veel te erg voor. Ik knijp mijn ogen stijf dicht en probeer me af te sluiten voor de pijn die ik nu over mijn hele lijf voel. Uiteindelijk weet ik voldoende kracht te verzamelen om op te staan, maar als ik mijn handen in het zand zet om me op te duwen, is het zo heet dat ik me brand. Ik laat mezelf weer vallen.

'Marina?' kreun ik.

Ze reageert niet. Ik ben nog steeds niet in staat om mijn ogen open te doen. Ik luister aandachtig naar een teken van leven. Het enige wat ik hoor is het loeien van de wind en het sissen van het door de wind opgezweepte zand dat mijn lichaam geselt.

Ik probeer nog iets te zeggen, maar meer dan wat gefluister kan ik niet uitbrengen. 'Marina? Of wie dan ook, help me. Acht? Ella? Is er iemand?' Ik ben zo in de war dat ik zelfs Craytons naam fluister. Terwijl ik op een reactie lig te hopen en te wachten, word ik plotseling overvallen door een beeld van Craytons dode lichaam. Ik zie het allemaal opnieuw gebeuren. Ella's tranen. De Mog-aanval. Ik voel weer hoe ik mijn hand om Marina's elleboog klem en ik hoor Acht zeggen: 'Oké, daar gaan we dan.'

Boven me is de zon zo heet dat mijn haar wel een dekentje van vuur op mijn nek en schouders lijkt. Na een hele tijd slaag ik er eindelijk in om me op mijn rug te laten rollen, en mijn arm op te tillen zodat ik mijn ogen kan beschermen tegen het verblindend felle licht. Langzaam en voortdurend knipperend doe ik mijn ogen open. Ik zie niemand. Alleen maar zand. Ik krabbel moeizaam overeind en hoor de stem van Acht weergalmen in mijn hoofd. 'Ik hoop maar dat dit werkt. Ik heb nog nooit geprobeerd iemand anders mee te nemen.'

Nou, zo te zien heeft het niet gewerkt. Of het heeft wel gewerkt maar niet voor mij, niet voor ons allemaal samen. Waar zijn Ella en Marina terechtgekomen? Zijn ze samen? Is Acht ook bij hen of bevinden we ons allemaal in andere uithoeken van de wereld? Of ben ik de enige die alleen is? Panisch nemen mijn hersenen alle verschillende mogelijkheden door. Als we niet alleen Crayton zijn kwijtgeraakt, maar ook van elkaar gescheiden zijn geraakt, ruw van elkaar zijn weggerukt, dan zijn we nu een heel stuk verder van ons doel verwijderd dan daarnet. Ik word misselijk van paniek en frustratie. Alles waar we zo hard voor gewerkt hebben, alles wat we hebben opgeofferd om naar India te gaan en Acht te vinden... dat zou allemaal voor niets geweest kunnen zijn.

Ik ben alleen onder een wolkeloze hemel en een gloeiend hete zon, zonder enig idee waar ik me bevind of hoe ik in hemelsnaam een andere levende ziel moet zien te vinden, of het nou een Garde is of niet. Ik speur de omgeving in alle richtingen af, terwijl ik hoop dat ik zal zien hoe Marina moeizaam door het zand sjokkend komt opduiken vanachter de top van een duin, en hoe ze naar me zwaait, terwijl Ella achter haar opduikt, of om een lachende Acht te zien, die met een paar radslagen de zanderige vlakte oversteekt, maar het enige wat ik zie, is een lege en verlaten woestijn.

Ik denk aan wat Acht ons heeft verteld over de manier waarop dat teleportatievermogen van hem werkt. Waar ik ook terechtgekomen ben, ik weet dat ik niet ver verwijderd kan zijn van een van die grote stukken Loraliet. Zelfs al beschik ik niet over zijn teleportatievermogen, dan zal ik het Loraliet misschien toch wel ergens voor kunnen gebruiken. Ik laat me op mijn knieën zakken en begin ingespannen te graven. Ik heb geen idee waar het ding precies ligt en waar ik moet beginnen te zoeken, maar ik ben wanhopig. Zo wanhopig dat ik nauwelijks merk dat ik mijn vingers verbrand in het hete zand.

Maar de enige stenen die ik vind zijn klein, vol barsten en doodnormaal. Buiten adem, terwijl het zweet van mijn voorhoofd gutst en in mijn ogen terechtkomt hou ik eindelijk op met graven en ga even zitten. Ik kan me niet veroorloven om de weinige energie waarover ik beschik op deze manier te verspillen. Ik moet water zien te vinden, en bescherming tegen de zon. Ik houd mijn hoofd schuin en luister naar de wind, in de hoop daarin een of ander teken te bespeuren, maar er is niets of niemand te horen. Voor zover het oog reikt alleen maar zand en duinen. Ik zal dus moeten lopen; er zit niets anders op. Ik kijk omhoog naar de zon, oriënteer me met behulp van mijn schaduw, en begin door het zand te sjokken.

Ik loop naar het noorden. Zonder bescherming tegen de gloeiendhete stralen, terwijl mijn ogen prikken van het zweet dat er voortdurend in druipt, en mijn hele lichaam pijn doet van het striemende zand dat door de wind wordt voortgeblazen, voel ik me kwetsbaarder dan ooit. Overal waar ik kijk, zie ik niets anders dan zand en duinen, en ik weet dat mijn lichaam het in deze felle zon niet lang meer volhoudt. Moeizaam zet ik nog een paar stappen, en dan maak ik mezelf onzichtbaar om te ontsnappen aan de genadeloze hitte. Dat zal het voor anderen niet eenvoudiger maken om me te vinden, maar ik heb geen keus. Vervolgens gebruik ik mijn telekinese om boven de Aarde te zweven, zodat ik mijn voeten niet voortdurend in het brandende zand hoef te zetten. Ook vanaf dit hogere punt is er in de wijde omgeving niets anders te bekennen dan zand, zand en nog eens zand. Elke keer dat ik een duin passeer, kijk ik met half dichtgeknepen ogen om me heen, in de hoop ergens een weg te zien, of welk ander teken van beschaving dan ook. Maar de enige verandering, de enige variatie in al dat eindeloze zand, komt in de vorm van bloeiende cactussen en stukken versteend hout. De heldere, wolkeloze hemel bespot me en biedt zelfs niet het kleinste plukje wolken waar ik met mijn telekinese een regenbui uit zou kunnen wringen. De eerste cactus die ik zie, scheur ik meteen open, maar tot mijn grote teleurstelling merk ik dat die lang niet voldoende water bevat om zelfs maar het allereerste begin van mijn dorst te lessen.

Na verloop van tijd, net als mijn energie en geestkracht bijna uitgeput zijn, zie ik bergen aan de horizon verschijnen, en dat belooft in elk geval enige hoop op redding. Zo te zien ben ik er nog op zijn minst een dag lopen van verwijderd, al is dat moeilijk met zekerheid te zeggen. Ze zijn zonder twijfel te ver verwijderd om vandaag nog te kunnen bereiken, en dat is voldoende om al mijn hoop de bodem in te slaan. Ik weet dat ik ergens onderdak moet zien te vinden.

Ik maak me weer zichtbaar en hoop dat iemand me zal zien. Ik kijk omhoog naar de hemel en voor het eerst zie ik daar een groepje wolken. Mijn hart maakt een vreugdesprongetje en ik voel een scheut energie waarvan ik niet eens wist dat ik die nog had. Ik concentreer me op het maken van een storm, al is het maar een kleintje, boven me. De regen duurt kort, maar is fantastisch. Dat is de enige reden waarom ik nu niet in elkaar zak en het gewoon maar opgeef.

Ik blijf lopen tot ik een hele tijd later op een laag hek van prikkeldraad stuit. Vlak daarachter zie ik een spoor in het zand. Dit is het eerste teken van beschaving dat ik hier zie, en ik ben zo buiten mezelf van vreugde dat ik er zelfs in slaag om wat sneller te gaan lopen. Ik loop bijna twee kilometer over het spoor voordat ik een klein heuveltje bereik, en ik slaag erin om dat over te steken. Aan de andere kant zie ik de silhouetten van verschillende gebouwtjes. Ik kan het niet geloven. Moet ik het eigenlijk wel geloven? Het kan ook een luchtspiegeling zijn.

Maar nee. Hoe dichterbij ik kom, des te meer ik ervan overtuigd raak dat deze bouwwerken, deze tekenen van menselijk leven, echt zijn. Jammer genoeg zie ik naarmate ik dichterbij kom, ook steeds beter dat de muren vol gaten zitten, of zijn afgebrokkeld, dat deze huizen eigenlijk niet veel meer zijn dan houten skeletten die zijn overgelaten aan de onbarmhartige woestijn. Deze gebouwen laten zien wat er gebeurt als je vastzit op een plek als deze. Ik ben op een spookstad gestuit.

Voordat ik van teleurstelling op mijn knieën zak, richt ik mijn aandacht op wat er misschien zou kunnen zijn achtergebleven voordat de spoken het hier overnamen. Een waterleiding? Een bron? Ik strompel wat rond, en probeer zowel in de vervallen bouwsels als daarbuiten water te vinden. Meer is er op dit moment niet van me over: ik ben een wezen dat water moet hebben. Iedereen heeft water nodig, dus ergens moet water te vinden zijn. Toch?

Nee. Of in elk geval, ik kan het niet vinden. Volgens mij moet er ooit wel een bron geweest zijn, maar nu is die er niet meer. Bedolven geraakt onder het zand, leeggemaakt door aliens, wie weet? De wanhoop die me nu overvalt is heviger dan alles wat ik ooit eerder heb gevoeld. Alleen, zonder water of eten, zonder onderdak. Zo hard als ik maar kan, roep ik: 'Is er iemand? Alsjeblieft! Iemand! Wie dan ook!'

Ergens rechts van me hoor ik een houten balk kraken. Dat is niet echt het antwoord dat ik wil horen.

Ik kijk in elk gebouw, maar zoals ik al had verwacht, zijn ze allemaal even leeg. Nadat ik heb bevestigd hoe alleen ik ben, ga ik in een hoek van een gebouwtje zitten waarvan ik denk dat het ooit een kruidenierswinkel is geweest om even uit te rusten. Ik probeer me voor te stellen hoe het eruitgezien moet hebben toen het nog volgestouwd was met voedsel en water, gewoon om mezelf te vermaken. Ik doe alsof ik een reusachtige maaltijd voor de resterende Gardes kook. Aan de lange tafel in mijn gedachten zit Marina tussen Acht en Crayton. Ik zet John aan het hoofd van de tafel, en ga zelf aan het andere uiteinde zitten. Ik stel me voor dat Negen en Nummer Vijf er ook bij zijn. Ze maken grapjes met elkaar, en vertellen over alle plekken waar ze zijn geweest. Iedereen zit vrolijk te lachen, en maakt me complimenten over de feestmaaltijd die ik hun heb voorgezet, en ik vertel hun allemaal dat ik heel blij ben dat ze heelhuids deze plek hebben bereikt.

'Wat is tot nu toe je liefste herinnering aan de Aarde?' stel ik me voor dat Marina alle anderen vraagt.

'Nou, dit moment,' zegt John. 'Zoals we hier nu zitten, veilig, met z'n allen.'

Daar zijn we het allemaal mee eens, en we heffen het glas op het feit dat we elkaar hebben gevonden. Nummer Vijf staat op, loopt de kamer uit en komt terug met een enorme chocoladecake. Iedereen juicht en er worden bordjes rondgedeeld. Als ik een hap neem, is het de lekkerste cake die ik ooit heb geproefd.

Maar natuurlijk is niets van dit alles ooit gebeurd. Ik ben niet meer dan een eenzaam, gestoord persoon, die hier in een verlaten, kapotte kruidenierswinkel ergens midden in de woestijn zit. Ik moet wel gestoord zijn, want als ik ontwaak uit de droom waarin ik heerlijk zit te eten met de Gardes, dringt het tot me door dat ik zit te kauwen. Ik kauw op de lucht, met een voldane glimlach op mijn gezicht. Ik schud mijn hoofd en dwing mezelf om niet te huilen. Ik heb geen slag geleverd met de Mogs, een Mogadoren-cel overleefd en moeten toekijken hoe Katarina stierf, om nu midden in de woestijn eenzaam te creperen, in mijn eentje. Ik trek mijn knieën op tegen mijn borst en laat mijn voorhoofd erop rusten. Ik moet een plan bedenken.

Het is nog steeds ongelooflijk heet als ik het spookstadje weer verlaat. Ik heb een tijdje beschutting gevonden tegen de zon, maar ik weet dat ik in beweging moet blijven voordat ik al mijn kracht verlies. Ik heb ongeveer anderhalve kilometer in de richting van de bergen gelopen, door het brandende zand, als ik plotseling enorme kramp in mijn benen en maag krijg. Ik richt het kleine beetje geestelijke energie dat ik nog over heb, op een paar cactussen niet ver van me vandaan, en slaag erin om er een mondvol water uit te persen.

Ik concentreer me op mijn Erfgave en probeer nog een regenbui uit de paar rafelige wolkjes hoog boven me te persen, maar het enige wat dat oplevert is een kleine zandstorm die over me heen spoelt, zodat ik tot aan mijn knieën in het zand word begraven.

Voor het eerst ben ik niet alleen zenuwachtig over wat er komen gaat, maar ook werkelijk bang dat ik hier niet levend uit kom. Ik heb niets meer over. De Ouderlingen hebben me uitgeroepen tot een van de strijders die het voor ons ras moeten opnemen, en nu kan ik elk ogenblik creperen ergens midden in een woestijn.

Ik voel dat ik in paniek begin te raken. Ik heb mezelf nog net genoeg in de hand om te beseffen dat ik me dat niet kan veroorloven – ik ben hier zo kwetsbaar, dat als ik dat laat gebeuren, ik er ben geweest. Ik ben zo wanhopig dat ik terugdenk aan gisternacht, en mijn denkbeeldige maaltijd met de rest van de Garde. Om mezelf scherp te houden, denk ik aan wat ik op dit moment tegen de anderen zou willen zeggen.

Hé Marina, hoe gaat het met je? Met mij? Ik zit ergens midden in een woestijn, en ben onderweg naar een berg. Ik neem aan dat ik in New-Mexico ben, want Acht vertelde dat dat een van de plekken is waar hij zich naartoe kon teleporteren. Ik begin uitgeput te raken, Marina. Ik weet niet hoe lang ik dit nog kan volhouden. Ik weet niet waar jullie zijn, maar alsjeblieft, alsjeblieft, zorg dat je een manier vindt om hier naartoe te komen vanwaar jullie zijn geland en me op te halen.

Ella? Weet je hoe erg ik het vind van Crayton? Ik weet hoeveel verdriet het je heeft gedaan om hem te zien sterven en hem achter te moeten laten. Ik beloof je dat we zijn dood zullen wreken en dat ik me daarbij in de voorhoede zal bevinden. Als ik hier levend vandaan kom, zal ik heel Loriën wreken.

Acht, ik kon het Loraliet niet vinden. Ik zie nergens ook maar een spoor van voedsel, water, beschutting tegen de zon of beschaving, en ik ben alleen. Kun je me vertellen waar het Loraliet is? Ik wil hier weg. Ik wil jullie terugvinden.

Het voelt niet eens stom dat ik daar in gedachten loop te praten met mensen die zich vrijwel zeker aan de andere kant van de wereld bevinden. Ik doe mijn ogen dicht en wacht wanhopig tot er iemand antwoord geeft. Maar natuurlijk hoor ik niets. En dus sjok ik verder. Het wordt steeds moeilijker om de ene voet voor de andere te zetten. Ik begin te wankelen. Eerst hang ik te ver naar rechts en daarna te ver naar links, zodat ik bijna val, maar telkens slaag ik er op het allerlaatst toch nog in om overeind te blijven. Na een tijdje lukt dat me echter niet meer. Ik val voorover, en berust er maar in dat ik verder zal moeten kruipen. En dus kruip ik een tijdje door, met mijn ogen stijf dicht tegen de verblindend felle zon. Een tijdje later kijk ik op om te zien waar de zon aan de hemel staat en opnieuw meen ik een luchtspiegeling te zien, want enkele tientallen meters voor me zie ik een metalen hek. Het is bijna zes meter hoog en afgezet met grote lussen prikkeldraad. Zelfs op deze afstand hoor ik het zoemen van de elektriciteit. Het hek staat onder hoogspanning. Nou, het is dus waarschijnlijk geen luchtspiegeling.

Hoewel ik geen idee heb wat er achter dat hek te vinden is, heb ik hulp nodig, en ik ben er nu zo slecht aan toe dat het me niet kan schelen waar de hulp vandaan komt. Ik kruip naar het hek en slaag erin om rechtop te gaan zitten. Ik til mijn handen boven mijn hoofd en zwaai ermee, en nou maar hopen dat er camera's op het hek zijn geplaatst.

'Help me alsjeblieft,' weet ik nog moeizaam fluisterend uit te brengen. Mijn keel is zo droog als schuurpapier.

Het hek gaat niet open en er komt niemand tevoorschijn. Ik laat me achterover in het zand zakken, en verzamel mijn laatste krachten om nog een poging te doen. Ik rol op mijn buik en duw mezelf moeizaam overeind. Ik besluit het hek eens te proberen. Wat is een beetje hoogspanning per slot van rekening als je bijna sterft van honger en dorst? Ik kijk om me heen en zie een kleine cactus. Ik laat hem een eindje door de lucht zweven en werp hem dan tegen het hek, waar hij begint te sputteren en dan uit elkaar spat. De verkoolde resten vallen op de grond, nawalmend.

Ik laat me vallen, eerst op mijn knieën, dan op mijn zij en ten slotte rol ik op mijn rug. Ik doe mijn ogen dicht. Ik voel hoe zich blaren vormen op mijn droge lippen. Achter me hoor ik een zwak mechanisch geluid, maar ik ben niet in staat mijn hoofd op te tillen om te kijken wat het is. Ik weet dat ik buiten kennis aan het raken ben. Er klinkt een soort galmende ruis in mijn oren, gevolgd door een laag geroffel, en een paar seconden later durf ik te zweren dat ik Ella hoor.

Waar je ook mag zijn, Zes. Ik hoop dat het goed met je gaat, zegt ze.

Er komt een kort lachje uit mijn mond, gevolgd door een snik. Ik weet zeker dat er tranen zouden komen als er ook maar enig vocht in mijn lichaam was overgebleven. Ella, ik lig op sterven ergens in een woestijn, antwoord ik. Die woestijn met bergen erin. Misschien zie ik je ooit wel weer eens op Loriën, Ella.

Opnieuw hoor ik Ella, maar deze keer kan ik niet verstaan wat ze zegt. Haar stem gaat verloren in een nieuw geluid in mijn hoofd, een luid en onregelmatig geruis. En dan voel ik het. Het is een harde wind die mijn haar over mijn gezicht blaast. Langzaam open ik mijn ogen en ik zie drie zwarte helikopters die boven me zweven. Mannen roepen dat ik mijn handen boven mijn hoofd moet steken, maar ik kan alleen nog maar mijn ogen sluiten.

20

Zeven

Ella drijft nu boven me. Ze is in paniek. Haar ogen zijn groot en rond en er komen luchtbellen uit haar mond. Ik probeer erachter te komen wat er aan de hand is, hoe ze hier is terechtgekomen en waarom er zoveel water is. Ik probeer haar hand vast te pakken, maar mijn armen willen niet gehoorzamen. Wat is er met me gebeurd toen we geteleporteerd werden? Mijn gezicht is gevoelloos, en achter mijn ogen heb ik ondraaglijke pijn. Mijn benen willen zich niet bewegen, hoe hard ik ook mijn best doe. Ik kan alleen maar machteloos toezien hoe Ella hoger en hoger komt, weg van mij. Waar komt al dit water toch vandaan? Mijn linkerschouder begint hevig heen en weer te schudden, en het duurt een seconde voordat ik besef dat iemand me aan de arm schudt. Dan zie ik Acht. Zijn zwarte krullen hangen als een soort stralenkrans om zijn hoofd. Hij haakt zijn arm onder mijn oksel en ik probeer te voorkomen dat de bezorgde blik in zijn ogen me nog ongeruster maakt dan ik al ben. Hij probeert samen met mij naar boven te zwemmen, maar het kistje onder mijn arm trekt ons weer omlaag.

Ik laat het ijskoude water mijn longen binnendringen. Het is het enige wat ik kan doen. Acht schopt het kistje uit mijn verlamde armen en trekt me omhoog. We beginnen te stijgen. Wild kijk ik om me heen of ik Zes ergens zie, maar die is nergens te bekennen.

Zodra mijn hoofd boven water komt, is het eerste waar ik me bewust van ben een felle, hete zon. Overal waar ik kijk, is water. Niet ver van me vandaan zie ik Ella watertrappen. Na een paar minuten in de frisse lucht beginnen mijn ledematen weer te werken, en dus begin ik ook maar te watertrappen. Acht is verbitterd aan het mopperen dat we uitgerekend nu midden in de oceaan zijn terechtgekomen, en zo te zien, gaat hij daar helemaal in op.

‘Waar is Zes?’ roep ik tussen mijn gehoest door. Ik blijf maar om me heen kijken of ik haar blonde hoofd ergens in het water zie dobberen.

'Ik kon haar daarbeneden niet vinden!' roept Acht. 'Ik heb geen idee of ze hier is aangekomen of niet!'

'Waarom zou ze hier niet zijn aangekomen?' vraagt Ella, en er klinkt opnieuw paniek in haar stem.

Langzaam rijst Acht op uit het water, totdat hij op het wateroppervlak staat. Het lijkt hem nu minder makkelijk af te gaan dan de vorige keer. Nijdig schopt hij tegen de top van een langzaam voorbijgaande golf. 'Verdomme! Ik wist dat ik nooit met zoveel mensen tegelijk had moeten teleporteren!'

'Maar waar kan ze zijn?' roept Ella. 'Hoe vinden we haar?'

'Ik weet het niet. Voor zover ik weet, is ze nog in de grot.'

Ik heb nog steeds niet veel kracht in mijn ledematen en het kost me moeite om mijn hoofd boven water te houden. 'Wat! Als ze daar is achtergebleven, wordt dat haar dood!'

Het kost Ella nu ook moeite om boven water te blijven. Acht trekt haar naar zich toe, zodat ze op zijn rug kan gaan zitten, met haar armen stevig om zijn nek geslagen. 'Zes kan ook ergens anders zijn terechtgekomen,' zegt Acht, en hij doet duidelijk zijn best om wat hoopvoller te klinken. 'Ik weet alleen niet wáár precies.'

'Waar zijn wíj?' vraag ik.

'Dat weet ik wel.' Acht lijkt opgelucht dat hij voor de verandering eens ergens een duidelijk antwoord op kan geven. 'We bevinden ons in de Golf van Aden. En dat...' Hij wijst naar de ver verwijderde kust, die ik niet eerder heb opgemerkt. '... dat is Somalië.'

'Hoe weet je dat?' vraagt Ella.

'Ik ben hier al eens eerder terechtgekomen,' zegt hij met vlakke stem. Hij gaat er niet op door, dus er is daar ongetwijfeld iets voorgevallen.

Ik weet niet veel van Somalië, behalve dan dat het ergens in Afrika ligt, dat het in een voortdurende staat van burgeroorlog verkeert, doordat allerlei verschillende stammen het met elkaar aan de stok hebben, en dat het bovendien straatarm is, wat ervoor zorgt dat iedereen erg lichtgeraakt blijft. Ik weet niet of ik voldoende kracht heb om mijn telekinese te gebruiken, of zelfs maar onder water te zwemmen om de kust te bereiken, en ik ben er nog minder zeker van of ik dat eigenlijk wel wil. Ik moet eerst eens rustig nadenken.

'Weet je wat? Ik ga een tijdje onder water liggen. Dan kan ik wat energie besparen terwijl we nadenken over wat we nu moeten doen,' zeg ik. Terwijl ik onder water verdwijn, hoor ik Ella roepen.

'Kijk of je Zes ergens ziet!'

Haar woorden geven me kracht. Alleen al de mogelijkheid om Zes te vinden zorgt ervoor dat ik met nieuwe energie aan mijn duik begin. Ik ga heel diep voordat ik mijn ogen open. Zelfs zo ver van het vasteland is het water hier nog betrekkelijk blauw. Onder me zie ik iets bewegen en als ik nog wat dieper duik, zie ik een kleine school tonijnen. Langzaam draai ik om en kijk of ik ergens ook maar een glimp van Zes' geblondeerde haar opvang, en een paar keer meen ik haar te zien, maar als ik dan wat beter kijk, blijkt het om golvend zeewier te gaan. Ik kijk omhoog en zie de vage schaduw van Achts lichaam aan het oppervlak. Ik heb er nu wel vertrouwen in dat mijn krachten me niet in de steek zullen laten, en ga steeds dieper en dieper, totdat ik de bodem raak. Terwijl ik me een weg zoek over de zeebodem en het water voor me aandachtig afzoek, strijk ik per ongeluk met mijn knie langs een koraalrif, en dat levert me een diepe snee op. De scherpe pijn verdooft me even, en als ik mijn hand naar mijn knie breng om die te genezen, duurt het langer dan ik had verwacht voor mijn Erfgave haar werk doet. Wat er ook tijdens een teleportatie mag gebeuren, het heeft kennelijk gevolgen voor onze energie en onze Erfgaven. Ik ben blij dat ik hier wél normaal kan ademhalen, en ik kan alleen maar hopen dat mijn verzwakte toestand niet al te lang zal duren – ik wil niet dat we kwetsbaar zijn.

Ik blijf in beweging en na verloop van tijd zie ik mijn kistje liggen, naast dat van Acht. Niet ver daarvandaan zie ik het grote, blauwe stuk Loraliet. Ik probeer de twee kistjes op te pakken, maar ben te zwak om ze uit de bodem te kunnen lostrekken. Ik kijk omhoog en als ik zie dat Achts schaduw zich nog steeds op dezelfde plek bevindt, besluit ik hem om hulp te vragen.

Ik zwem omhoog, dwars door een school prachtige oranje vissen heen, en kom boven water. 'Nergens iets te bekennen van Zes, maar het Loraliet ligt hieronder, vlak naast onze kistjes,' meld ik.

'Laten we ze ophalen en er dan vandoor gaan. We teleporteren ergens anders naartoe, en dan zien we wel of we Zes daar kunnen vinden.'

'Moeten we niet óp het Loraliet staan om te kunnen te teleporteren? En hoe kom ik daar beneden?' vraagt Ella. 'Zo lang kan ik mijn adem niet inhouden.'

'Dat hoeft ook niet,' zegt Acht grijnzend.

'Heb je ook een Erfgave die jou in een torpedo verandert, zodat je andere mensen een lift kunt geven?' vraag ik.

'Nog beter zelfs,' zegt Acht. Hij steekt zijn hand in zijn zak en vist er het groene stuk kristal uit dat hij erin heeft gestopt toen hij zijn kistje terugkreeg. Het kristal wordt snel groter, en dan komt er ineens een krankzinnig harde wind uit. Acht richt het op de oceaan. Een ondiepe krater vormt zich in het water onder hem en hij zwemt erin. 'Kom op! Snel!'

Ella en ik zwemmen de krater in. Acht steekt zijn vrije hand uit en ik pak die vast; Ella pakt mijn andere hand vast.

'Zet je schrap. We gaan vallen, en snel ook!' zegt hij. 'Jullie moeten dicht bij me blijven, want achter ons spoelt het water snel weer terug. Als we de bodem hebben bereikt, Ella, moet je je adem lang genoeg kunnen inhouden om mij de kans te geven om de kistjes uit het zand te trekken.'

'En allemaal goed kijken of jullie Zes zien,' zeg ik.

Ella geeft me een kneepje in mijn hand. 'Als ze daarbeneden is, vinden we haar wel.'

Acht richt het kristal nu op de bodem van de oceaan. 'Daar gaan we dan!' roept hij. We vallen snel, en de wind uit het kristal blaast een kleine kuil in het water voor ons, terwijl het water achter ons snel weer terugstroomt en zich ongeveer een meter achter Ella weer sluit. We bevinden ons in een luchtbel, die door het water schiet. Acht schreeuwt het uit van verrukking, en onwillekeurig doe ik mee.

Ella pakt me bij de arm. 'Zes is in moeilijkheden!' zegt ze. 'Ze zegt dat ze ergens in de woestijn zit!'

'Waar heb je het over?' antwoord ik, terwijl vissen, haaien en inktvissen in een waas langs ons heen schieten. 'Hoe weet je dat?'

Ella aarzelt even en roept dan: 'Dat weet ik eigenlijk niet! Maar op de een of andere manier heb ik haar net gesproken. In mijn hoofd. Ze zegt dat ze bijna dood is!'

'Als ze ergens in de woestijn zit, dan is ze al in New-Mexico!' roept Acht.

'Acht, dan moeten we daar nu meteen naartoe,' roep ik.

'We hebben nu de bodem bereikt en proberen door de modder te rennen, maar het is onmogelijk ons snel te bewegen. Achter ons stroomt het water onze luchtbel binnen, zodat het kristal nu snel nutteloos wordt. Het zorgt alleen nog maar voor een kleine draaikolk recht voor ons. Ik kijk over mijn schouder om te zien of het goed gaat met Ella, en of ze nog steeds haar adem inhoudt. Als ik me weer omdraai, heeft Acht zich op de een of andere manier omgevormd tot een zwarte octopus. Hij steekt twee tentakels uit en grijpt onze kistjes beet, terwijl hij met twee andere tentakels onze handen vastpakt. Hij trekt ons naar het stuk gloeiende blauwe Loraliet dat uit de zeebodem steekt, en voordat ik opnieuw naar Ella kan omkijken, word ik verzwolgen door het duister.

21

Vier

Negen en ik staan zwijgend naast elkaar in de lift naar beneden. Ik ben woedend, en voel me diep vernederd, maar dat heeft niets te maken met de gevoelens die nu in me opkomen. Als we het appartement binnenlopen, springt Bernie Kosar van de bank en hij vraagt of we eindelijk klaar zijn met al die flauwekul.

'Dat is niet aan mij, geloof ik. Wat jij, Johnny?' mompelt Negen. Hij trekt de ijskast open en haalt er een stuk koude pizza uit. Hij duwt de punt ervan in zijn mond, neemt een enorme hap en begint smakkend te kauwen.

Ik buk me en krab Bernie Kosar onder zijn kin. 'Ik hoop het, maatje.'

Met een mond vol pizza zegt Negen: 'Pak je doggiebag maar, BK, want we gaan weer op reis. We gaan terug naar Paradise, waar de mooie meisjes zijn. En verdomme, Vier, neem een douche. Je stinkt naar rook.'

'Hou je kop,' zeg ik terwijl ik me op de bank laat vallen. Bernie Kosar springt op mijn schoot en kijkt met treurige ogen naar me op.

Negen loopt weg, en gaat de gang in. Van daar roept hij naar me: 'Afspraak is afspraak, man! Over een paar uur gaan we op weg naar Paradise, dus nadat je hebt gedoucht kun je maar beter even een dutje doen. En hé, we gaan met de auto, dus daar kun je geen bezwaar tegen hebben.'

Ik ben uitgeput maar sjok moeizaam naar mijn kamer. Afspraak ís afspraak. Het bed piept als ik me erop laat vallen, maar na een paar minuten kan ik mijn eigen stank niet meer verdragen. Ik sleep mezelf naar de douche toe. Het water kan me niet heet genoeg worden, een bijverschijnsel van mijn Erfgave. Terwijl ik onder de douche sta, ben ik zo moe dat ik sta te wankelen op mijn benen. In gedachten neem ik het gevecht op het dak nog eens door. Ik probeer erachter te komen hoe het komt dat ik van Negen heb verloren, maar dat lukt me niet. Ik ben zo moe. Volgens mij sta ik in mezelf te praten. Ik draai de kraan dicht en luister naar de druppels die op de vloer van de douchecel vallen. Ik pak een handdoek en strompel terug naar bed. Ik moet echt slapen.

Ik kruip onder de dekens en met mijn telekinese duw ik het licht uit. Ik hoor Negens zware voetstappen terwijl hij naar de kamer met al die monitoren loopt en doe mijn ogen dicht. Ik slaap heel even, maar dan hoor ik iets. Negen klopt zachtjes op mijn open deur. Ik lig met mijn rug naar hem toe en verroer me niet, zelfs niet als hij zijn keel schraapt en begint te praten. 'Hé, Johnny? Het spijt me dat ik soms zo naar doe. Misschien zou ik kunnen zeggen dat het komt omdat ik zo lang opgesloten heb gezeten, en dat zoiets je nou eenmaal niet in je kouwe kleren gaat zitten. Maar laat ik eerlijk zijn: de reden dat ik zo aandring, is dat ik werkelijk denk dat ik gelijk heb. We moeten echt naar Paradise. Nú. Dus ik hoop dat we vrienden kunnen zijn. Ik wil vrienden zijn, en ik ben blij dat je hier bent.'

De hele tijd dat Negen sprak heb ik me niet bewogen, en ik weet niet goed hoe ik moet reageren op dit vertoon van gevoeligheid. Zelfs terwijl ik me omdraai weet ik nog niet goed wat ik zal gaan zeggen. Hij staat in elkaar gedoken in de deuropening. 'Ik ben ook blij dat ik hier ben. Dankjewel.'

'Oké.'

Negen slaat twee keer met zijn vlakke hand op de muur, tuurt naar de vloer, en loopt dan weg. Terwijl zijn voetstappen weergalmen door de gang, zakken mijn ogen dicht. Een paar minuten later hoor ik een zacht gefluister. Ik weet dat er een visioen of nachtmerrie op komst is. Ik besef dat ik in bed lig, maar tegelijkertijd lijkt het wel alsof ik me op geen enkele manier kan bewegen. Ik voel mezelf zweven, en als zich boven me een donkere deuropening vormt, begin ik in de lucht ongelooflijk snel om mijn as te draaien. Ik schiet door de deuropening en vlieg met mijn armen langs mijn zij door een zwarte tunnel. Als het zwart overgaat in blauw, wordt het gefluister steeds luider en één zinnetje wordt telkens weer herhaald: 'Er valt meer te weten.'

De blauwe tunnel wordt groen en het groen wordt weer zwart. En dan, boem, val ik uit de tunnel, en mijn blote voeten komen neer op een rotsbodem die vertrouwd aanvoelt. Ik strek mijn armen en merk dat ik weer macht heb over mijn lichaam. Ik ben terug in de arena op de top van de berg. Ik kijk over mijn schouder of ik Sam ergens zie, maar hij is nergens te bekennen. Net zo min als de andere Garde. De ruimte is volkomen leeg, zelfs de tribune.

Maar dan, midden op de arenavloer, draait een zwarte steen om, en aan de andere kant ervan hurkt een grote Mog-soldaat. Hij is in een gerafelde zwarte mantel gehuld, en draagt zwarte laarzen. Zijn glimmende, bleke huid lijkt licht uit te stralen en het zwaard dat hij boven zijn hoofd houdt schittert, alsof het van binnenuit wordt verlicht. Als hij mij ziet, staat hij op en wijst dreigend naar me met zijn zwaard. Het pulseert, alsof het op de een of andere manier leeft, en niet meer dan een verlengstuk is van het kwaad waardoor het gehanteerd wordt.

Zonder aarzelen ren ik recht op hem af. Mijn handpalmen stralen krachtige lichtbundels uit. Als ik nog maar tien meter van hem verwijderd ben, richt ik de Lumen op mijn voeten, en het licht is zo fel dat die in brand vliegen. Terwijl ik spring verspreiden de vlammen zich over mijn hele lichaam. De soldaat springt op me af en als we elkaar raken brand ik een smeulend gat in zijn borstkas. Nog voordat hij de grond raakt, is hij al in as veranderd.

Rechts van me draait een andere zwarte steen om, en opnieuw verschijnt er een Mog met een zwaard. Links van me draaien nog twee stenen, en achter me hoor ik er nog meer. De steen onder mijn voeten begint te trillen en ik spring nog net op tijd opzij terwijl ook die draait om een Mogadoor met een kanon in zijn armen te onthullen. Nadat ik een gat in de borst van de soldaat links van me heb gebrand, begin ik vuurballen te gooien. Ik strijd nu met een nieuw hervonden kracht. Mijn rode armband komt tot leven, en terwijl hij openspringt, scheidt hij het hoofd van de reusachtige Mog-soldaat van zijn romp. Binnen een minuut heb ik ze allemaal uitgeroeid. De adrenaline giert door mijn lijf, en ik luister aandachtig of ik nog meer stenen hoor draaien om het volgende setje gegadigden te onthullen.

Voor me draaien een stuk of tien stenen om, en dan vijftig links en rechts van me. Ik ben nu omsingeld door de grootste, zwaarstbewapende Mog-soldaten die ik ooit heb gezien. Ik maak een kleine kring van vuur om me heen en loop langzaam naar achteren, terwijl de kring van vuur met me meebeweegt totdat ik tegen de muur van de arena sta. Het vuur brandt tussen de Mogs en mij. Toch heb ik ergens niet het gevoel dat ik nu bijzonder veilig ben.

Ik maak de kring van vuur om me heen wat wijder, totdat het vuur een rij soldaten bereikt. Ze vliegen in brand, maar veranderen niet in hoopjes as. Ze lopen zelfs recht door het vuur heen, met hun wapens in de aanslag. Ik gooi tientallen vuurballen naar hen toe, maar deze keer hebben die geen effect. Er vliegt iets roods door de lucht en terwijl ik sta te kijken doorboort het de borstkas van een Mog-soldaat die gewoon doorloopt. Ik herken het voorwerp. Het is Negens staf. Negen springt van de lege tribune en staat nu vlak naast me. Zelfs terwijl ik word aangevallen door Mogs, ben ik opgelucht dat ik hem zie. Ik voel me onmiddellijk veiliger en heb er meer vertrouwen in dat zelfs deze vuurbestendige Mogs wel te verslaan zijn nu we met z'n tweeën zijn.

'Fijn dat je me gezelschap komt houden!' roep ik.

Hij staat vlak naast me, maar lijkt mijn stem niet te horen. 'Hé, Negen!' roep ik nog eens, maar nog steeds reageert hij niet. Hij staat daar maar met een strakke blik in zijn ogen naar de oprukkende Mogs te kijken.

Als de soldaten nog maar een meter van ons verwijderd zijn, begint de grond onder onze voeten te trillen en te schudden. Ik probeer me vast te klampen aan de muur, maar kan mijn evenwicht niet bewaren. Plotseling klinkt er een luide dreun. De overkant van de arena begint te schudden op zijn grondvesten en zwarte stukken steen regenen op ons neer. Negen springt opzij om een groot rotsblok te ontwijken dat tegen de muur achter mij smakt en daar een groot gat in slaat, dat naar buiten leidt. Ik kijk erdoorheen en zie een blauwe hemel.

Uit de grote stofwolken en het rondvliegende puin rijst nu een groot podium op. En daar, in het midden, staat Setrákus Ra. Net een boosaardige rockster, denk ik onwillekeurig. Het purperen litteken om zijn nek straalt een felle gloed uit, boven de drie blauwe amuletten op zijn borst. Vol afgrijzen merk ik, dat op het moment dat hij verschijnt, het vuur om me heen uitgaat. Ik probeer mijn benen aan te steken met mijn Lumen, maar plotseling lukt het me niet meer om mijn handpalmen licht te laten uitstralen. Setrákus Ra slaat het uiteinde van zijn gouden staf met het bewegende oog op de grond en brult dat het stil moet zijn. De soldaten springen in de houding en keren zich naar hem toe, zodat ze met hun rug naar Negen en mij komen te staan. Een voor een gaan ze in de houding staan, met hun wapen langs hun lichaam.

'Jullie zijn gekozen om deze strijd te beëindigen!' roept Setrákus Ra. 'Jullie trekken de wereld in om de Lorische kinderen te vernietigen. Als ze dood zijn, brengen jullie me hun amuletten en kistjes. Hun menselijke vrienden zullen jullie verpletteren. Jullie zullen me niet teleurstellen!'

De Mog-soldaten juichen en heffen als één man een gebalde vuist.

Er klinkt opnieuw een donderende klap als Setrákus Ra met zijn staf op de grond slaat.

'Mogadoor zal deze melkweg regeren! Alles op elke planeet zal van ons zijn!' De soldaten beginnen te juichen en zwaaien met hun wapens.

'Samen zullen we de strijd aangaan. Ik zal zij aan zij met jullie vechten. Samen zullen we deze oorlog winnen en al het leven op Aarde vernietigen!'

Opnieuw probeer ik mijn Lumen aan te steken, maar het werkt nog steeds niet. Dan probeer ik een grote scherpe steen die aan mijn voeten ligt met mijn geest op te tillen en naar Setrákus Ra toe te gooien. De steen blijft liggen waar hij ligt. Mijn schild is weer in mijn armband geschoven en zo te zien zal het daar blijven ook. Mijn Erfgaven – en mijn Erfdeel – hebben me in de steek gelaten.

De soldaten hebben zich naar ons toe gekeerd en ze richten opnieuw hun wapens op ons. Zonder onze Erfgaven zitten we als ratten in de val. We moeten hier weg!

'Negen! Deze kant op!' roep ik.

Nu lijkt hij me eindelijk te horen. Hij draait zijn hoofd opzij en kijkt me aan. We lopen naar het gat in de muur. We staan nu in het kille zonlicht aan de rand van de opening in de muur. Ik kijk eroverheen en zie honderden meters onder me een diep dal liggen. Ik kijk achterom: Mog-soldaten komen op ons af rennen.

'We lopen over de bergwand,' zegt Negen. 'Hier. Geef me een hand.'

Haastig pak ik zijn hand vast. We hebben nog maar één stap op de zijkant van de besneeuwde berghelling gezet als het al tot ons doordringt dat ook Negens Erfgaven hem in de steek hebben gelaten. In plaats van de berg onder mijn voetzolen voel ik alleen maar een leegte. We vallen. Ik kijk opzij naar een geschrokken Negen, terwijl zijn lange haar rond zijn gezicht alle kanten op wappert. Onder ons komen twee donkere deuropeningen snel op ons afschieten. Ik zet me schrap voor een pijnlijke botsing, en voel hoe mijn maag zich omdraait. Tot mijn stomme verbazing duik ik door de deur links en blijf ik gewoon vallen totdat ik in een donkere tunnel terechtkom waar het voortdurend dondert en bliksemt. Het gefluister begint opnieuw en terwijl de tunnel eerst groen en dan blauw oplicht en vervolgens weer zwart wordt, zegt dezelfde hese stem die ik ook al heb gehoord toen dit visioen begon: 'New-Mexico.'

Ik doe mijn ogen open en ga rechtop zitten. Mijn gezicht druipt van het zweet. Ik ruk de lakens van me af, die strak om mijn lijf gewikkeld zitten. New-Mexico. Ik spring op en ren de gang door, naar Negens kamer. Ik ben vastbesloten om hem voor eens en voor altijd van mijn gelijk te overtuigen. Als ik opnieuw met hem vechten moet, dan moet dat maar. Ik blijf met hem vechten totdat ik win.

Voor Negens deur blijf ik staan en zet mijn Lumen aan, omdat ik er behoefte aan heb om te weten dat mijn Erfgaven me niet werkelijk in de steek hebben gelaten. Ik klop en doe de deur open. Tot mijn verrassing zie ik Negen rechtop in bed zitten, met zijn hoofd in zijn handen.

'Negen!' zeg ik, en ik doe het licht aan. 'Het spijt me. Afspraak is afspraak, dat weet ik, en je hebt me verslagen daarnet, maar we moeten nu echt...'

'... naar New-Mexico. Ik weet het, Johnny. Ik weet het.' Hij schudt zijn hoofd. Ik weet niet goed of hij nou probeert wakker te worden of dat het hem moeite kost om zich aan te passen aan deze plotselinge verandering van plan. Waarschijnlijk allebei. 'Laat me even wakker worden.'

‘Dus je hebt je bedacht?’

Hij zet zijn voeten op de vloer, eerst de ene, dan de andere. ‘Nee, ik heb me niet bedacht. Maar als je de dood tegemoet valt omdat je Erfgaven niet werken en de een of andere spookverschijning telkens weer “New-Mexico” zegt, is dat een hint die je maar beter niet kunt negeren.’

‘Heb jij hetzelfde visioen gehad?’ vraag ik. Het geruststellende gevoel toen ik Negen zag... dat kwam doordat hij daar toen écht was. Het dringt tot me door dat Negen en ik met elkaar verbonden zijn, en dat ik hem wat meer respect zou moeten gunnen dan ik tot nu toe gedaan heb. Ik moet ermee ophouden om hem als een tegenstander te beschouwen. Ons leven hangt ervan af.

Negen trekt een T-shirt aan en er verschijnt een wat neerbuigend lachje op zijn gezicht. Dat lachje ken ik maar al te goed. ‘Nee, idioot! Heb je het nou nog niet uitgepuzzeld? Het is niet zo dat ik ook een visioen heb gehad, maar wij zaten allebei in hetzelfde visioen. Dat gaat de hele week al zo. Laat dat nou eindelijk eens tot je doordringen.’

Ik ben verward en dat weet ik niet goed te verbergen. ‘Maar telkens als ik het erover had, wuifde je dat weg. Je wuifde míj weg. Je zei telkens weer dat het maar een droom was en zo. Je kon toch zien hoe akelig ik die dromen vond, Negen! En toch heb je de hele tijd gedaan alsof ik gestoord was, omdat ik ze serieus nam!’

‘Ten eerste geloof jij dat je Pittacus Lore bent, dus technisch gezien ben je inderdaad gestoord. Ten tweede zat ik je niet te stangen hoor. Aanvankelijk heb ik die visioenen inderdaad weggewuifd: die van mij én die van jou. Ik vond het maar flauwekul. Toen Setrákus Ra me vroeg om me over te geven, net zoals hij dat aan jou en die andere jongen vroeg, dacht ik dat die visioenen een truc of list van de Mogs waren. Het lijkt me niet goed om ze te vertrouwen, en het leek me een heel slecht idee om ook maar iets te doen wat ons in die visioenen werd aangeraden. Eigenlijk leek het me het veiligst om juist niet te doen wat die visioenen wilden. Maar deze keer...’ Negen laat een korte stilte vallen. ‘Deze keer voelde het als een waarschuwing, een waarschuwing die we serieus moeten nemen. Nu ben ik er behoorlijk zeker van dat er grote rotzooi op komst is, Vier.’

Ik ben heel opgelucht dat hij nou eindelijk heeft besloten naar me te luisteren, maar het is wel heel frustrerend dat het allemaal zo lang geduurd heeft. 'Dat probeer ik je nou al de hele tijd duidelijk te maken! Oké, laten we maar gaan dan! Heb je erover nagedacht hoe we daar komen? O, man, ik hoop toch zo dat Sandor en jij ergens een vliegtuig of helikopter hebben staan!'

'Sorry, makker, ze stonden wel op ons verlanglijstje.' Hij geeuwt en rekt zich uit. 'Maar ik heb wel een auto in de parkeergarage staan. Ik vind het hartstikke gaaf erin te rijden. Snel.'

*

Negen en ik pakken zoveel wapens uit de wapenkamer als we maar dragen kunnen. We proppen twee grote plunjezakken vol geweren, pistolen en handgranaten. Ik pak een raketwerper, maar Negen zegt dat die niet in de kofferbak past. De ruimte die we nu nog over hebben, hebben we nodig voor de ammunitie. Daarna gaan we naar de surveillancekamer om de tablet te pakken.

Negen gaat zitten en begint te typen op het toetsenbord van een van de computers. 'Ik moet dit ding uitschakelen. We willen niet dat deze apparatuur nuttig is voor onwelkome gasten. Doe me een lol, wil je. Controleer jij even hoe het met de Garde gaat op die tablet, terwijl ik de zaken hier afsluit.'

Ik druk op de blauwe cirkel in de bovenhoek en na even wachten zie ik onze twee blauwe stippen in Chicago opduiken. En dan zie ik er een in het noordelijke deel van New-Mexico. En er is er ook nog steeds een in Jamaica. Ik wacht een paar seconden tot ik de andere drie zie verschijnen, maar dat gebeurt niet.

'Negen? Ik zie er maar vier,' zeg ik, en ik ben zo in paniek dat mijn stem overslaat. 'Er zijn maar vier blauwe stippen!'

Hij rukt me de tablet uit handen. 'Laten we eens kijken. Op een of andere manier zijn ze buiten beeld geraakt,' zegt Negen. Plotseling klinkt hij heel wat minder zelfverzekerd. Hij drukt op de groene driehoek en de pulserende groene stippen verschijnen op de kaart in New-Mexico en Egypte, net zoals eerst. 'In elk geval zijn de ontbrekende drie er niet in een van de ruimteschepen vandoor gegaan.'

Ik kijk wat aandachtiger en druk nog eens op de blauwe cirkel. Het dringt tot me door dat de blauwe stip in New-Mexico zich nu op precies dezelfde plek bevindt als de groene stip. 'De Garde in New-Mexico is nu bij het schip, als dat tenminste een schip is.'

'Ik hoop dat die stip, wie het ook zijn mag, zich realiseert dat het zo alleen een heel eenzame vlucht zal worden,' zegt Negen. Ik kijk hem hoofdschuddend aan en tuur naar het scherm, terwijl ik probeer te bedenken wat we het beste kunnen doen.

En dan dringt het tot me door. 'Wacht eens even. Op de een of andere manier is de overheid hierbij betrokken. Toch? Wat is er verder nog in New-Mexico? Area 51! Zou dat de plek zijn waar we die groene stip zien? Het gebied waar de belangrijkste ufo-waarnemingen zijn gedaan?' Alle stukjes van de puzzel beginnen in elkaar te passen.

Negen trekt het toetsenbord wat dichter naar zich toe en begint nog sneller te typen. 'Rustig aan, snelle jongen. Ten eerste bevindt Area 51 zich in Nevada. Ten tweede weten wij aliens dat Area 51 alleen maar een lokmiddel is voor ufo-fanaten, zodat ze ons elders niet voor de voeten lopen. Dat hele Area 51 is niet veel meer dan een hangar voor een paar vliegtuigjes.' Er verschijnt een kaart van New-Mexico op het beeldscherm en Negen zoomt in op het noordelijke deel ervan. 'Oké, wacht eens even.' Zijn ogen gaan heen en weer tussen de tablet en het beeldscherm. 'Maar dit is wel interessant. Eigenlijk zat je er niet zo heel ver naast. We gaan niet naar Area 51, maar wel naar een al net zo geheime plek.'

'Hoe bedoel je?' vraag ik, terwijl ik me afvraag waarom ik op de een of andere manier altijd achter die gast aan moet hollen.

Met een ergerniswekkend zelfvoldane grijns op zijn gezicht, duwt Negen zijn stoel weg van het bureau. 'Shit, nou snap ik het ineens.' Hij wijst met zijn vinger naar het scherm. 'In dit deel van New-Mexico ligt midden in de woestijn een plaatsje dat Dulce heet. Komt die naam je bekend voor? Nee? Dulce, als in de beruchte geheime ondergrondse basis Dulce. En die basis wordt gerund door de Amerikaanse overheid, de enige echte. Dáár moet ons schip wel liggen. Nu weet ik zeker dat die knipperende groene stippen op het scherm onze schepen zijn! In haar volmaakte wijsheid heeft de overheid geruchten over Area 51 verspreid, zodat al die ufo-freaks niet bij Dulce komen rondhangen.'

Onwillekeurig moet ik glimlachen. 'Dus nu gaan we een ondergrondse geheime basis van de Amerikaanse regering binnendringen?'

'Ik mag hopen van wel,' zegt Negen, terwijl hij de computer afsluit. Het scheelt niet veel of hij maakt een buiging, zo blij is hij met zichzelf dat hij dit allemaal doorheeft. 'Hoewel alles daar waanzinnig goed beveiligd is, en het volkomen onmogelijk is om er binnen te dringen. Daarom is het natuurlijk ook zo'n goeie plek om een schip te verbergen.'

'Of aliens die je toevallig tegen het lijf bent gelopen,' voeg ik daaraan toe.

Het lijkt wel of alles op zijn kop is gezet sinds ik wakker ben geworden. Haastig komen we in beweging, we stapelen de wapens, onze kistjes en de voorraden op in de lift. Terwijl de deuren dichtschuiven, springt BK op het laatste moment ook de lift in. Het verbaast me hoe vriendelijk Negen klinkt als hij de dichtgeschoven deuren toespreekt. 'Je bent een fijne plek om te wonen, Chicago. Ik hoop je terug te zien.'

De lift schiet omlaag. 'Hé man,' zeg ik. 'Vergeet niet dat ons échte thuis veel gaver is.' Hij zegt niets, maar ik zie dat zijn schouders zich ontspannen.

De liftdeuren schuiven open en bieden toegang tot een ondergrondse garage. We blijven even staan en kijken zorgvuldig om ons heen voordat we beginnen uit te laden. Als de kust veilig is, hijsen Negen en ik de plunjezakken over onze schouders en BK loopt achter ons aan. Als we een hoek omslaan, zie ik dat we naar een auto lopen die door een stoffige hoes aan het oog wordt onttrokken. Na de luxe van het appartement kan ik me nauwelijks voorstellen wat daaronder schuilgaat. Een gele Ferrari misschien. Of een witte Porsche convertible, of misschien zelfs een zwarte Lotus.

Negen moet mijn gedachten geraden hebben. Hij knipoogt en trekt de hoes weg, zodat onze auto zichtbaar wordt. En daar staat hij, in al zijn glorie: een oude, gebutste, beige Ford Mondeo. Niet bepaald het opgepimpte racemonster dat ik had verwacht, maar blingbling is op dit moment wel het laatste wat me interesseert. Dit ding ziet eruit alsof het niet eens zal starten.

'Dat meen je toch niet?' vraag ik, zonder ook maar enige moeite te doen om mijn weerzin te verhullen.

Negen werpt me een onschuldige blik toe, al is het duidelijk dat hij wist wat ik had verwacht.

'Wat? Had je soms op een Camaro gehoopt?'

'Nee, bepaald niet. Maar ik had wel gehoopt op iets met wat minder roestplekken. Iets wat er niet uitziet alsof het elk moment door zijn as kan zakken,' zeg ik.

'Kop dicht en instappen, Johnny,' zegt hij en hij laat zijn plunjebaal in de kofferbak ploffen. 'Wacht maar tot je ziet wat die ouwe bak allemaal kan.'

22

Zes

Als ik wakker word, heb ik het gevoel dat ik heen en weer gewiegd word. Alles doet me pijn. Mijn hele lichaam lijkt wel zwaar verbrand door de zon: mijn keel, mijn huid, mijn voeten en mijn hoofd. Mijn lippen zijn zo droog en verbrand dat ik ze niet eens op elkaar kan krijgen. Mijn oogleden zijn er nog het ergst aan toe; ze weigeren open te gaan, hoe wanhopig graag ik ook wil zien waar ik ben. Het heen en weer wiegen en slingeren gaat maar door, en het dringt tot me door dat ik in een auto moet liggen. Plotseling word ik ontzettend misselijk. Ik probeer mijn handen naar mijn hoofd te brengen, maar dan ontdek ik dat die bij elkaar gebonden zijn, net als mijn benen. Nu ben ik klaarwakker, en ik dwing mezelf om mijn ogen open te doen en als een gek kijk ik om me heen, maar ik zie alleen maar duisternis. Ik doe mijn ogen weer dicht. De woestijnzon heeft me kennelijk verblind.

Ik probeer om hulp te roepen, maar ik kan alleen maar piepen en hoesten. Mijn oren vangen een echo op, en ik richt mijn aandacht op de lucht om me heen. Ik hoest nog eens, gewoon om die echo nog een keer te horen. Er is voldoende geluid om uit op te maken dat ik me in een krappe ruimte bevind, en dat de wanden van metaal zijn. Het voelt alsof ik in een doodskist lig, en ik moet bijna kokhalzen.

Op dat moment begin ik in paniek te raken. Wat als ik niet blind ben? Wat als ik echt dood ben? Dat kan niet. Ik heb veel te veel pijn om dood te kunnen zijn. Maar ik voel me levend begraven.

Ik begin steeds sneller te ademen als een mannenstem mijn paniekaanval in de kiem smoort. De stem is luid en elektronisch; hij komt uit een luidspreker. 'Ben je wakker?'

Ik probeer te antwoorden, maar daar is mijn keel te droog voor. Ik tik met mijn vingers op de bank en het dringt tot me door dat die van metaal is. Een paar seconden later klinkt er rechts van me een geluid, en ik voel dat er iets naast me is neergezet.

'Naast je staat een glas water met een rietje erin. Neem een slokje,' zegt de man.

Ik draai mijn hoofd om en vind het rietje met mijn mond. Ik voel hoe de huid van mijn lippen scheurt, als ik probeer ze om het rietje te klemmen. Als ik een slokje water neem, proef ik de metalige smaak van bloed en ik hoor een laag gezoem in mijn oren. Het is hetzelfde zoemende geluid dat ik bij het hek heb gehoord. De kist waar ik in lig, staat kennelijk onder hoogspanning.

'Wat deed je daar bij dat hek?' vraagt de man. Elke keer dat hij spreekt, valt het me op hoe neutraal zijn stem klinkt. Niet vriendelijk, maar ook niet dreigend.

'Verdwaald,' fluisterde ik. 'Ik was verdwaald.'

'Hoe ben je verdwaald geraakt?'

Ik neem nog een slokje voordat ik zeg: 'Dat weet ik niet.'

'Je weet het niet. Juist. Je nummer is Zes, klopt dat?'

Ik verslik me als ik die vraag hoor, en begin te hoesten, terwijl ik mezelf in gedachten de mantel uitveeg, omdat ik mezelf zo heb blootgegeven. Over het algemeen heb ik mezelf wat beter in de hand, maar ik ben volkomen gaar van al die zon. Als hij al niet zeker wist dat ik Zes ben, dan heeft mijn reactie alle twijfel wel verdreven. Ik besluit om mezelf beter onder controle te houden, en verder geen stomme fouten meer te maken.

Daar is de stem weer. 'Nou, Nummer Zes. Je bent hier beroemd, mag ik wel zeggen. De beelden van die school in Paradise en de manier waarop je die helikopters in Tennessee hebt neergehaald, waren hoogst indrukwekkend. En dan was er nog die ongelooflijke vertoning die je afgelopen week in D.C. hebt opgevoerd toen je John Smith en Sam Goode bevrijdde uit een federale inrichting. Je bent wel een echte strijdprinses, hè?'

Ik ben nog steeds stomverbaasd dat hij weet wie ik ben; en nu zit hij te praten alsof hij op de eerste rij naar mijn leven heeft zitten kijken? Mijn lichaam zwaait met een ruk naar links en ik besef dat ik in een auto lig die zojuist een bocht heeft gemaakt, en me nu god mag weten waarheen brengt. Ik duw tegen de band om mijn voorhoofd, maar er gebeurt niets. Ik probeer gebruik te maken van mijn telekinese, maar zodra ik zelfs maar probeer om mijn aandacht daarop te richten krijg ik zo'n hevige kramp in mijn maag dat ik opnieuw begin te kokhalzen.

'Je moet je ontspannen. Het heeft geen enkele zin om je te verzetten. Je bent uitgedroogd, en hoogstwaarschijnlijk heb je een zonnesteek. Je zult je voorlopig nog wel flink beroerd voelen.'

'Wie ben jij?' weet ik met veel moeite uit te brengen.

'Agent David Purdy, FBI,' zegt hij. Ik voel me iets beter nu ik weet dat ik in handen ben van de Amerikaanse overheid en niet door de Mogs gepakt ben. Dat zou ik niet nog eens kunnen doormaken, vooral omdat ik dan zou weten wat me te wachten stond, en al helemaal nu de formule die me de eerste keer beschermde, niet meer werkt. Met de FBI zijn mijn kansen om hier heelhuids uit te komen een heel stuk groter. Hoe agressief ze ook mogen zijn, het zijn geen monsters. Een beetje geduld, meer heb ik nu niet nodig. Vroeg of laat komt er wel een kans om te ontsnappen. Purdy weet dat niet, en gaat er waarschijnlijk vanuit dat dat niet waar kan zijn. Op dit moment kan ik maar beter gewoon doen wat hij zegt, me ontspannen en zorgen dat ik weer wat vocht in mijn lijf krijg. Wachten. Ik kan net zo goed eens kijken wat hij verder nog loslaat over wat hij allemaal weet over mij, en over deze hele geschiedenis.

'Waar ben ik?' vraag ik.

De luidspreker piept voordat agent Purdy antwoord geeft. 'Je ligt in een auto. Het is maar een korte rit.'

Opnieuw probeer ik mijn telekinese te gebruiken om de band om mijn benen los te maken, maar ik ben nog steeds te zwak, en ik voel me weer misselijk worden. Ik neem nog een paar slokjes water om mezelf tijd te geven om na te denken. 'Waar brengen jullie me heen?'

'We hebben een reünie voor je gepland, met een vriend, of misschien kan ik maar beter zeggen een vriend van John Smith. Noem je hem John? Of noem je hem Nummer Vier?'

'Ik weet niet waar u het over hebt,' zeg ik, en ik neem rustig de tijd voordat ik antwoord geef. 'Ik ken niemand die John Vier heet.'

Plotseling herinner ik me weer wat er in de woestijn is gebeurd, vlak voordat ik flauwviel bij het hek. Ik was half krankzinnig; het was zo erg dat ik er niet eens zeker van was of de helikopters die vlak naast me landden, eigenlijk wel echt waren. Ik herinner me dat ik Ella's stem heb gehoord. Nee, ik heb haar niet alleen gehoord, we hebben elkaar gesproken. Zij vroeg iets en ik gaf antwoord. Gezien het feit dat de FBI me nu gevangenhoudt, lijkt het vrij zeker dat er werkelijk helikopters zijn geweest. En als die helikopters echt waren, misschien heb ik dan ook wel echt met Ella gecommuniceerd. Is er zojuist een nieuwe Erfgave actief geworden? Net op het moment dat ik die het hardste nodig heb?

Ella? Kun je me horen? Ik probeer het nog eens, voor de zekerheid. Ik word vastgehouden door de FBI , en iemand die zich agent Purdy noemt, heeft me opgesloten. We zitten in een auto. Purdy zegt dat het niet ver is, waar we dan ook naartoe gaan.

'Hoe ben je in die woestijn terechtgekomen, Nummer Zes?' Purdy's stem verstoort mijn gedachten. 'Was je nog maar kortgeleden niet in India, samen met je vrienden? Weet je dat nog? Net zoals alle andere kinderen zat je rustig in je schoolboeken te lezen en werd je op de luchthaven ontvoerd.'

Hoe weet hij dat?

'Hoe wist je waar de basis was?' Zijn stem klinkt nu wat minder neutraal. Volgens mij hoor ik iets van ongeduld.

'Welke basis?' vraag ik. Het kost me moeite om helder te denken.

'De basis in de woestijn waar je halfdood voor het hek lag. Hoe heb je die weten te vinden?'

Ik probeer mezelf onzichtbaar te maken, maar ook nu weer krijg ik ontzettende kramp in mijn maag zodra ik mijn Erfgave probeer. Ik wil zo graag ineenkrimpen en mijn armen om mijn knieën slaan, maar de banden om mijn benen en bovenlijf zorgen ervoor dat ik plat op de bank moet blijven liggen. De pijn maakt het me bijna onmogelijk om nog lucht te krijgen.

'Drink je water,' adviseert de agent opnieuw. Zijn stem klinkt weer even onthecht en neutraal als daarnet.

Net als de eerste keer gehoorzaam ik. Ik neem een slokje en wacht af. Het duurt een hele tijd voordat de pijn eindelijk wat minder wordt, maar dan voel ik ineens een heftige golf van duizeligheid opkomen. Mijn geest is nu net een auto die zo wild heen en weer schiet, dat de bestuurder de macht over het stuur dreigt te verliezen. Ook mijn gedachten schieten nu woest alle kanten op;

het zijn er te veel tegelijk om er nog enige samenhang in te kunnen ontdekken. De gebeurtenissen van de afgelopen paar dagen flitsen aan me voorbij. Ik zie hoe ik Marina's arm vastgrijp, vlak voordat we teleporteren. Ik zie Crayton roerloos op de grond liggen. Ik zie mezelf afscheid nemen van John en Sam. Ik vergeet bijna waar ik me nu bevind. Tot de stem me dwingt om terug te keren naar mijn huidige omstandigheden.

'Waar is Nummer Vier?' Hij geeft niet snel op, dat moet je hem nageven.

'Wie?' vraag ik, en ik dwing mezelf goed naar hem te luisteren. Als ik dat niet doe, maak ik nog zo'n fout als daarnet.

Plotseling is de rust in zijn stem volkomen verdwenen. 'Waar is Nummer Vier?' schreeuwt hij door de luidspreker, zo hard dat ik ineenkrimp.

'Loop naar de hel!' snauw ik. Ik vertel hem helemaal niets.

Ella? Marina? Is daar iemand? Als iemand me kan horen, dan moet je nu iets zeggen. Ik heb hulp nodig. Ik ben in de een of andere woestijn. Ik weet alleen maar dat ik dicht bij een Amerikaanse overheidsbasis ben, en dat ik in handen ben gevallen van de FBI. We gaan ergens naartoe, maar waarheen weet ik niet. En er is iets mis met me. Ik kan mijn Erfgaven niet gebruiken.

'Wie was er samen met jou in India, Nummer Zes? Wie waren die man en die twee meisjes?'

Ik blijf zwijgen. Ik zie Ella's gezicht voor me. Ze is de jongste Loriër die nog over is. Ik weet dat dat een zware last voor haar moet zijn. En nu zal ze het zonder Crayton moeten stellen. Gisteren was ik nog jaloers op wat die twee samen hadden, en nu is hij dood.

'Welke nummers waren dat? Wie waren die meisjes?' Agent Purdy lijkt ongeduldig, al klinkt zijn stem nu wat rustiger.

'Dat is mijn band. Ik ben drummer en zij zingen. Ik ben gek van Josie and the Pussycats, u niet? Ik kijk graag naar retrotekenfilmpjes. Alle kinderen vinden dat leuk tegenwoordig.' Mijn lippen beginnen weer te bloeden als ik glimlach, maar dat kan me niet schelen. Ik proef het bloed op mijn tong en begin nog breder te grijnzen.

'Zes?' vraagt de man wat vriendelijker. Volgens mij gaat hij nu weer de aardige agent uithangen. 'Waren dat Nummer Vijf en Zeven die je in India op de luchthaven hebt ontmoet? Wie is die oudere man? Wie zijn die meisjes?'

Plotseling lijkt het wel alsof ik niet meer in de hand heb wat ik allemaal zeg. Het lijkt wel of het niet eens mijn eigen stem meer is: 'Marina en Ella. Het zijn ontzettend fijne meiden. Ik zou alleen graag willen dat ze wat sterker waren.' Wat zeg ik nou? Waarom zeg ik wat dan ook?

'Zijn Marina en Ella leden van jouw ras? Waarom moeten ze sterker zijn? En welk nummer is Marina?'

Deze keer weet ik mezelf nog net op tijd in te houden en ik geef geen antwoord. Ik ben erg geschrokken dat ik zelfs maar mijn mond open heb gedaan om opnieuw te antwoorden. Al mijn energie is er nu op gericht om mijn eigen stem terug te vinden, zodat ik weer op een verstandige manier kan reageren. Het is net alsof er in mijn eigen geest een oorlog wordt uitgevochten. 'Ik weet niet waar u het over hebt. Waarom begint u toch telkens weer over nummers?'

De stem van agent Purdy dreunt uit de luidspreker. 'Ik weet wie jullie zijn! Jullie komen van een andere planeet! Ik weet dat jullie allemaal een eigen nummer hebben! We hebben jullie ruimteschip!'

Als hij het schip noemt, slaan mijn gedachten op hol. Ineens moet ik terugdenken aan de reis van Loriën naar de Aarde. Ik zie mezelf weer als klein meisje dat door de patrijspoorten van het schip naar de lege ruimte tuurt, terwijl we naar de Aarde reizen. En dan zit ik te eten aan een lange witte tafel en kijk naar de andere kinderen, allemaal met hun eigen Cêpaan. Er is een jongen met lang zwart haar die zit te lachen en met eten gooit. Naast hem zit een blond meisje rustig een stuk fruit te eten. De Cêpanen aan het uiteinde van de tafel houden de kinderen goed in de gaten. Ik zie een jonge Marina die op de vloer onder het controlepaneel zit te huilen, met haar benen opgetrokken tegen haar borst. Haar Cêpaan zit op haar knieën naast haar en probeert haar zover te krijgen dat ze weer opstaat. Ik herinner me dat ik problemen heb gehad met de jongen met kort zwart haar.

Het volgende gezicht dat ik zie is dat van een jonge Nummer

Vier. Zijn blonde haar is lang en golvend. Hij schopt met zijn blote voet tegen de muur, boos over iets. Hij draait zich om, pakt een kussen en smijt het op de vloer. Vier kijkt op, ziet dat ik naar hem sta te kijken, en zijn gezicht wordt felrood. Ik geef hem een stuk speelgoed, iets wat ik van hem heb gestolen. Het schuldgevoel van toen daalt nu weer over me neer, net zo sterk als toen het voor het eerst gebeurde. De andere gezichten in het vertrek worden wazig.

Dan zie ik mezelf in Katarina's armen toen we op Aarde landden. Ik herinner me hoe het luik van het schip opengingen.

Waar zijn al die herinneringen vandaan gekomen? Op wat kleine details na heb ik me nooit iets kunnen herinneren van onze reis naar de Aarde, hoe hard ik ook mijn best deed. Zo'n levendige flashback als deze heb ik nog nooit gehad.

'Luister je naar me?' schreeuwt Purdy. 'We hebben de Mogadoren gesproken.' Die woorden brengen me met een doffe dreun terug naar het heden. 'Wist je dat?'

'O ja? En wat hadden die te zeggen?' vraag ik, terwijl ik mijn best doe om het te laten klinken alsof ik gewoon wat zit te babbelen. Ik heb er onmiddellijk spijt van. Waarom zou ik toegeven dat ik weet wie de Mogs zijn? Voordat ik te lang bij mijn vergissing kan blijven stilstaan, gaan mijn gedachten echter weer terug naar het schip, naar de deuren die opengingen, naar de man met bruin haar en een bril met grote dikke glazen die ons daar stond op te wachten. In zijn handen had hij een koffertje en een witte tablet, en achter hem stond een grote doos vol met kleren. Op de een of andere manier weet ik dat hij Sams vader is. Sam. O, wat zou ik die nu graag zien.

'Ik wil Sam zien,' brabbel ik. Hoewel ik eigenlijk helemaal niets wil zeggen waar die agent ook maar iets wijzer van kan worden, kan ik mezelf niet tegenhouden. Ik hoor mijn stem, voel hoe log, sloom en traag mijn hersenen reageren, en ineens dringt het tot me door dat er drugs in het water gezeten hebben. Daarom lukt het niet om me op een gedachte te concentreren, daarom dwaal ik telkens weer met mijn gedachten af naar het verleden, en daarom doet het zoveel pijn als ik probeer mijn Erfgaven te gebruiken.

Ik heb Sam gekust. Ik had hem echt moeten kussen, maar ik maakte me te druk over wat John ervan zou denken.

John. Ik heb John ook gekust. Ik zou het echt heel fijn vinden om John opnieuw te kussen. Ik krijg een raar gevoel in mijn buik als ik terugdenk aan dat moment waarop John me bij mijn schouders greep en me naar zich toe, draaide. Hij bukte zich en bracht zijn gezicht naar me toe maar vlak voordat onze lippen elkaar raakten, ontplofte het huis. Ik voel mijn kin omhooggaan, terwijl ik dat moment telkens weer opnieuw afspeel. Maar deze keer gaat het anders: als het huis ontploft, kussen we elkaar, en die kus is perfect.

'Sam?' De stem van agent Purdy onderbreekt mijn gedachtegang. Ik vond het echt fijn om aan die kus terug te denken. 'Je bedoelt zeker Sam Goode?'

Sams gezicht, meer kan ik nu niet zien, en mijn gedachten gaan volkomen onbeheerst alle kanten uit. 'Ja. Absoluut. Ik wil Sam Goode zien.' Ik hoor hoe mijn stem langzaam wegsterft.

'Is hij een van jullie? Welk nummer heeft Sam Goode?'

Mijn oogleden worden zwaar en ik merk dat ik in slaap val. Eindelijk doen die drugs me een klein genoegen.

'Zes!' Hij zit nu echt te schreeuwen. 'Hé, Zes! Wakker worden! We zijn nog niet klaar!'

Zijn geschreeuw geeft me zo'n onprettige schok, dat ik met een ruk rechtop ga zitten, maar ik word daarvan weerhouden door de banden om mijn bovenlijf.

'Zes? Zes! Waar is Sam Goode? Waar is John Smith?'

'Ik ga je vermoorden,' fluister ik. Mijn woede en frustratie over de manier waarop ik hier ben vastgebonden, beginnen me nu echt te veel te worden. 'Als ik je vind, ga ik je vermoorden.'

'Ik twijfel er niet aan dat je het zult proberen.' De agent lacht.

Ik probeer mijn hoofd weer helder te krijgen en me te concentreren op de plek waar ik ben. Te snel, want alles begint rond te tollen totdat ik buiten kennis raak.

*

Het is een klein betonnen hokje. Er is een toilet, een blok cement met een matras erop, en een deken die te kort is om me helemaal te bedekken. Ik lig nu al twee uur wakker, misschien langer. Het kost moeite om mijn gedachten op een rijtje te zetten. Ik probeer een soort tijdbalk te maken vanaf het moment dat ik plotseling alleen in de woestijn stond, naar het hek, tot het wakker worden in die auto terwijl ik op zo'n afschuwelijke manier ondervraagd werd. Ik moet helder zien te krijgen waar ik ben geweest, hoeveel tijd er voorbij is gegaan en wat ik ongewild heb losgelaten.

Het is niet gemakkelijk om de warboel in mijn hoofd weer op orde te krijgen. Sinds het moment dat ik bij kennis kwam in deze cel, hebben de lampen aan het plafond onophoudelijk geknipperd. Ik heb een scherpe, bonkende hoofdpijn. Mijn mond voelt droog aan en ik hou mijn handen tegen mijn wild tekeergaande maag gedrukt, terwijl ik mijn gedachten op het belangrijkste deel van mijn herinneringen probeer te richten: mijn gesprek met de agent.

Het lukt me om mezelf onzichtbaar te maken, gewoon om te zien of ik het kan, maar zodra ik onzichtbaar ben, voel ik me weer net zo duizelig worden als tijdens de rit, dus maak ik me onmiddellijk weer zichtbaar. Óf de drugs zijn nog steeds niet uitgewerkt óf de misselijkheid wordt door iets anders veroorzaakt.

Ik doe een paar minuten mijn ogen dicht om te ontkomen aan die knipperende lampen. Maar het licht is zo fel dat het onmogelijk is om me er helemaal voor af te sluiten. Ik herinner me dat agent Purdy zei dat hij in contact stond met de Mogadoren. Waarom zou de Amerikaanse regering overleg voeren met de Mogadoren? En waarom zou hij dat tegenover mij toegeven? Weten ze niet dat de Mogs de vijand zijn? Hoeveel weet de overheid over mij en de andere leden van de Garde? Dat blijft me een raadsel. Zodra de Mogadoren de Garde vernietigd hebben, zullen ze alle mensen op Aarde uitroeien. Weet de overheid dat dan niet? Volgens mij hebben de Mogs een heel ander beeld van zichzelf geschetst.

Ergens boven me hoor ik een mannenstem. Het is niet Purdy, de agent die me toesprak toen ik in die metalen kist lag. Ik doe mijn ogen open om te kijken of ik ergens een luchtkoker of luidsprekers zie, maar door dat felle knipperende licht zie ik helemaal niets.

'Bereid je voor op transport, Nummer Zes.' Een klein paneeltje in het midden van de metalen deur gaat met een ratelend geluid open. Ik strompel ernaartoe en zie een plastic bekertje met purperen vloeistof op een plank staan. Mijn maag draait zich al om als ik het zie. Waarom is het paars? Zouden er drugs in zitten, net als in het water dat ik een tijdje geleden heb gedronken?

'Je moet het water drinken voordat je wordt getransporteerd. Als je niet drinkt, zullen we ons genoodzaakt zien om het te injecteren en daarvoor zullen we ons van alle noodzakelijke middelen bedienen.'

'Loop naar de hel!' roep ik naar het plafond.

'Drink,' zegt de stem nog eens. Er is duidelijk geen ruimte voor discussie.

Ik pak het bekertje op en loop ermee naar het toilet. Ik houd het bekertje hoog in de lucht, draai het dan langzaam om en giet het met veel vertoon leeg. De laatste druppel is nog maar net in de pot gevallen als de celdeur openzwaait. Verschillende mannen met stokken en schilden stormen op me af. Ik voel het zuur opborrelen in mijn maag, terwijl ik me schrap zet voor een gevecht, want ik weet dat ik nu mijn Erfgaven moet gebruiken. Ik besluit dat ik dat deze keer wel aankan. En misschien kan ik wel gebruikmaken van dat knipperende licht.

De eerste politieman heet ik welkom met een stomp tegen zijn keel. Terwijl zijn knuppel links op me af komt schieten, grijp ik hem bij zijn pols en geef een harde ruk. Ik hoor het bot knappen. Hij gilt en laat de knuppel los. Nu heb ik een wapen.

De agenten vormen een kring om me heen, maar in het knipperende licht lijkt het wel alsof onze bewegingen zich in slow motion afspelen, zodat ze moeilijk te volgen zijn. Ik kies lukraak iemand uit en val aan, haal uit met mijn knuppel en raak hem dwars over zijn knieën. Hij valt en ik duik op zijn buurman af. De lichamelijke inspanning zorgt ervoor dat ik het braaksel in mijn keel omhoog voel kruipen, maar ik slik het weer in. Nu ik erin geslaagd ben om één keer door de misselijkheid heen te komen, zal het hopelijk de volgende keer gemakkelijker zijn. Met het onderste uiteinde van de knuppel geef ik een stoot tegen de slaap van mijn tegenstander. Een van de mannen die nog overeind staan geeft me een klap op mijn achterhoofd en een andere grijpt me bij mijn haren en geeft een harde ruk. Ik gebruik mijn telekinese om ze hard tegen elkaar te slaan. De klap waarmee ze elkaar raken zorgt ervoor dat ze allebei op de grond vallen, en ik geef ze een harde schop.

De misselijkheid komt nu in golven opzetten en ebt dan weer weg, maar mijn Erfgaven heb ik nu weer helemaal terug. Gewapend met twee knuppels houd ik nog drie mannen van me af. Als ze met tasers beginnen te vuren, bevries ik de scherpe stroomstoten in de lucht en buig ze dan terug naar de schutters zelf. Dan is de weg naar de deur eindelijk vrij, en zo te zien zal die voorlopig wel vrij blijven ook. Voordat ik de cel uit stap, zet ik me schrap en ik maak mezelf onzichtbaar. De pijn is de ergste tot nu toe, maar ik weet dat ik er wel doorheen kom. Ik moet gewoon nog even volhouden, tot ik hier weg ben, en dan moet ik de anderen zoeken.

23

Zeven

Als ik weer bij kennis kom, lig ik met mijn gezicht in het natte gras. Ik til mijn hoofd op en zet mijn handpalmen op de grond om mijn schouders omhoog te duwen. Ergens niet ver weg achter me hoor ik Acht kreunen. Ella roept mijn naam, maar ik heb zo'n bonkende hoofdpijn dat het me te veel moeite is om rechtop te gaan zitten en te kijken waar ze uithangt.

'Zes?' fluister ik tegen de ijle lucht. 'Ben je hier?'

'Ik zie haar nergens, Marina,' zegt Ella. Ze komt naar me toe gelopen en gaat naast me zitten. Ik laat me weer in het natte gras zakken en sta mezelf toe om nog een paar minuten te blijven liggen. Ella veegt een lok haar van mijn wang, maar ik ben zo verdoofd dat ik er niets van voel. Ik voel het braaksel in mijn keel omhoogkomen, als Acht maar blijft kreunen. Ella lijkt nergens last van te hebben. Ik wil nooit meer teleporteren.

Ik kijk om me heen, maar ik blijf alles dubbel zien en ik moet erg mijn best doen om er controle over te krijgen. Het is hier zo weelderig groen dat we duidelijk niet op de plek zijn terechtgekomen waar we naartoe wilden. 'Dit is niet New-Mexico, hè?'

'Het is er zelfs niet in de buurt,' fluistert Ella.

Ik heb nu eindelijk het gevoel dat ik me weer kan bewegen, zij het dan langzaam, en ik kijk op. De blik in haar bruine ogen is moeilijk te lezen in het donker, en dan dringt het tot me door dat het midden in de nacht moet zijn. Ik kijk langs Ella heen naar de sterrenhemel en denk terug aan de blauwe oceaan, en Acht die zich omvormde tot een zwarte octopus. En dan herinner ik me wat Ella heeft gezegd, vlak voordat we teleporteerden.

'Ella, heb ik het me nou verbeeld of zei je dat je Zes had gesproken?' Ze knikt. 'Met je gedachten, toch?'

Ella kijkt de andere kant op. 'Je denkt vast dat ik gek ben. Ik vraag me telkens weer af of het allemaal wel echt is gebeurd. Misschien wilde ik het gewoon zo graag.' Ella schudt haar hoofd en als ze me weer aankijkt, ligt er een ernstige blik in haar ogen. 'Nee, ik heb het me níét verbeeld. Ik wéét dat ik haar gesproken heb. Ze zei dat ze ergens in een woestijn was. Dat moet toch wel betekenen dat ze in New-Mexico is terechtgekomen?'

'Ella, je bent niet gek. Ik geloof je en ik denk dat je gelijk hebt,' zeg ik. Ik zet mijn vingers tegen mijn kloppende slapen en met pure wilskracht duw ik de pijn en de wazigheid die me ervan weerhouden om helder te denken weg. 'Waarschijnlijk ben je een Erfgave aan het ontwikkelen. We moeten nu zien uit te zoeken hoe dat de eerste keer is gebeurd, zodat we het nog eens kunnen doen.'

Ella's ogen worden groot en rond. 'Echt? Denk je dat het een Erfgave is? Hoe heet die?' vraagt ze gretig.

'Telepathie,' zegt Acht ergens achter me.

Ik rol me op mijn andere zij, trek een lelijk gezicht van de pijn en kijk op naar Acht, die nu op een enorm stuk steen staat dat boven op twee nog grotere grijze rotsblokken ligt.

Ik ga rechtop zitten en draai me om, zodat ik op mijn handen en knieën steun voordat ik moeizaam overeind kom. Met mijn handen op mijn heupen kijk ik om me heen en zie dat deze plek me ontzettend bekend voorkomt. Maar dat komt niet doordat ik hier al eens eerder ben geweest. Ik ken deze plek van foto's, van schoolboeken. Ik kijk omhoog naar Acht. 'Zijn we echt in...'

'Stonehenge? Ja, dat is wel zeker.'

'Wauw,' fluister ik, en langzaam draai ik me opnieuw om, zodat ik de omgeving aandachtig in me kan opnemen. Ella loopt naar een steen die bijna acht meter hoog is, en terwijl ze haar hand erop legt, kijkt ze omhoog. Ik begrijp dat ze aan de steen wil voelen. Ik bedoel, het is Stonehenge. Onwillekeurig volg ik haar voorbeeld. De stenen voelen koud en glad aan en alleen al door ze aan te raken, krijg ik het gevoel dat ik drieduizend jaar oud ben. Sommige zijn in perfecte conditie, terwijl andere eruitzien alsof ze niet meer dan een scherf zijn van wat er vroeger gestaan heeft. We zwerven een tijdje rond, en zien van heel dichtbij wat de meeste mensen alleen maar in schoolboeken te zien krijgen.

'Acht? Wat is telepathie eigenlijk? Weet je hoe je het kunt gebruiken en hoe ik het onder controle kan krijgen?' vraagt Ella.

'Telepathie is het vermogen om gedachten van het ene wezen naar het andere over te brengen. Een telepaat is in staat om rechtstreeks te communiceren met de hersenen van iemand anders. Vooruit, probeer het maar eens met mij.'

Ella draait zich om, gaat recht voor Acht staan en doet haar ogen dicht. Terwijl ik sta te kijken, raak ik volkomen vervuld van het idee hoe gaaf het zou zijn als Ella werkelijk deze Erfgave heeft ontwikkeld. Dat zou ons in staat stellen om contact op te nemen met de Gardes, ongeacht waar ze zijn, waar ook ter wereld. Na een paar seconden doet Ella haar ogen open en kijkt naar Acht. 'Heb je me gehoord?'

'Nee,' zucht Acht, en hij schudt verdrietig zijn hoofd. 'Je moet het gewoon blijven proberen. Het kost vaak tijd om erachter te komen hoe we met onze vermogens moeten omgaan. Wat dat betreft zal telepathie niet anders zijn dan de andere Erfgaven.'

Toch zie ik dat Ella teleurgesteld haar schouders laat hangen. 'Jullie kistjes staan trouwens daar,' zegt ze, en ze wijst.

Acht keert zich naar mij toe en rekt zich eens goed uit. 'Ik heb nog een beetje tijd nodig om bij te komen van de laatste sprong. Als we nog eens proberen New-Mexico te bereiken, wil ik zo sterk mogelijk zijn, oké?' Hij klimt op een naburig rotsblok.

'Ik weet het niet,' zucht ik. 'Ik voelde me zo afschuwelijk na die vorige sprong. Gewond raken is één ding... maar van teleportatie word ik zó misselijk. Ik weet niet of ik dat nog eens kan opbrengen. En hoe weet je dat we de volgende keer niet op de bodem van de oceaan terechtkomen? Zo te horen zit Zes zwaar in de problemen, terwijl wij van hot naar her springen. Misschien komen we wel nooit in New-Mexico!'

'Ik weet hoe frustrerend dit is,' zegt Acht, terwijl hij zich van zijn steen laat glijden en het stof van zijn broekspijpen slaat. 'Maar iets doen is nog altijd beter dan niets. We kunnen het alleen maar blijven proberen tot we een keer uitkomen waar we willen. Wij drieën blijven bij elkaar. We blijven het proberen en we zullen Zes vinden.' Ik weet niet waar hij zijn kalmte en zijn zekerheid vandaan haalt.

Ella loopt een eindje bij ons vandaan en verdwijnt uit het zicht achter een groepje stenen. 'Weet je, er zijn andere manieren om van de ene plek naar de andere te komen,' zeg ik. 'We kunnen gewoon het vliegtuig nemen.'

Acht krabt aan zijn kin en loopt diep in gedachten verzonken weg. Ik loop achter hem aan naar het middelpunt van het monument. 'Als Zes werkelijk in de problemen zit, is een vliegtuig niet de oplossing. Het zou veel te lang duren om haar te bereiken.' Hij blijft even staan en kijkt om. 'En bovendien, ik heb voorzien dat we haar vinden.' Ik kijk hem vragend aan, maar hij grinnikt alleen maar en haalt zijn schouders op. Wat bedoelt hij?

'Acht, heb je een visioen gehad? Wat heb je nog meer gezien? Wie heb je nog meer gezien?'

Hij haalt zijn schouders op. 'Ik kan je eigenlijk niet meer vertellen dan dat. Ik zie het gewoon, of ik voel het. Volgens mij is het een Erfgave die ik nog niet helemaal begrijp. Ik kan het alleen maar beschrijven door te zeggen dat het voelt als een zesde zintuig.'

'Kwam het daardoor dat je wist dat wij naar India kwamen?' vraag ik.

'Ja,' zegt hij. 'Ik heb er geen controle over. Die flitsen, die beelden, komen gewoon zo nu en dan in me op.'

We blijven tussen de reusachtige rotsblokken door lopen en zien Ella, die in haar eentje met haar rug tegen een rotsblok geleund staat. Als we naar haar toe lopen, kijkt ze op en zegt: 'Ik blijf maar proberen om nog eens met Zes te praten, maar er gebeurt niets. Misschien is het nooit gebeurd.'

Ik ga naast haar op mijn knieën zitten en sla een arm om haar heen. 'Het kost tijd om een Erfgave te ontwikkelen, Ella. Toen de mijne voor het eerst verschenen, gebeurde dat meestal als ik van streek was of in gevaar verkeerde. Ze komen als we er dringend behoefte aan hebben, als ze ons het leven kunnen redden. De Erfgave die me in staat stelt om onder water te ademen, ontwikkelde zich toen ik bijna verdronk. En bovendien kan de teleportatie invloed op je gehad hebben, dus misschien duurt het even voordat je Erfgave weer begint te werken.' Ik geef haar een kneepje in haar schouders.

'Dat is inderdaad zo,' zegt Acht. 'De eerste keer dat ik teleporteerde, werd mijn Cêpaan bijna overreden door een taxi. Ik verscheen ineens naast hem. Zomaar.' Hij knipt met zijn vingers. 'Alleen op die manier kon ik hem nog op tijd wegtrekken.'

'Ik mis Crayton heel erg nu,' zegt Ella. 'Hij hielp me altijd met dit soort dingen. Wat als ik nooit van nut kan zijn voor de Garde? Soms zou ik willen dat ik nooit door de Ouderlingen was uitverkoren.' Haar stem sterft langzaam weg en ze zakt onderuit. Ze is nu een toonbeeld van mismoedigheid.

'Ella,' Acht doet een stapje naar voren. 'Ella, kijk me aan. Zo moet je niet denken. We zijn heel blij dat je bij ons bent. We hebben je nodig. Als jij er niet was, zouden we nu naar jou op zoek zijn. Je bent hier helemaal op je plek, precies waar je hoort te zijn. Zo is het toch, Marina?'

'Ella, weet je nog wat we vroeger tegen elkaar zeiden, toen we nog in het weeshuis zaten? We zijn een team. Dat is belangrijk. Wij passen op elkaar.' Terwijl ik dat zeg, dringt het tot me door dat mijn afkeer van teleportatie egoïstisch is. Om de anderen te vinden, moeten we zo snel mogelijk in New-Mexico zien te komen. Dat is onze enige hoop. En de veiligste, snelste manier om daar te komen is teleportatie, zelfs als dat inhoudt dat we nog een paar keer op de verkeerde plek uitkomen. Ik mag niet toestaan dat mijn angst wie dan ook in gevaar brengt. Als een van ons zwak is, moet de rest van ons heel veel meer kracht zien op te brengen. Ik geef haar nog een kneepje in haar schouder. 'We gaan naar New-Mexico, zoeken Zes daar op en blijven vechten.'

Ella knikt, maar blijft stil.

We lopen nu allemaal in ons eentje wat tussen de rotsblokken door en allemaal zijn we in gedachten verdiept. Ik weet dat ik even tijd nodig heb om weer helder van geest te worden, voordat we verder gaan, en om mentaal weer net zo sterk te worden als ik me nu lichamelijk voel. Deze plek is zo vredig en stil dat het de volmaakte omgeving is om rustig wat na te denken. Ongeveer een uurtje later loop ik het middelpunt van de kring binnen en zie hoe Acht zich bukt en een steen opraapt en dan weer laat vallen.

'Acht! Wat doe je nou?' roep ik geschrokken. 'Weet je wel waar we zijn? Dit is een heilige, historische, oeroude plek! Je kunt hier niet zomaar een steen ergens anders neerleggen! Leg dat ding terug waar je het vandaan hebt!'

Voordat hij zelfs maar de gelegenheid heeft gekregen om de steen weer terug te leggen, gebruik ik mijn telekinese om het zelf te doen. Stonehenge maakt wel geen deel uit van de geschiedenis van mijn eigen volk, maar het is wel de geschiedenis van anderen, en zo'n historische plek verdient meer respect dan Acht op dit moment heeft getoond. Ik wil alles hier net zo achterlaten als we het aangetroffen hebben.

Acht kijkt op en zo te zien heeft mijn woede hem verrast. 'Ik zoek naar het Loraliet. Ik weet dat dat hier ergens onder een van deze stenen begraven moet liggen, en we moeten het zien te vinden als we ooit ergens anders heen willen,' zegt Acht.

'Nou, als je maar oppast dat je alles wat je optilt precies weer teruglegt waar je het vandaan hebt,' zeg ik nors. 'Stonehenge is een van de beroemdste plekken van de Aarde. Laten we het hier niet kapotmaken.' Ik ben het spuugzat om voortdurend een ravage achter te laten.

Acht tuurt onder een rotsblok en legt het daarna heel nadrukkelijk weer op zijn plek. 'Mag ik nog wel zeggen dat Stonehenge alleen maar bestaat door toedoen van de Loriërs? Reynolds zei dat wij het hebben aangelegd als begraafplaats voor de op Aarde gesneuvelde Loriërs.'

'Werkelijk? Is dit een begraafplaats?' vraagt Ella, die achter mij de open plek op is gelopen en nu nieuwsgierig om zich heen kijkt.

'Vroeger wel,' zegt Acht, en hij tikt op een groot rotsblok. 'Duizenden jaren lang in elk geval. Maar toen begonnen de mensen hier rond te neuzen, en al dat onderzoek te doen waar ze altijd zo dol op zijn. Voor hen gaat er niets boven het streven om alles te begrijpen, zelfs als er niets te begrijpen valt. Of zoiets. Maar ik zal de manier waarop deze rotsblokken hier zijn neergelegd in ere houden.' Hij blijft rondlopen alsof hij op zijn tenen door een bloemperk trippelt.

'Laat mij maar even helpen.' Voorzichtig loop ik tussen de stenen door en help Acht het Loraliet te zoeken. Ik til verschillende rotsblokken een paar centimeter op en zet ze dan weer precies op de plek waar ze gestaan hebben. Terwijl ik naar een volgend groepje stenen loop, hoor ik in de verte iemand roepen. Ik kijk om een steen heen en zie twee mannen in uniform die naar het monument toe komen hollen. De lichtbundels uit hun zaklantaarns zwaaien in het donker wild heen en weer. Ella en ik duiken weg achter een grote groep rotsblokken, waar we toevallig dichtbij stonden.

'Shit,' fluister ik. 'Verstoppen allemaal.'

We zien de lichtbundels uit hun zaklantaarns over de grond strijken en telkens als een van de bewakers te dichtbij komt, gaan we net op tijd achter een ander rotsblok staan.

'Ik weet zeker dat ik iets gehoord heb. Kinderstemmen,' zegt de kleinste van de twee. 'Oké, maar waar zijn ze dan?' vraagt de andere bewaker. Aan zijn stem is duidelijk te horen dat hij er niets van gelooft.

Beide mannen zijn even stil. Ik gluur om het rotsblok en zie dat de grootste van de twee om zich heen staat te kijken, geërgerd omdat nergens ook maar iets van indringers te bespeuren valt. Maar dan ziet hij iets wat zijn aandacht trekt. Ik kan niet zien wat dat dan wel mag zijn, maar ik word ongerust. Wat zou hij gevonden kunnen hebben? 'Bill? Kom eens kijken. Waar denk je dat die vandaan komen?'

'Hè, dat weet ik niet. Die heb ik hier nog nooit gezien,' zegt de ander.

Ik schrik me wild als Acht plotseling naast me vorm aanneemt. 'Ze hebben onze kistjes gevonden,' fluistert hij. 'Ik gooi die twee gewoon in het weiland hiernaast, oké? We moeten het Loraliet zien te vinden zodat we hier weg kunnen, en dat gaat niet gebeuren voordat die kerels weg zijn. En ik laat hen er niet met onze kistjes vandoor gaan.' Er ligt nu een grimmige klank in zijn stem.

Ik sta op het punt om nee te zeggen als ik plotseling een gonzend geluid hoor. Na een korte golf statische ruis klinkt Ella's stem in mijn hoofd. *Ik kan ze wel afleiden terwijl jullie het Loraliet zoeken.* Met mijn ogen wijd opengesperd van schrik kijk ik haar aan.

Ella knijpt me even in mijn hand en fluistert: 'Ik kan ze wel afleiden...'

'Ik heb je al gehoord, Ella,' val ik haar in de rede. 'In mijn hoofd!'

Er verschijnt een brede glimlach op haar gezicht. 'Ik dacht al dat het deze keer zou werken. Wauw! Het is me gelukt!' fluistert ze opgewonden.

'Hé, een beetje stil jullie,' fluistert Acht. 'Hebben we een plan?'

'Ik heb een idee,' antwoordt Ella. Ze laat zichzelf krimpen tot een meisje van zes, loopt door de buitenste steenkring heen en holt naar de twee mannen toe. Met haar beste kleinemeisjesstem roept ze: 'Papa? Waar ben je?'

'Hallo?' roept een van de bewakers terug. 'Wie is daar?'

Acht teleporteert bij me vandaan, terwijl ik naar Ella sta te kijken. Ze staat nu rechtop en houdt haar handen voor haar ogen om die te beschermen tegen het felle licht uit hun zaklampen. Het is een goeie actrice, die meid. Ze klinkt oprecht verdwaald en ongerust. 'Ik ben op zoek naar mijn pappie. Hebben jullie hem gezien?'

'Maar wat spook jij hier in hemelsnaam uit, meisje? Waar zijn je ouders? Weet je wel hoe laat het is?'

Terwijl ze naar haar toe lopen begint Ella te huilen. De twee mannen blijven onmiddellijk staan. 'Nou, nou, rustig maar, je hoeft niet te huilen,' zegt de grootste sussend.

Ella begint meteen nog veel harder te huilen en zegt, heel wat luider: 'Blijf van me af!'

'Hé, hé, niemand heeft je wat gedaan!' zegt de andere man geschrokken. Ze kijken elkaar eens aan en weten nu allebei duidelijk niet wat ze moeten beginnen.

'Hé, Marina,' fluistert Acht. Hij staat achter me, met onder elke arm een kistje. 'We moeten het Loraliet zoeken. Nú! Ze kan hun aandacht niet eeuwig blijven vasthouden.'

We hollen naar het middelpunt van Stonehenge. Zo snel als we maar kunnen, kijken Acht en ik onder alle rotsblokken. Er zijn er nog maar een paar over als we de mannen weer onze kant op horen komen. Ella, die nog steeds aan het snotteren is, loopt achter hen aan.

'Oké, volgens mij is het tijd voor een volgende afleidingsmanoeuvre,' zegt Acht, en hij verdwijnt opnieuw. Voor de buitenste steenkring komt hij weer tevoorschijn. Hij legt zijn handen op een rechtopstaand stuk steen en geeft een harde duw. Ik kan alleen maar vol afgrijzen toekijken. Het reusachtige rotsblok zwaait even heen en weer en valt dan langzaam naar achteren. De steen die er horizontaal bovenop ligt valt ook. En op dat moment begint Acht te schreeuwen. 'Help! Help! De stenen vallen om! Stonehenge valt om!' Ik maak hem af! Ik bal mijn vuisten, en op dat moment dringt het tot me door dat ik nog steeds een stuk steen in mijn handen heb. Ik buk me en leg het zorgvuldig terug op de plek waar ik het vandaan heb gehaald, ook al is dat eigenlijk nogal zinloos.

De bewakers zetten het op een lopen in de richting vanwaar Achts stem kwam en als het licht uit hun zaklantaarns op de vallende stenen schijnt, beginnen ze geschrokken te roepen. De kleinste van de twee holt naar twee verticale rotsblokken toe, maar het is al te laat. Ze vallen tegen elkaar aan en zakken allebei naar rechts. Het horizontale stuk steen dat erop lag komt met een doffe dreun op de grond neer. Mijn mond valt open, terwijl de stenen een voor een omvallen. Het lijken wel dominostenen.

'Code Zwart! Code Zwart!' roept de grootste van de twee in zijn walkietalkie en daarna gooit hij die op de grond. Hij slaat zijn armen om een van de enorme rotsblokken die nog overeind staan en probeert het uit alle macht tegen te houden. Maar het heeft geen zin. De reusachtige stukken steen blijven vallen.

Acht duikt weer naast me op en duwt twee kleine rotsblokken om. Plotseling beschijnt een zwakke blauwe gloed zijn benen. 'Ik heb het gevonden! Hier!' fluistert hij opgewonden. Opgelucht hoor ik aan dat hij het Loraliet gevonden heeft, maar ik word te zeer in beslag genomen door de vernieling van Stonehenge om blij te kunnen zijn. Ik kan niet geloven dat hij dit gedaan heeft. Ik ben woedend! Ella komt langs me heen gehold, terwijl ik onder een van de weinige rotsblokken duik die nog overeind staan en mijn telekinese gebruik om de omvallende rotsblokken in elk geval wat te vertragen.

De grootste bewaker gaat met zijn rug tegen een rotsblok staan en zet zich schrap, en de andere komt naast hem staan. Ik sla mijn geestesarmen om hun steen heen en houd die stevig vast. Als het rotsblok geraakt wordt door een ander vallend rotsblok, laat ik het niet omvallen. De twee bewakers glijden weg van de steen en laten zich op het gras zakken. Zo te zien zijn ze geschrokken van hun plotselinge krachtsvertoon. Daarna zet ik alle rotsblokken als dominostenen weer overeind, zodat elk rotsblok het volgende weer omhoogduwt, en daarna duw ik hen allemaal weer stevig in de grond op de plek waar ze stonden. Met de weinige kracht die ik daarna nog over heb, til ik langzaam de horizontale platen steen van de grond en leg die weer boven op de rotsblokken.

De bewakers kijken met wijd open mond toe. Ze zijn te verbijsterd om te reageren op de ongeruste stemmen die krakend uit hun walkietalkie klinken.

'Marina,' fluistert Ella. 'Hé, Marina, we moeten ervandoor. Nú. Kom mee.'

Achteruit stappend loop ik naar het middelpunt van het monument. Ik ben opgelucht dat het me is gelukt om alles weer netjes terug te zetten.

Ik loop naar Acht toe en ruk mijn kistje onder zijn arm vandaan. Ik ben nog steeds woedend en terwijl ik zijn hand vastpak, lukt het me niet om hem recht in de ogen te kijken. Ella neemt Achts kistje onder de arm en klampt zich aan zijn andere hand vast. Daar staan we, hand in hand, met zijn drieën over het blauwe Loraliet gebogen. Het laatste wat ik hoor voordat het donker wordt om ons heen, is de grootste van de twee bewakers – die duidelijk verslagen is en schoon genoeg heeft van dit avontuur – die antwoordt in zijn inmiddels weer opgeraapte walkietalkie: 'Vals alarm.'

24

Zes

Als ik weer zichtbaar word, verstop ik me achter een rij kluisjes in een lange donkere gang. Het heeft me zoveel pijn gedaan om mijn Erfgave te gebruiken dat ik ineenkrimp en de twee gummiknuppels hard in mijn ribben pers om even iets anders te voelen. Ik duw mijn bezwete voorhoofd tegen de koele betonnen muur en probeer weer op adem te komen, terwijl ik hoop dat de pijn snel zal wegtrekken. Ik heb een tijd door allerlei gangen gehold en ik ben bang dat ik in kringetjes rondloop. Tot nu toe heb ik alleen maar een lege hangar en een heleboel elektronisch afgesloten deuren aangetroffen. Van de vorige keer dat ik heb geprobeerd om zo'n deur te openen, toen Sam en John in handen van de politie waren gevallen, weet ik nog dat onze telekinese geen invloed heeft op elektriciteit. Ik denk na over John en Sam, Marina en de anderen. Ik hoop dat het goed met hen gaat, of dat ze in elk geval niet zoveel pijn hebben als ik nu. Ik zie John en Sam voor me, terwijl ze op me staan te wachten op het rendez-vouspunt. We zouden elkaar daar binnen een paar dagen ontmoeten. Wat zullen ze denken als ik niet kom opdagen? Ik ben zo gefrustreerd – en zo bang – dat ik bijna geen lucht meer krijg. Ik weet dat deze manier van denken nergens goed voor is en dus probeer ik mijn aandacht te richten op hoe ik hier in vredesnaam wegkom.

Vrijwel op hetzelfde moment klinkt er een alarmsignaal. Zodra het begint, klinkt dat blatende geluid alsof het nooit meer zal ophouden. Ik weet wat dit inhoudt en ik weet dat ik alles nu weer op een rijtje moet zien te krijgen. En snel ook. Iedereen is nu naar mij op zoek. Gewapende soldaten rijden door de lange gangen in kleine open wagentjes. Elke keer dat er een langszoeft, voel ik de aanvechting om de mannen eruit te rukken, erin te springen en ervandoor te gaan. Maar ik weet zeker dat ik niet ver zal komen en dat ik daarmee het enige punt waarop ik tegenover hen in het voordeel ben, zou verspelen: ze weten niet waar ik ben.

Ik probeer niet langer met Ella te communiceren. Het is duidelijk dat ik me maar wat verbeeld heb. Ik sta er alleen voor. Ik moet ophouden met in mezelf praten en iets zien te vinden om een van die afgesloten deuren op te blazen en hier weg te komen. Volgens mij zit ik onder de grond. Ik wilde maar dat ik wist hoe diep.

In de gang gaat het licht aan. Zoals ik een tijdje geleden al heb ontdekt, houdt dat in dat de sensoren een beweging hebben geregistreerd. Een ogenblik later hoor ik een wagen mijn kant op komen. Ik zet me schrap, maak mezelf onzichtbaar en voel de hevige pijn die ik had verwacht. De tranen lopen stil over mijn gezicht, zo'n pijn doet het. Ik druk mezelf plat tegen een muur en kijk toe hoe een wagentje met drie soldaten erin langzaam mijn kant op komt rijden. Als het voor me langs rijdt, geef ik de bestuurder met een van de knuppels een harde klap in zijn gezicht. Man, wat kan een hoofdwond bloeden! Neus, mond, voorhoofd, het bloed gutst eruit. Zijn (schijnbaar) onverklaarbare verwondingen zorgen ervoor dat hij hard op het gaspedaal stampt en een ruk aan het stuur geeft, zodat ze tegen de muur rijden. De bestuurder is nu buiten westen en de andere twee springen de betonnen vloer op. Ze kijken naar het gezicht van de chauffeur, zien niets wat daar de oorzaak van zou kunnen zijn en grijpen naar hun walkietalkie. Maar dat verwachtte ik al en ik ben naar ze toe gelopen, zodat ik nu dichtbij genoeg ben om de ene soldaat met zijn hoofd hard tegen de motorkap te rammen en zijn benen onder hem vandaan te schoppen. De derde soldaat loopt naar ons toe om te zien wat er is gebeurd, en ook hem ram ik met zijn voorhoofd op de motorkap. Dan grijp ik een van hun badges en ga ervandoor.

Ik gebruik de gejatte badge om door een elektronisch afgesloten deur te komen en stap een gang binnen die heel anders is dan de gangen die ik tot nu toe heb gezien. Ik moet de pijn nu echt even laten ophouden, en dus maak ik mezelf weer zichtbaar. De pijn is onmiddellijk verdwenen. Ik kijk om me heen en probeer erachter te komen waar ik me nu bevind. Deze gang is breder dan de andere, met een in zandsteen uitgehakt gewelfd plafond, waar twee dikke gele pijpleidingen langs lopen, geflankeerd door slap hangende elektriciteitskabels. Ik kom bij een bocht in de gang en kijk er voorzichtig om het hoekje. Ik zie niemand, dus druk ik mijn rug tegen de muur en schuifel de hoek om. Ik sta nu recht tegenover een rode deur met een bordje met het opschrift: GEVAAR. VERBODEN TOEGANG VOOR ONBEVOEGDEN. SHUTTLE 1.

Ik probeer mijn telekinese te gebruiken om de deur te openen. Het doet enorm veel pijn maar ik zet door, maar ook deze deur is voorzien van een elektrisch slot. Ik sta op het punt om de badge weer te proberen als ik voetstappen hoor, die nu snel mijn kant op komen. Ik maak me weer onzichtbaar, maar mijn maag gaat nu zo wild tekeer dat ik in elkaar zak. Ik overleef dit niet nog een keer, dat lukt me op geen enkele manier. Om de hoek roept iemand: 'Volgens mij heb ik iets gehoord. Deze kant op!'

Terwijl ik op de grond lig en het me nauwelijks nog lukt om onzichtbaar te blijven, grijp ik een bewaker bij zijn enkel, terwijl hij langs komt lopen. Hij valt languit voorover op de vloer, wat me voldoende tijd geeft om op te krabbelen en mijn gestolen badge langs het elektronische slot te halen. De deur schuift open en ik stap naar binnen.

Ik bevind me nu op een metalen rooster, hoog boven drie stel rails die verdwijnen in een ronde tunnel. Een soort tram staat leeg en verlaten op het dichtstbijzijnde spoor. Hij heeft drie wagons, waar verschillende symbolen van de Amerikaanse overheid op te zien zijn. Achter de deur hoor ik de bewaker die ik uitgeschakeld had naar een groepje mannen roepen die kennelijk net ter plekke zijn. Ik strompel een smal trapje af, stap in een van de wagons en geef een harde ruk aan de eerste hendel die ik zie.

Mijn hoofd wordt in mijn nek geworpen terwijl de tram er als een raket vandoor gaat. De ronde tunnel is een waas van rode lampen en lange donkere schaduwen, en twee keer schiet ik zonder vaart te minderen met hoge snelheid onder net zo'n metalen rooster door als dat waar ik daarnet nog overheen ben gelopen. Plotseling maken de rails een bocht omlaag en naar rechts en dan rijd ik boven een lang, met water gevuld kanaal. Ik hoop dat ik zo dadelijk de woestijn binnen zal schieten, maar in plaats daarvan mindert de trein vaart en komt tot stilstand voor een ander platform. Kennelijk zijn er punten waarop het ding automatisch stopt. De deuren schuiven open en ik hol in looppas de trap op. Ik heb mezelf weer zichtbaar laten worden en geniet ervan om even geen pijn in mijn maag te hebben, al besef ik maar al te goed dat dat niet lang meer zal duren. Ik zal mijn Erfgave moeten gebruiken om hier weg te komen.

Ik haal eens diep adem en morrel voorzichtig aan de deur boven aan de trap. Die zit niet op slot. Langzaam trek ik de deur op een kier om te kijken wat er aan de andere kant is. Mijn ogen hebben nog maar net kans gezien om zich te focussen als de deur open vliegt en met een harde klap tegen mijn schouder slaat. Ik sta nu oog in oog met een bewaker met een vertrouwd wapen aan zijn schouder: een Mog-kanon. Zodra de bewaker naar zijn kanon grijpt, zie ik dat oplichten, maar voordat hij de trekker kan overhalen, duik ik op hem af, zodat we allebei tegen een stenen muur aan vallen. De bewaker probeert zijn gespierde armen om mijn middel te klemmen, maar ik doe een stap naar achteren en schop zijn benen onder hem vandaan. Zijn schedel maakt een afschuwelijk, knappend geluid als hij tegen de grond slaat. Ik krimp in elkaar, maar kan me daar nu echt niet mee bezighouden. Haastig schuif ik zijn roerloze lichaam de tunnel in en doe de deur dicht. Dan raap ik zijn kanon op en ik doe de deur op slot.

Ik kijk even om me heen om te zien waar ik me nu bevind. Ik zie reusachtige gepolijste zuilen die het plafond van de kronkelende tunnel ondersteunen, en terwijl ik er zigzaggend tussendoor loop, blijf ik aandachtig luisteren of er nog meer bewakers zijn. Ik denk koortsachtig na en probeer alles wat ik gezien heb met elkaar in verband te brengen. Het eerste punt op mijn lijstje: hoe kwam die soldaat aan een Mog-kanon? Heeft hij een gevangengenomen Mog beroofd? Of leveren de Mogs de overheid wapens? Ik kom bij een tweesprong en ga langzamer lopen, terwijl ik probeer te besluiten welke kant ik op zal gaan. Ik zie niets wat me bij mijn keuze zou kunnen helpen, en dus denk ik aan de vorige keer dat ik op een tweesprong stond. Dat was in de Himalaya, die keer dat commandant Sharma zo verbaasd was. Ik ga naar links.

De eerste deur die ik aan de linkerkant zie is helemaal van glas. Binnen zie ik wetenschappers met witte jassen aan en maskers op heen en weer lopen tussen grote tuinen vol met grote, groene planten. Honderden felle lampen hangen laag boven hen aan het plafond.

Een vrouw met rood haar in een donker mantelpakje komt door een andere deur naar binnen en loopt naar een van de mannen in witte jassen voor in de ruimte toe. Ze draagt haar rechterarm in een mitella en er zitten pleisters op haar wang. Ze kijkt toe hoe de wetenschapper een flesje vloeistof leeggiet in een deel van de dichtstbijzijnde tuin. Verbijsterd zie ik dat de plant onmiddellijk bijna een meter hoger wordt en hoe de punten van haar takken opensplijten. Witte bladeren verspreiden zich in alle richtingen, zodat er boven hun hoofd een dik bladerdak ontstaat. De wetenschapper schrijft iets op zijn klembord, en kijkt dan op om met de vrouw te praten. Ik heb niet de tijd om weg te duiken en door de glazen deur kijken we elkaar aan. Langzaam breng ik het Mogkanon omhoog, zodat het op hem gericht is en schud mijn hoofd. Ik moet er maar op hopen dat hij zichzelf als buitenstaander beschouwt en geen zin heeft om bij het gevecht betrokken te raken. Maar dat valt tegen. Ik zie hoe hij langzaam zijn hand in zijn zak laat glijden. Verdomme. Hij heeft een knop ingedrukt. Er klinkt een hard geluid boven me en een dikke plaat metaal raakt me bijna, terwijl ze snel voor de glazen deur omlaagschuift om die te beschermen. Er klinken alarmsignalen en ik weet dat het hele gebied nu afgesloten wordt. Ik mag mezelf niet gevangen laten nemen. Ik zet me schrap voor de pijn die ik zal voelen en maak me onzichtbaar.

Net op tijd. Soldaten komen de tunnel binnengehold en ik ga met mijn rug tegen de muur staan om te voorkomen dat ze tegen me aan lopen. De pijn en de golf van misselijkheid blijven uit. Het medicijn dat ze me hebben toegediend, is kennelijk uitgewerkt. Ik voel een diepe opluchting, al krijg ik niet de tijd om daarvan te genieten. Rechts van me klikt een deur open. Zonder erbij na te denken ren ik erdoorheen, zodat ik me nu in een smalle witte gang met nog meer deuren bevind. Halverwege de gang komt net een soldaat uit een van de deuropeningen tevoorschijn. Hij loopt achteruit.

'Alsjeblieft, hou nou maar gewoon je mond,' roept hij naar iemand in de kamer die hij zojuist verlaten heeft. 'En je moet echt iets eten.'

Hij trekt de deur dicht en loopt weg. Maar ik sta recht voor hem en met een harde rechtse hoek op zijn kaak sla ik hem tegen de grond. Ik zie zijn sleutelbos aan zijn riem hangen, trek die los en schuif paniekerig de ene na de andere sleutel in het slot van de deur die hij zojuist heeft afgesloten, totdat ik er eentje heb gevonden die past. Ik ga er maar van uit dat degene met wie hij stond te praten geen vriend van hem is, en op dit moment kan ik wel een bondgenoot gebruiken. Ik doe de deur open om te kijken of ik vandaag een nieuwe vriend of vriendin ga maken.

Ik hap naar adem, geschrokken door wat ik zie. Ik weet niet wie ik had verwacht, maar niet het meisje dat ik nu in elkaar gedoken in een hoek zie zitten. Ze zit onder het vuil en om haar polsen zitten dikke rode striemen, maar ik herken haar onmiddellijk. Sarah Hart. Johns vriendinnetje, degene die John heeft verraden aan de politie op de avond dat we teruggingen naar Paradise.

Ze komt moeizaam overeind, en moet zich vastklampen aan de muur om niet te vallen. Ze zet zich schrap voor een confrontatie met dit nieuwe bezoek. De angstige blik in haar ogen maakt duidelijk dat er alleen maar nare dingen gebeuren als de deur opengaat. Ik blijf lang genoeg onzichtbaar om de bewusteloze soldaat de kamer binnen te slepen. Als ik hem in de gang laat liggen, gaan andere mensen uitzoeken wat er aan de hand is, en ik heb nu geen behoefte aan gezelschap. Ik sleep hem naar een hoek van de kamer, waarvan ik dan maar moet hopen dat hij buiten het blikveld van eventuele camera's valt.

'Sarah?' zeg ik zachtjes.

Ze draait zich razendsnel om en kijkt in de richting waar ze me gehoord heeft, maar is duidelijk verward. 'Wie is daar? Waar ben je?'

'Ik ben het: Zes,' fluister ik. Ze hapt zachtjes naar adem.

'Nummer Zes? Waar ben je? Waar is John?' vraagt ze met trillende stem.

Ik spreek nog steeds zachtjes, want ik ben er niet zeker van of we hier wel alleen zijn. 'Ik ben onzichtbaar. Ga gewoon weer zitten zoals je daarnet zat, en doe alsof ik er niet ben. Laat je hoofd hangen, zodat we kunnen praten. Ik durf te wedden dat er een camera in de cel is.'

Sarah laat zich weer in haar hoekje zakken en trekt haar knieën op. Ze laat haar hoofd zakken, zodat haar haren naar voren vallen en haar hele gezicht bedekken. Ik loop naar haar toe en ga op de vloer zitten.

'Waar is John?' fluistert ze.

'Waar is Jóhn?' Het lukt me niet om mijn boosheid te verhullen. 'Op dit moment zou ik me daar maar niet druk om maken, Sarah. Jij zou toch moeten weten waar John is. Per slot van rekening heb jij hem toch in de val laten lopen? Door jouw toedoen is hij in de gevangenis terechtgekomen. En toen heb ík hem bevrijd. Maar wat doe jíj hier?'

'Ze hebben me hierheen gebracht,' zegt ze met trillende stem.

'Wie hebben je hierheen gebracht?'

Sarahs schouders schudden en ze begint zachtjes te huilen met haar hoofd op haar knieën. 'De FBI. Ze vragen me telkens weer waar John is, en ik zeg telkens weer dat ik dat niet weet. Je moet me vertellen waar hij is. Ik moet het ze vertellen, anders vermoorden ze iedereen die ik ken!' Ze klinkt wanhopig.

Ik kan niet zeggen dat ik erg met haar te doen heb. 'Dat komt er nou van als je overloopt naar de andere partij, Sarah. Je wist wat John voor je voelde. Je wist dat hij je vertrouwde. En daar heb je misbruik van gemaakt om deze mensen te helpen. En nu maken zij misbruik van jou. Nou, vertel op! Wat heb je ze over John verteld?'

'Ik weet niet waar je het over hebt,' zegt Sarah en ze begint nog harder te snikken. Ik weet dat het flauwekul is, maar toch vind ik dit hartverscheurend. Wat hebben ze haar aangedaan? Haar lange haardos bedekt haar gezicht en haar armen, en ze ziet er zo jong en weerloos uit dat ik mijn woede voel wegsmelten. Ik leg mijn hand op haar rug.

'Het spijt me,' fluister ik.

Ze hapt naar adem als ze mijn hand op haar rug voelt en kijkt op in de richting van mijn stem. Even zie ik haar blauwe ogen; ze zijn rood en bloeddoorlopen. Om haar de kracht te geven die ze nodig zal hebben om te doen wat we moeten doen, maak ik me heel even zichtbaar, laat haar het Mog-kanon in mijn handen zien en verdwijn dan weer. Voordat ze haar gezicht weer op haar knieën laat rusten, zie ik Sarah even glimlachen. Ze zucht, haalt eens diep adem en zegt dan met een heel wat vastere stem: 'Goed om je te zien. Weet je waar we zijn?'

'Volgens mij zitten we in een ondergrondse basis in New-Mexico. Hoe lang zit je hier al?'

'Geen idee,' zegt ze, en ze veegt een traan weg die op haar been is gevallen.

Ik sta op en loop naar de deur om te luisteren. Ik hoor niets. Ik weet dat ik kostbare tijd verspil, maar toch móét ik het vragen. 'Ik snap het niet, Sarah. Waarom heb je John verraden? Hij houdt van je. Ik dacht dat je om hem gaf.'

Ze krimpt in elkaar, alsof ik haar een klap in haar gezicht heb gegeven. Haar stem klinkt onvast, maar ze kijkt me recht in de ogen als ze antwoordt. 'Echt, ik heb geen idee waar je het over hebt, Zes.'

Ik doe mijn ogen dicht en moet een paar keer diep ademhalen om te voorkomen dat ik begin te schreeuwen. 'Ik heb het over de avond waarop hij naar je toe kwam om je te vertellen dat hij van je hield. Weet je nog wel? Om twee uur 's nachts ging je telefoon en een minuut later stond de politie voor de deur. Daar heb ik het over. Je hebt zijn hart gebroken toen je hem uitleverde.' Ze kijkt op en wil reageren, maar ik maak een geluid om haar eraan te herinneren dat ze naar de vloer moet blijven kijken.

Ze legt haar hoofd weer op haar knieën en zegt met een toonloze stem. 'Dat is niet wat ik probeerde te doen. Ik had geen keus. Alsjeblieft. Waar is John? Ik moet hem spreken.'

'Ik zou hem ook graag willen spreken. Ik zou ze allemaal graag willen spreken! Maar eerst moeten we zien dat we hier wegkomen.' Er ligt nu een dringende klank in mijn stem.

Ze klinkt verslagen. 'We komen hier niet weg. Tenzij je het tegen duizend Mogadoren wilt opnemen.'

'Wat?' Waar heeft ze het over? Dit is een basis van de Amerikaanse overheid, niet van de Mogs. 'Heb je ze gezien? De Mogs? Zijn ze hier?'

Sarah kijkt op. Er ligt nu een glazige blik in haar ogen. Ze lijkt niet meer op het meisje dat ik heb ontmoet in Paradise, het mensenmeisje op wie John verliefd is geworden en voor wie hij alles wilde doen. Ik moet er niet aan denken wat de FBI en de Mogs haar hebben aangedaan. 'Ja. Ik zie hen elke dag.'

Ik voel me alsof ik een harde stomp in mijn maag heb gekregen. Ik vermoedde al dat dat het geval was, maar nu weet ik het zeker, en dat is iets anders. 'Nou, ik ben er nu ook,' zeg ik, en daarmee probeer ik op zijn minst een van ons wat moed in te spreken. 'Ik beloof je dat ik de eerstvolgende Mog die je ziet een schop onder zijn kont geef.'

Sarah legt haar hoofd weer op haar knieën en begint zachtjes te lachen. Voor het eerst sinds ik binnen ben gelopen zie ik dat haar schouders zich wat ontspannen. 'Dat klinkt goed. Zes, alsjeblieft, kun je me vertellen waar John is? Gaat het goed met hem? Gaan we hem straks opzoeken?'

Ik weet dat ze zich ongerust maakt om Vier, maar haar aanhoudende vragen beginnen me echt te ergeren. 'Eerlijk gezegd heb ik hem de afgelopen tijd niet gezien, Sarah. We zijn uit elkaar gegaan. Hij is met Sam en Bernie Kosar meegegaan om zijn kistje terug te halen en ik ben naar Spanje gegaan om iemand van ons te gaan zoeken. We hadden drie dagen later afgesproken, maar ik denk niet dat het er nog van gaat komen.'

'Waar? Waar hebben jullie afgesproken? Ik móét het weten. Ik vind het vreselijk om niet te weten waar hij uithangt. Ik ga eraan onderdoor.'

'Op dit moment maakt het niet uit waar we hebben afgesproken, want ik zal er niet zijn,' zeg ik. 'We moeten ons nu concentreren op hoe we hier wegkomen.'

Sarah krimpt ineen als ze de woede in mijn stem hoort, maar toch probeert ze het nog eens. 'Waar zijn de anderen? Waar is Nummer Vijf?' vraagt ze.

Ik negeer haar. Het is duidelijk dat ze niet naar me luistert. Ik loop terug naar de deur en leg opnieuw mijn oor ertegenaan. Ik hoor voetstappen op de gang, en het is duidelijk meer dan één persoon. Ik denk na over de mogelijkheden die ik nu heb. Ik kan ze de cel binnenlokken of ik kan ze op de gang uitschakelen. In beide gevallen zal ik het tegen ze moeten opnemen, Sarah onzichtbaar moeten maken en daarna moeten kiezen welke kant we uit moeten om hier weg te komen.

Sarah staat op. 'Hoe zit het met Nummer Zeven, Acht en Negen? Waar zijn die? Zijn ze bij elkaar?'

Als ze nou haar mond niet houdt, worden we gevangengenomen, of erger. 'Sarah!' zeg ik tegen haar, 'hou op!' Ik leg mijn hoofd tegen de deur en onmiddellijk heb ik in de gaten dat er iets mis is. Het klinkt alsof de hele gang vol met mensen staat. We zitten in de val. Ik draai me om en wil iets tegen Sarah zeggen, maar ze ziet eruit alsof ze een toeval heeft. Ik kijk als verstard toe hoe ze op de vloer van de cel ligt te stuiptrekken.

'Sarah!' Ik laat mezelf weer zichtbaar worden en loop naar haar toe om te zorgen dat ze niet met haar hoofd tegen de betonnen vloer slaat. Hebben ze haar gedrogeerd?

Sarahs lijf begint nu zo snel te schudden dat haar contouren wazig worden. Ik kan alleen maar machteloos toezien hoe een witte schaduw om haar lichaam verschijnt. Ik steek mijn hand uit maar voordat ik het witte licht kan aanraken, wordt het plotseling zwart. Ik probeer Sarahs stuiptrekkingen met mijn telekinese in bedwang te houden, maar zodra ik het probeer, voelt het alsof mijn hersenen verschroeid raken, en er een enorme hoeveelheid duistere energie mijn schedel binnenstroomt. Ik heb nu een knallende koppijn en voordat ik er erg in heb, val ik achterover. Ik grijp naar mijn hoofd en knijp mijn ogen stijf dicht. Als ik ze weer opendoe, kan ik mijn ogen niet geloven. Sarah Hart wordt steeds groter en donkerder, totdat ze minstens twee meter lang is. Haar blonde haar wordt steeds korter, totdat er niet meer van over is dan een zwart, gemillimeterd laagje. Haar gezicht verandert in dat van een demonisch monster. Aan één kant van haar inmiddels heel dikke nek verschijnt een paars litteken dat steeds langer wordt totdat het haar keel heeft bereikt. Als het litteken eindelijk niet meer groeit, licht het op.

Heb ik staan kijken hoe Sarah in Setrákus Ra verandert? Ik heb hem nog nooit gezien, maar ik heb genoeg over hem gehoord om te vermoeden dat ik nu naar hém sta te kijken.

De deur zwaait open en heel even raak ik verblind door een blauwe lichtflits. Voordat ik er erg in heb rennen er een stuk of tien Mogs naar binnen, met hun kanonnen in de aanslag.

Ik probeer me onzichtbaar te maken, maar er gebeurt niets, en ik heb geen tijd om uit te zoeken waarom niet. Ik grijp het kanon dat ik even had neergezet om Sarah te helpen, spring op, en schiet een van de Mogs neer. Hij zakt in elkaar en gaat over in een wolk van as. Ik blijf schieten, en dood er nog twee, maar zodra ik me omdraai om mijn volgende slachtoffer te zoeken, word ik met een ruk achterovergetrokken en voel ik hoe de ketting van mijn amulet strak om mijn nek wordt geklemd. Ik kijk achterom en zie dat ik word vastgehouden door het monsterlijke wezen dat daarnet nog Sarah was. Hij draait me om, slaat met zijn andere enorme klauw het kanon uit mijn handen en trekt me naar zijn gezicht. Van zo dichtbij zie ik dat zijn donkere huid een grote massa littekenweefsel is, alsof hij met scheermesjes is bewerkt.

Ik richt mijn aandacht op het optillen van het wapen dat nu op de grond ligt, maar het blijft daar gewoon liggen. Mijn Erfgaven doen het niet meer! Zonder mijn Erfgaven ben ik kwetsbaar. Erger nog: ik ben weerloos. Ik heb niets om mee te vechten. Maar ik geef het niet op.

'Vertel me waar ze zijn!' brult Setrákus Ra. Hij trekt mijn ketting strakker om mijn keel. Ik zie zijn paarse litteken steeds feller oplichten terwijl hij brult: 'Waar zijn ze, Nummer Zes?'

'Het is te laat,' fluister ik zo moedig als ik maar kan. 'We zijn nu te sterk. We maken gehakt van jullie. Loriën zal weer herleven en jullie tegenhouden.'

De klap in mijn gezicht is zo hard dat mijn oren ervan tuiten en mijn wang gevoelloos is. Ik dwing mezelf hem recht in de ogen te blijven kijken. Hij trekt zijn gebarsten lippen op, zodat er twee rijen scherpe, scheve tanden zichtbaar worden. Hij is nu zo dichtbij dat ik zijn gezicht aan de randen wat wazig zie, en dus zoek ik naar iets om me op te concentreren. Ik kies een afgeknapte tand waar een dikke zwarte vloeistof uit lekt. Ik weet niet goed waarom, maar op de een of andere manier maakt dat hem wat minder angstaanjagend. Het is gewoon zo ordinair en onsmakelijk.

'Vertel eens waar je over drie dagen met Nummer Vier hebt afgesproken.'

'Op de maan,' zeg ik.

'Je sterft straks onder hun ogen. Ik zal je persoonlijk vermoorden.'

Ik reageer niet. Ik reageer zelfs niet op wat hij gezegd heeft als hij zijn grip verstevigt. De ketting van de amulet die John en ik in de bron in Ohio hebben gevonden, de amulet om de nek van het reusachtige skelet, snijdt in de achterkant van mijn nek terwijl er strakker en strakker aan getrokken wordt. Terwijl hij de ketting zelfs nog strakker trekt, denk ik aan Johns gezicht, zoals dat eruitzag toen we samen trainden. Ik zie de Garde om de witte tafel aan boord van het ruimteschip zitten, en ik glimlach. Ik ben er trots op dat ik door de Ouderlingen ben uitverkoren. Uit respect voor hen zal ik niet om genade smeken.

'Zo, daar ben je dan, Nummer Zes.' Ik herken de stem onmiddellijk. Het is agent Purdy. Ik doe mijn ogen open en zie een oude man. Hij heeft een gipsverband om zijn arm, en zijn gezicht zit vol schrammen en blauwe plekken. Als hij naar me toe loopt, zie ik dat hij hinkt.

Als hij dichtbij genoeg is, spuw ik op zijn leren schoenen. Setrákus Ra lacht recht in mijn oor.

Agent Purdy kijkt over me heen en spreekt hem aan. 'Bent u te weten gekomen wat u wilde weten? Weet u waar ze zijn?'

Setrákus Ra gromt en duwt me hard tegen de muur. Dat is kennelijk zijn antwoord. Mijn knieën raken het beton het eerst. Als ik tegen de grond smak, word ik onmiddellijk aan de ketting weer overeind getrokken. Ik voel dat mijn ribben een deel van de klap hebben opgevangen. Volgens mij heb ik er een paar gebroken. Het kost me moeite om te ademen. Opnieuw probeer ik mijn geest te gebruiken om het kanon van de vloer te tillen, maar het blijft liggen waar het ligt.

'Heel aardig van je dat je ons bent komen opzoeken, Zes,' zegt Purdy. 'Je hebt Setrákus Ra al leren kennen, zie ik.'

'Je bent een lafaard,' fluister ik. Erfgaven of niet, ik ga hem doden, of anders word ik zelf gedood terwijl ik het probeer.

'Lafaard? Jij bent degene die voor mij wegloopt,' zegt Setrákus Ra minachtend.

Ik kijk hem recht in zijn kastanjebruine ogen. 'Dit is laf. Je denkt zeker dat je me niet kunt doden als ik over al mijn krachten beschik. En daarom noem ik jou een lafaard.'

Setrákus Ra's litteken begint opnieuw te gloeien, nog feller dan daarnet, en tot mijn verrassing komt de ketting om mijn nek wat losser te zitten. 'Zet haar bij het meisje,' zegt hij, en hij trekt de ketting over mijn hoofd. Ik krijg een naar gevoel in mijn maag als ik de amulet aan zijn hand zie bungelen. Hij kijkt me aan en glimlacht. 'Ik ga met je vechten, Zes. Alleen wij tweeën. En dan maak ik je dood. Binnenkort.'

Ik word de cel uit gesleurd. Mijn voeten schuren met de wreven over het beton. Dan voel ik een harde klap op mijn achterhoofd. Ik doe mijn ogen dicht – ze kunnen maar beter denken dat ik buiten kennis ben. Dat maakt het voor mij gemakkelijker om goed op te letten waar ze me heen brengen. Eén keer rechts en twee keer links. Ik hoor deuren opengaan en word naar voren geduwd. Ik zet een paar strompelende passen totdat ik iets zachts raak. Of totdat iets zachts mij raakt. Ik heb mijn ogen nog niet opengedaan als ik voel hoe er twee armen om me heen geslagen worden. Als ik mijn ogen weer opendoe, ben ik voor de tweede keer in één uur verrast dat ik Sarah Hart zie.

25

Vier

Onze beige Ford Mondeo scheurt over de snelweg. Negen zit aan het stuur en ik tuur naar de uitgestrekte velden vol mais en probeer me voor te stellen hoe die er vanuit de ruimte zouden uitzien. Ik moet telkens weer aan ons schip denken, dat daar ergens in de woestijn van New-Mexico staat. Na al die jaren, al dat vluchten, onderduiken en oefenen, passen nu bijna alle stukjes van de puzzel in elkaar. De Gardes hebben hun Erfgaven ontwikkeld en zijn zich aan het verzamelen. Setrákus Ra is naar de Aarde gekomen om strijd met ons te leveren, en als alles voorbij is, hebben we een ruimteschip waarin we terug kunnen naar Loriën.

'Dit is saai,' zegt Negen. 'Vertel me eens wat. Vertel eens over Sarah. Is dat een lekker chickie?'

'Breek je daar het hoofd maar niet over,' zeg ik. 'Die meid is veel te goed voor jou.'

'Vier, als jij bij haar in de buurt hebt weten te komen, dan lukt het mij ook wel hoor, zeker in deze auto.'

Deze auto. Toen ik die voor het eerst zag, liet Negen me in het duister tasten. Ik bedoel, vanwege alles wat ik al had gezien over de manier waarop Sandor en hij hun leven hadden ingericht, viel het te begrijpen dat ik me had voorgesteld dat we op reis zouden gaan in een auto met heel wat meer bling. Maar het uiterlijk zegt niet altijd alles. De Ford hield zijn sterke kanten alleen maar verborgen.

Van buitenaf gezien heeft de auto nog het meeste weg van zo'n ding dat je ergens in een achterbuurt op een paar blokken ziet staan. Maar vanbinnen is dit waarschijnlijk het meest technologisch geavanceerde apparaat dat ik ooit heb gezien. Ik voel me net James Bond. Het ding heeft een radardetector, een laserstoorzender en kogelvrije, getinte ruiten. Als Negen even genoeg heeft van het autorijden, neemt de auto het van hem over. Met een druk op de knop schuift er een geschutskoepel met een paar grote geweerlopen uit de motorkap. En de wapens worden, dat spreekt vanzelf, gericht met het stuurwiel. Negen heeft het me allemaal laten zien toen er een tijd geen ander verkeer op de weg was, ergens in het zuiden van Illinois, en heeft een paar schoten gelost op een verlaten schuur. Mijn eigen ervaring met auto's is tot nu toe beperkt gebleven tot de gehavende pick-uptrucks en andere afdankertjes die Henri voor ons opduikelde – het soort auto's dat we zonder moeite op het laatste moment zouden kunnen dumpen. Zoiets als dit zou hij nooit gekocht hebben. Als we het ding zouden moeten dumpen, zou er te veel belastend bewijsmateriaal zijn. Zo zie je maar weer hoe sterk de Cêpanen van elkaar verschilden.

Negen tilt zijn handen van het stuurwiel en duwt ze tegen elkaar, alsof hij zit te bidden. 'Alsjeblieft, ik smeek het je. Vertel me dan in elk geval één keer hoe ze eruitziet. Na al die uren mais, wil ik heel graag aan iets moois denken.'

Ik tuur naar de voorbijglijdende akkers en druk mijn lippen stijf op elkaar. 'Absoluut niet.'

'Gast, je zou bijna denken dat ze je niet aan de politie had verraden. Schiet op, man! Waarom neem je haar zo in bescherming?'

'Ik weet niet eens zeker of ze me écht heeft verraden. Ik weet niet meer wie ik moet geloven. Maar als ze me verraden heeft, moet ze daar haar redenen voor gehad hebben. Misschien heeft iemand haar voorgelogen of onder druk gezet.' Ik heb mezelf in gedachten zoveel vragen over Sarah gesteld. Kon ik haar maar zien, kon ik maar met haar praten!

'Ja, ja. Zet dat maar uit je hoofd. Vertel me nou maar gewoon hoe ze eruitziet. Dát is wat ik echt wil weten. En ik zal er tegen niemand iets over zeggen. Beloofd.' Ik kan wel zien dat hij hier voorlopig niet mee ophoudt. 'Ik zweer het op de Lorische erecode, als er tenminste zoiets bestaat.'

'Natuurlijk bestaat er zoiets! Sandor en jij werden gewoon veel te veel in beslag genomen door dat luxeleventje van jullie en al die mooie speeltjes die jullie gekocht hadden, om je druk te maken om zoiets fundamenteels als de Lorische erecode,' zeg ik boos. Een paar minuten rijden we zwijgend verder. 'Oké, ik zal je iets over Sarah vertellen. Weet je hoe het is als je met een mooi meisje staat te praten dat alleen maar oog heeft voor jou, en dat je het gevoel hebt dat alles gesmeerd loopt?'

'Ja.'

'En dat je denkt dat je met het mooiste meisje van de hele staat bent, misschien zelfs wel van het hele land, misschien zelfs wel van de hele Aarde? Ze hoeft alleen maar de kamer binnen te lopen, om te zorgen dat die plotseling helverlicht is. Iedereen wil haar beste vriend zijn, met haar trouwen of allebei. Kun je je nu een beeld van haar vormen?'

De grijns op Negens gezicht wordt nog breder. 'Ja. Oké. Dat geeft me wel een beeld.'

'Nou, dat is Sarah. Zij is het meisje dat alleen maar de kamer hoeft binnen te lopen om die te verlichten. Ze behandelt je alsof je de belangrijkste persoon bent die ze ooit heeft ontmoet. En als ze naar je glimlacht, o man, dat is het beste wat je ooit heb meegemaakt. Plotseling is er niets anders waar je je nog druk om maakt. En bovendien is ze het liefste, slimste, creatiefste meisje dat ik ooit heb ontmoet. En ze houdt van dieren, en...'

'Gast, het kan me niet schelen of ze lief doet tegen puppy's. Gewoon de details, hoe ze eruitziet, haar stijl.'

Ik heb nog nooit iemand meegemaakt die zo lang doorging. Ik zucht. 'Blond haar, blauwe ogen. Lang en slank – en je zou haar eens moeten zien in die rode sweater van haar. Ze ziet er dan zo fantastisch uit dat het gewoon niet eerlijk is tegenover andere meisjes.'

Negen gooit zijn hoofd in zijn nek en begint luid te janken, zodat Bernie Kosar, die op de achterbank lag te slapen, geschrokken opkijkt. Ik wijs naar hem. 'Hé! Je houdt je mond, hè? Je hebt het beloofd op de Lorische erecode.'

'Oké, oké, oké,' zegt Negen. 'Bedankt voor dat veelzeggende detail. Zo te horen is het echt een absolute babe. En vertel me nu eens over Zes.' Hij wrijft in zijn handen en zit vol verwachting te grijnzen.

'Dat mocht je willen!'

'Alsjeblieft, Johnny.'

Ik moet lachen. Ik wil zo graag over haar praten dat het onmogelijk is om dat te laten. 'Oké. Zes dan. Laten we eens kijken. Nou, ten eerste is ze de sterkste persoon die ik ooit heb ontmoet.'

Hij snuift. 'Doe me een lol, zeg. Ik weet zeker dat ik haar zo tegen de grond werk.'

'Ik weet het niet, man. Wacht maar tot je haar ontmoet.'

Hij kijkt in de achteruitkijkspiegel en duwt zijn haar in model. 'Nou, ik kan gewoon niet wachten.'

'Ze heeft lang zwart haar, en ze kijkt altijd een beetje boos...'

'Is het je weleens opgevallen dat het soms best wel opwindend kan zijn als een meisje boos op je is?' zegt Negen peinzend, en hij wrijft over zijn kin alsof hij daar werkelijk diep over nadenkt.

Plotseling voel ik me schuldig. Ik zou hier helemaal niet over moeten zitten praten, en al helemaal niet met Negen. Ik hoor Zes en Sarah helemaal niet op deze manier met elkaar te vergelijken, alsof het een wedstrijd is – en al helemaal niet omdat ze zo de pest aan elkaar hebben. Sarah haat Zes vanwege alles wat ik over Zes heb gezegd, die nacht dat Sarah me heeft verraden. En Zes haat Sarah omdat ik ons leven op het spel heb gezet door Sarah op te zoeken, terwijl Zes mijn hulp nodig had. En omdat ze denkt dat Sarah ons heeft verraden. 'Het voelt niet goed om met jou over Zes te praten. Je kunt haar maar beter gewoon zelf ontmoeten en dan je eigen conclusies trekken.'

'Wat ben je toch een sukkel,' zegt Negen hoofdschuddend.

Een tijdje rijden we zwijgend verder. Borden langs de weg geven aan waar we zijn. Ik kijk nog eens op de tablet, dankbaar voor Sandors en Negens liefde voor allerlei gadgets. Als ik de tablet niet op de boordcomputer had kunnen aansluiten, zou ik op geen enkele manier kunnen checken of de drie Gardes alweer verschenen zijn. In het oosten van Oklahoma zie ik de stipjes die Negen en mij voorstellen; er is er nog steeds een in New-Mexico, en een vierde stip schuift nu snel over de Atlantische Oceaan. De andere drie zijn opgedoken in Engeland. En ik weet nog steeds niet hoe ze daar vanuit India zo snel gekomen kunnen zijn. Ik geef mezelf toestemming om over een minuut of tien nog eens te kijken.

Ik kijk uit het raam en bestudeer de langsglijdende verkeersborden. We zijn al meer dan halverwege New-Mexico als het me opvalt dat de naald van de benzinemeter diep in het rood staat. Ik wijs ernaar en even later rijdt Negen een benzinestation binnen.

Hij vraagt me om het dashboardkastje open te maken. Er vallen twee rollen van honderddollarbiljetten in mijn schoot.

'Verdomme,' zeg ik.

'Geef me er eentje, wil je?' vraagt Negen.

Ik pel een biljet van de rol en geef het hem aan. Hij maakt van binnenuit de benzinetank open en stapt uit. Ik stop een paar bankbiljetten in mijn zak en leg de rest weer in het dashboardkastje. Uitgeput trek ik aan de handgreep waarmee ik de rugleuning achterover kan duwen, laat mijn hoofd op de hoofdsteun rusten en doe mijn ogen dicht. Bernie Kosar buigt zich naar me toe en likt mijn wangen, zodat ik moet grinniken. Ik ben doodop, maar ik verzet me tegen de slaap die me nu dreigt te overspoelen. Ik ben nu niet opgewassen tegen wat de slaap met zich meebrengt. Ik ben het zat om het in mijn dromen telkens weer tegen Setrákus Ra te moeten opnemen.

Ik laat mijn aandacht afdwalen naar Sarah en Zes: ik hoop dat het goed met hen gaat. Dan denk ik aan Sam. Ik kan nog steeds niet geloven dat ik mijn beste vriend in de steek heb gelaten en ik hou mezelf voor dat ik geen keus had. Het blauwe energieveld had mijn krachten zo ondermijnd dat het zelfmoord zou zijn geweest om terug te gaan. Dat is allemaal volkomen waar, maar toch voel ik me er nog steeds rot over.

Door de luide klik van de benzinepomp schrik ik op uit mijn gedachten. De tank is vol. Ik adem diep in, nog steeds met mijn ogen dicht, om tot Negen weer terug is tot op de laatste seconde te genieten van de stilte. Maar de stilte blijft. Negen springt niet de auto in om weer verder te kletsen. Ik doe mijn ogen open en kijk naar de benzinepomp, maar ik zie niemand. Waar is hij? Ik laat mijn blik over het gebouwtje bij het benzinestation gaan, maar daar zie ik hem niet. Onmiddellijk maak ik me ongerust. Ik stap uit. Bernie Kosar springt achter me naar buiten en ik doe de deuren op slot.

Eerst loop ik het gebouwtje binnen, maar daar is hij inderdaad niet. Daarna loop ik het parkeerterrein op, dat vol staat met trucks. Met mijn superscherpe gehoor vang ik Negens stem op, en ik kan horen dat hij nijdig is. Samen met Bernie Kosar loop ik naar de plek waar zijn stem vandaan komt en we zien hem tussen twee jonge jongens in staan, die allebei bloed op hun T-shirt hebben. Recht voor Negen staan drie truckers, en allemaal staan ze te schreeuwen.

'Wát heb jij net tegen me gezegd?' vraagt de trucker in het midden. Het gezicht onder zijn gele pet gaat vrijwel volkomen schuil onder een ruige rode baard.

'Ben je soms doof?' zegt Negen, en hij spreekt zijn woorden bijzonder nadrukkelijk uit, alsof hij tegenover een idioot staat. 'Ik zei: "Je hebt de armen van een meisje. Ik bedoel, moet je die polsen van jou eens zien."' Waarom zoekt hij toch altijd problemen?

'Wat is er aan de hand?' zeg ik, en ik loop naar hen toe.

De trucker rechts, een lange man met een stalen zonnebrilletje op, wijst zo agressief naar me dat hij me bijna in mijn gezicht prikt en brult: 'Bemoei je met je eigen zaken, kloothommel!' Als ik bij het groepje kom staan, spuwt de trucker links een lange straal tabakssap vlak voor mijn voeten.

'Voor zover ik heb begrepen,' zegt Negen, en hij keert zich naar me toe om het uit te leggen, 'zijn deze dikkerds boos op deze jochies. Ze waren aan het liften en hebben een eindje met een van die lui meegereden, en hem geld beloofd dat ze niet hadden. En nu willen deze dikkerds hen in elkaar slaan, met hun nietige meisjesarmen.'

Ik draai me naar de truckers toe, de dikkerds, en probeer hen te sussen. 'Oké, dit heeft niets met ons te maken en we moeten nodig weer verder. Mannen, mijn excuses voor mijn vriend. Hij heeft soms niet door wanneer hij zich met zijn eigen zaken moet bemoeien.'

'Ja,' gromt de trucker met de baard tegen Negen. 'Rot nou maar op, lulhannes, dan rekenen wij wel met deze onderkruipers af.'

Voor het eerst neem ik de lifters eens goed op. Zo te ruiken zijn ze al een tijdje onderweg. Ze zijn beslist niet ouder dan achttien, waarschijnlijk jonger. Terwijl de truckers aanstalten maken om naar hen toe te lopen, kijken ze elkaar aan met echte paniek in hun ogen. Voordat ik er erg in heb, gaat Negen voor hen staan en zegt: 'Het kan me niet schelen wie wat aan wie beloofd heeft. Als jullie deze jongens nog één keer aanraken, breek ik al jullie armen.'

Ik schuif tussen Negen en de drie truckers in, die nu echt goed boos beginnen te worden, en houd beide partijen uit elkaar. Bernie Kosar begint dreigend blaffen. 'Oké, oké, hou nou maar gewoon op.' Ik draai me naar Negen toe, en probeer hem met pure wilskracht te dwingen naar me te luisteren. 'We hebben hier geen tijd voor. We hebben iets heel belangrijks te doen. Nú.' Ik steek mijn hand in mijn zak en keer me naar de truckers toe. 'Luister eens, hoeveel hadden die jongens jullie beloofd?'

'Honderd dollar,' zegt de man met de zonnebril.

'Prima,' zeg ik, en ik gris een van de bankbiljetten uit mijn zak. De truckers zetten grote ogen op als ze dat zien, en ik heb meteen in de gaten dat ik het er nu alleen maar erger op heb gemaakt.

'Waarom zou je die kerels ook maar íéts geven, Johnny?' vraagt Negen.

Ik voel de vlezige hand van een trucker op mijn schouder rusten. Hij geeft me een kneepje in mijn schouder en zegt: 'Zei ik honderd dollar? Ik bedoelde duizend, Jóhnny.'

'Je bent knettergek, man!' roept een van de lifters. 'We hebben nooit gezegd dat we jullie geld zouden geven!'

Ik draai me snel weer om naar de truckers en zwaai het bankbiljet heen en weer alsof het een witte vlag is. 'Honderd dollar, mannen. Wees er nou maar tevreden mee. Het kan me niet schelen hoe jullie het noemen. Beschouw het maar als een fooi in plaats van een pak slaag!'

'Duizend zei ik,' zegt de man links. Hij spuwt opnieuw en deze keer komt het op mijn schoen terecht. 'Heb jij soms stront in je oren?' Er klinkt nu een diep gegrom uit Bernie Kosars keel.

Negen zet een stap naar voren, maar ik duw hem terug en keer me naar hem toe. 'Nee! Het is het niet waard, man!' Ik houd mijn gezicht recht voor het zijne. Hij moet begrijpen hoe ernstig ik dit meen. Ik laat hem dit niet doen. 'Alsjeblieft, denk aan wat Sandor gewild zou hebben,' fluister ik. 'We gaan hier nu weg.'

'Jullie krijgen helemaal niks!' roept Negen over mijn schouder naar de truckers.

Ik ga tegen hem aan staan en probeer hem naar achteren te duwen, naar de auto toe, maar dat lukt niet. Als ik me weer omdraai zie ik hoe de trucker met de baard een mes uit zijn zak trekt. 'Al je geld. Nu.' De twee andere mannen komen naast me staan.

'Hoor eens,' zeg ik met zachte stem, terwijl ik probeer de situatie weer onder controle te krijgen. 'Jullie nemen die honderd dollar aan en dan lopen jullie weg. Als jullie dat niet doen, hou ik mijn vriend hier niet meer tegen. En neem maar van mij aan dat jullie dat niet willen. Jullie hebben geen idee wat hij allemaal kan en dat willen jullie helemaal niet weten ook.'

Het verrast me eigenlijk niet dat het antwoord de gedaante aanneemt van een vuist. Die komt van rechts en ik weet hem gemakkelijk te ontwijken. Ik grijp de trucker bij zijn pols en werk hem tegen de grond. BK staat nu dreigend grommend over hem heen gebogen, en de man krimpt ineen.

'Mijn beurt!' zegt Negen vergenoegd, en hij duwt me uit de weg. De trucker met de baard haalt wild uit met zijn mes, maar Negen stapt ontspannen buiten zijn bereik. Als de man opnieuw uithaalt, duikt Negen onder het mes door, haakt zijn arm om de oksel van de trucker, en werkt hem tegen de grond. Hij schopt het mes uit zijn hand, zodat het onder een truck glijdt. 'Gast, je kun echt maar beter naar mijn wijze vriend luisteren. Je hebt echt geen zin om ons het leven zuur te maken.'

'Goed, we zijn hier klaar,' zeg ik en ik leg mijn hand op Negens schouder. 'En nu lopen we allemaal rustig weg. Kom mee.'

Ik hoor de slagpin van een vuurwapen klikken. We verstarren. De trucker met de zonnebril op zwaait met een .50 kaliber Desert Eagle. Ik weet niet zo heel veel van vuurwapens, maar ik weet wel dat dit geen klein pistooltje is. De man klinkt behoorlijk ernstig als hij vraagt: 'Wie van jullie wil als eerste dood?'

Natuurlijk stapt Negen naar voren. Hij slaat zijn armen over elkaar en zegt: 'Ik.'

De man brengt het pistool omhoog naar Negens gezicht en lacht om wat hij alleen maar als bluf beschouwt. 'Breng me niet in de verleiding, lul die je bent. Jou doodschieten zou voor mij het hoogtepunt van de dag zijn.'

'Nou, schiet dan maar. Geen enkele reden om het hoogtepunt van jouw dag uit te stellen. Je ziet er niet uit alsof je er veel krijgt,' zegt Negen. Ik zucht, want het is nu wel duidelijk dat dit een enorme puinhoop wordt. En we zullen aandacht trekken die we helemaal niet kunnen gebruiken.

En dan gaat het allemaal ineens heel snel. Eerst klinkt er een luide knal uit een truck vlakbij. De trucker die met het pistool staat te zwaaien schrikt en lost een schot. Als de kogel nog maar een paar centimeter van zijn neus verwijderd is, vangt Negen de kogel op met zijn geest. Grijnzend houdt hij zijn hoofd schuin en stuurt de kogel dan terug naar de schutter. Die ziet de kogel langzaam zijn kant op komen, draait zich om en gaat er zo snel als hij maar kan vandoor.

Ik draai me om en kijk naar Negen. Die jongen heeft veel te veel lol. Ik weet wat hij gaat doen, en ik weet ook dat dat een heel, heel slecht idee is. 'Nee, Negen. Niet doen,' zeg ik hoofdschuddend, terwijl ik wel weet dat hij het toch gaat doen.

Negen lacht en kijkt me heel onschuldig aan. 'Wat bedoel je? Dit soms?'

Hij en ik draaien ons allebei om en kijken naar de kogel die nog steeds in de lucht hangt waar Negen hem heeft tegengehouden vlak voordat hij de trucker zou raken. Hij grinnikt en laat de kogel los, zodat die achter de wegvluchtende trucker aan schiet en zich in zijn achterwerk boort. De man valt op de grond en zet het op een krijsen. Negen draait zich naar de andere twee truckers toe, onder wie ook de man die van BK inmiddels heeft mogen opstaan. Ze zien eruit alsof ze het elk ogenblik in hun broek zullen doen, zo bang zijn ze. Negen glimlacht hen toe en ik weet dat hij nog niet klaar met hen is. Tegen de twee truckers zegt hij: 'Weet je wat? Ik denk dat jullie dat onbeleefde gedoe van die vriend van jullie maar goed moeten maken. Jullie steken nu heel langzaam je hand in je zak en halen allebei je portemonnee tevoorschijn. En dan geven jullie al het geld dat daarin zit aan deze twee aardige jongens hier. Je weet wel, voor al hun moeite.' Hij gebaart naar de lifters. 'Volgens mij willen jullie liever niet horen wat ik met jullie ga doen als jullie niet meewerken. En snel nu.' Beide truckers knikken en steken hun hand in hun zak.

De lifters lijken volkomen verbijsterd door alles waarvan ze zojuist getuige zijn geweest. 'Dankjewel, man,' zegt een van hen.

'Geen probleem,' zegt Negen, terwijl het geld van handen verwisselt. Alle handen trillen, behalve die van ons.

'Ik wil toch even zeggen dat we die kerels helemaal geen geld beloofd hebben. Ze probeerden ons gewoon geld af te troggelen,' zegt de ander. 'Maar wij zijn platzak.'

'Ik geloof je. En platzak zijn jullie nu niet meer,' zegt Negen glimlachend. 'Laten we het er maar op houden dat ik weet wat het is om te moeten liften en op de vlucht te zijn. Het kan soms heel moeilijk zijn om een manier te verzinnen om aan geld te komen.' Hij kijkt mij aan ter bevestiging. Ik glimlach naar de jongens, maar daarna kijk ik naar Negen en ik maak hem duidelijk dat ik nijdiger ben dan ooit. Hij haalt zijn schouders op. 'Ik hoop dat jullie volgende ritje minder problemen oplevert!' Hij draait zich om en loopt weg en BK en ik lopen achter hem aan.

We stappen in de auto en rijden zwijgend weg. Na een paar minuten buigt Negen zich voorover en zet de radio aan. Met zijn vingers op het stuur trommelt hij het ritme van de muziek.

'Wat was dat nou weer, verdomme?' schreeuw ik, en ik geef hem een stomp tegen zijn schouder. 'En die flauwekul over arme jongetjes en gemene truckers hou je maar voor je! Je wilde gewoon lol trappen en laten zien hoe stoer je bent! En weet je wat? Daarmee breng je ons allebei in gevaar, om nog maar te zwijgen van het feit dat het daardoor nog langer duurt om de plek te bereiken waar we naartoe moeten. Kom op, Negen! Gedraag je nou eindelijk eens niet als een klein kind!'

Negen klemt zijn handen nu zo strak om het stuurwiel dat zijn knokkels wit worden, en ik kan zien dat hij zijn kaak zo stijf op elkaar klemt dat zijn spieren beginnen te trillen. 'Ik was niet stoer aan het doen en ik was geen lol aan het trappen.' Ik wacht tot hij doorgaat, en uitlegt wat hij bedoelt, maar het is duidelijk dat hij niet van plan is om nog iets te zeggen. Wat heeft hij nou voor reden om boos te zijn?

'Wat, dat je gewoon in de bres springt voor twee mensen die getreiterd werden door een paar bullebakken? Terwijl je net nog zei dat mensen onze tijd en energie niet waard zijn?' Hij krimpt in elkaar als ik zijn eigen woorden tegen hem gebruik.

'Ik hou niet van bullebakken. Niemand heeft het recht om anderen zonder reden kwaad te doen of dingen af te pakken, gewoon omdat hij toevallig de sterkste is. Dat wilde ik niet toelaten. En ik heb ervoor gezorgd dat die lui dat beslist niet nog een keer zullen proberen.' Zijn stem klinkt uitdrukkingsloos. Hij kijkt me aan, ziet dat ik verbaasd naar hem zit te kijken en richt zijn ogen op de weg. 'Ik weet niet waarom je zo verbouwereerd kijkt. Ik ben een mensenvriend, man.'

Ik schud mijn hoofd. Elke keer dat ik denk dat ik Negen doorheb, doet hij iets wat al mijn ideeën over hem weer op losse schroeven zet, en waardoor ik hem nog aardiger vind. Ik haal mijn schouders op, leun met mijn hoofd achterover en kijk naar het langsschietende landschap. Ik leg mijn hand op de armsteun en trommel mee met de muziek. 'Dat wist ik niet,' zeg ik.

Hij ontspant zich en er verschijnt een zelfvoldane grijns op zijn gezicht. Zo ken ik hem weer. 'Ja, maar nu weet je het wel, man. Nu weet je het wel.'

26

Zes

Ik lig met mijn hoofd in de schoot van Sarah Hart, de echte Sarah Hart, en ze streelt met haar vingers door mijn haar. Ik tuur met een uitdrukkingsloos gezicht naar het plafond. Dan breng ik mijn hand omhoog en voel in mijn nek. De snee die er helemaal omheen loopt, is diep. Ik wil rechtop gaan zitten, maar mijn gekneusde ribben en knieën laten dat niet toe.

Ik ben vernederd door het gemak waarmee Setrákus Ra me heeft overmeesterd, en doordat ik zo zwak ben geweest toen ik geconfronteerd werd met zijn verschrikkelijke kracht. Ik heb zoveel Mogsoldaten gedood. Ik heb hun koppen afgehakt, terwijl ik ze neermaaide met wapens die ik met mijn geest bediende. Sinds ik mijn Erfgaven heb ontvangen, ben ik voortdurend klaar geweest voor de strijd, zonder angst, en tegen wie of wat ik het ook moest opnemen. Tot nu toe dan. Setrákus Ra zwaaide me rond aan de ketting van mijn amulet alsof ik een lappenpop was. Tegenover hem was ik volkomen hulpeloos. Hij heeft er zelfs voor gezorgd dat mijn Erfgaven verdwenen. Ik had de kans om Setrákus Ra te doden, om Loriën te redden en een einde te maken aan de oorlog, en ik werd als een lastig insect platgeslagen.

'Zes? Kun je me vertellen of John nog leeft?' vraagt Sarah behoedzaam. 'Ik weet dat je pijn lijdt, maar kun je me dat vertellen?'

'Ja, hij leeft nog,' fluister ik. Ik voel haar zuchten van opluchting.

Na een korte stilte vraagt ze: 'Gaat het goed met je?'

'Dat weet ik eigenlijk niet,' zeg ik. Ik draai mijn hoofd, zodat ik in Sarahs vermoeide ogen kan kijken. Ik probeer te glimlachen. Ik ben uitgeput. Mijn oogleden beginnen al te trillen als ik mijn mond opendoe om iets te zeggen. 'Hij was jou. Op de een of andere manier liet dat monster me geloven dat hij jou was.'

Sarah hoort dat aan zonder ook maar iets van verwarring te laten blijken. Ze schudt haar hoofd en zonder me aan te kijken zegt ze: 'Dat weet ik. Hij heeft het me laten zien. Een paar dagen geleden kwam hij mijn cel binnen. Ik dacht dat hij van plan was me mee terug te nemen naar de kamer waar...' Haar stem sterft weg en een tijdje kijkt ze zwijgend voor zich uit, maar dan schraapt ze haar keel en gaat rechtop zitten. '... de kamer met al die machines en die felle knipperlichten. Als ik daar ben, krijg ik het gevoel dat ik helemaal krankjorum ben en overal pijn heb. Het is moeilijk uit te leggen. Maar hij nam me helemaal nergens mee naartoe. Hij stond daar maar, zonder iets te zeggen. En toen begon hij spastische bewegingen te maken, alsof hij een toeval kreeg. Hij werd steeds kleiner en boem! – ineens was het net of ik in de spiegel keek. Toen hij eindelijk iets zei, deed hij dat niet met zijn eigen stem, maar met de mijne. Ik probeerde hem te slaan en hem zijn ogen uit te krabben, maar toen gaf hij me zo'n afschuwelijk pak slaag dat... Ik ben er pas weer in geslaagd om op te krabbelen toen jij de cel binnen werd gesmeten en ik je opving.'

'Heel vleiend.' Ik probeer te lachen, maar op de een of andere manier blijft de lach in mijn keel steken. 'Nee, ik méén het. Bedankt.'

'Graag gedaan.' Ze kijkt glimlachend op me neer en ik vermoed dat ze doodsbang is geweest. Ik ben daarnet banger geweest dan ooit en ik ben hiervoor geboren en opgeleid. Dit is mijn leven. Maar Sarah is hier niet voor in de wieg gelegd.

'Maar één ding snap ik niet. Hoe komt het dat hij zoveel van je wist? Hoe heeft hij me zo lang kunnen wijsmaken dat hij jou was?'

'Ze weten alles, Zes,' zegt ze, en ze klinkt nu dodelijk ernstig.

Langzaam laat ik mijn hoofd van haar schoot rollen en terwijl ik mezelf overeind duw, probeer ik de pijn in mijn gekneusde ribben te negeren. 'Hoezo, alles? Over wie? En wat weet jíj? Over deze hele toestand?'

Sarah slaat haar ogen neer. 'Ik weet niet veel, maar wat ik weet, heb ik hun verteld,' zegt ze na een korte stilte. 'Ik kon er niets aan doen. Ze namen me telkens weer mee naar dat kamertje, bonden me vast en injecteerden drugs. En dan vroegen ze van alles, en telkens weer hetzelfde. Na een tijdje begon mijn mond uit zichzelf te bewegen, zelfs al wilde ik helemaal niets zeggen.' Sarah slaat haar handen voor haar gezicht en begint te huilen. 'Ik heb ze alles verteld! Ik heb hele gesprekken woord voor woord herhaald.'

Ik ga met mijn rug tegen de muur zitten en laat de pijn over me heen komen. 'Als John Setrákus Ra tegenkomt en denkt dat jij het bent, weet ik niet wat er gaat gebeuren.'

Plotseling klinkt Sarah panisch. 'We moeten hier weg zien te komen! We moeten hem tegenhouden! Is er een manier waarop we John kunnen waarschuwen?'

'Ik weet niet of ik er wel aan toe ben om een uitbraakpoging te doen.'

'Wat?' vraagt ze geschokt. 'Waarom niet?'

Ik kom moeizaam overeind, met mijn hand beschermend op mijn ribben. 'Nu ik Setrákus Ra heb ontmoet, wil ik het nog een keer tegen hem opnemen. Hij heeft me in leven gelaten en nu ga ik hem doden.' Dat zou heel wat gevaarlijker klinken als ik niet stond te wankelen op mijn benen, maar ik meen het uit de grond van mijn hart.

Sarah staat op en voor het eerst krijg ik haar goed te zien. Haar gezicht zit onder het vuil en de blauwe plekken, haar blonde haar hangt slap op haar schouders, maar ze is nog steeds heel mooi. Er zitten scheuren in de zoom van haar rode sweater en ze heeft geen schoenen aan. Ze staat zelf trouwens ook niet al te stevig op haar benen. Ze staat me nu aan te gapen met een blik in haar ogen die duidelijk maakt dat ze niet weet wat ze hoort. 'Kijk nu eens naar jezelf, Zes. Je bent gewond! Heel erg gewond. Weet je wel wat je zegt? Het zou krankzinnig zijn om het in je eentje tegen hem op te nemen. John komt heus wel. Wacht nou maar gewoon op hem. Alsjeblieft. Hij komt ons redden, én Sam. Dat wéét ik gewoon.'

'Is Sam hier? Weet je dat zeker? Heb je hem gezien?'

Sarah klemt haar kaken op elkaar. 'Eén keer hebben ze hem hier bij mij in de cel gesmeten. Hij was buiten bewustzijn en hij zat onder de sneeën en blauwe plekken. Net zoals ik.' Maar dan lijkt alle energie plotseling uit haar weg te stromen en met zachte stem voegt ze daaraan toe: 'Maar ik weet niet of ik mijn zintuigen nog wel kan vertrouwen.'

Het beeld van een bebloede Sam die hier in de cel heeft gelegen, bezorgt me een scheut in mijn maag van woede. Wat is er in die

Mogadorengrot gebeurd? Ik geef een harde stomp tegen de betonnen muur en tot mijn verrassing zie ik er een paar scherven af springen. Mijn kracht keert weer terug. En ik heb geen pijn meer. Mijn Erfgaven beginnen weer te werken. Ik kijk Sarah recht in haar ogen. 'Sarah, heb jij John die avond op het speelterrein aan de politie verraden? Wees eerlijk.'

Zonder te aarzelen antwoordt ze: 'Absoluut niet. Ik hou van hem. Ja, ik was in de war over... nou, over alles, en het was wel een hoop om te verwerken. Maar ik zou nooit iemand van jullie verraden, en zeker John niet.'

Ik zie de tranen in haar ogen, en ik weet dat ze de waarheid spreekt. 'Hou je nog steeds van hem? Zelfs nu je weet dat hij een alien is? Kan dat je niet schelen?'

Sarah glimlacht. 'Ik kan het niet uitleggen. Ik kan niet uitleggen hoe de liefde voor mij voelt, hoe de liefde ervoor zorgt dat ik me innerlijk vervuld voel en hoe dat me op de been houdt, maar ik weet dat het een krachtig en mooi gevoel is, en dat John dat bij me oproept. Ik hou van hem, en ik zal altijd van hem blijven houden.' Alleen al het uitspreken van die woorden zorgt ervoor dat ze haar rug recht. Ze ziet er nu sterker en vastberadener uit.

Haar overtuiging ontroert me. Ik denk terug aan wat tussen John en mij is voorgevallen, die kus en zo. Ik hou niet van John zoals Sarah dat doet. Ze gelooft duidelijk dat John voor haar de enige is, in het hele universum.

'Zo nu en dan komt er plotseling een herinnering in me op aan onze reis naar de Aarde,' zeg ik zachtjes. 'Hij en ik hadden altijd ruzie.'

'Echt?' vraagt ze gretig. Ze wil duidelijk alles weten wat ik maar over hem kan vertellen.

'Nou, ruzie kun je het misschien niet noemen, maar ik duwde hem vaak weg en dan ging ik met zijn speelgoed spelen.'

We moeten lachen en ze pakt mijn hand vast. Het spijt me dat ze hier door ons toedoen bij betrokken is geraakt. Ik zal haar niet in de steek laten. Ze heeft zoveel vertrouwen in ons, in wie we zijn en wat we doen. Dat staat gewoon op haar gezicht te lezen. 'Ik zorg ervoor dat je hier uitkomt, oké?' zeg ik. 'Ik zorg wel dat je terugkomt bij John.'

‘Ik hoop het maar,’ zegt ze zachtjes.

‘En we gaan Sam zoeken, en hem bevrijden we ook. Daarna gaan we Zeven, Acht en Tien opzoeken, dan gaan we op zoek naar Vijf, en we lossen alles op als een team.’ Haar hand in de mijne geeft me nog meer kracht en zekerheid dan ooit tevoren.

‘Wacht even! Nummer Tien zei je? Ik dacht dat jullie met negen waren.’

‘Er zijn een heleboel dingen die je niet weet, dingen die we de afgelopen tijd te weten zijn gekomen,’ zeg ik, en ik voel aan de snee om mijn nek. Het doet nog steeds pijn, maar de wond begint al te genezen. Ik vraag me vaag af of dat een nieuwe Erfgave zou kunnen zijn.

Sarah slaat haar armen om me heen, maar die omhelzing duurt niet lang. De deur vliegt open en er stormen een stuk of tien Mogs naar binnen, met hun kanonnen op mijn borstkas gericht.

‘Maak jezelf onzichtbaar,’ fluistert Sarah. ‘En ga ervandoor.’

Ik voel aan mijn ribben en draai met mijn nek en schouders. Ik voel me beter dan vijf minuten geleden, en dat moet maar voldoende zijn. ‘Nee. Ik heb er genoeg van om telkens weer op de vlucht te slaan.’

De vrouw met het rode haar die ik in die kamer vol met planten heb gezien, komt de cel binnengehinkt. Ik kijk naar haar arm in de mitella en het grote stuk verband op haar wang, en onwillekeurig wens ik dat ik degene was die haar dat heeft aangedaan. Iedereen die zich aansluit bij de Mogs en in een geheime bunker kinderen martelt, verdient alles wat haar overkomt, en erger nog. Weet ze wel wie de Mogs werkelijk zijn? En wat ze van plan zijn? De vrouw tuit haar bleke lippen en kijkt me strak aan. ‘Zo. Dus jij bent degene die het gaat opnemen tegen Setrákus Ra?’

Ik doe een stap naar voren. ‘Ja. Wie ben jij?’

‘Wie ík ben?’ zegt ze, en ze lijkt het nogal schokkend te vinden dat ik het waag om zoiets te vragen. Volgens mij is ze er niet aan gewend dat mensen vraagtekens plaatsen bij haar recht om waar dan ook aanwezig te zijn en haar te vragen wie ze is.

‘Ja, ik bedoel jou, takkewijf.’ Waar ziet dat mens me voor aan? Denkt ze soms dat ik respect heb voor haar hoge rang? ‘Ik vroeg je iets. Wie ben jij en waarom werk je in hemelsnaam met hen samen? Weet je wel wat de Mogs van plan zijn? Ze gaan de Aarde vernietigen, maar pas nadat ze hebben bereikt waar ze op uit zijn. En jij helpt hen niet alleen, maar je rolt zelfs de rode loper voor hen uit! Hebben ze je wel verteld wat ze hier komen doen? Heb je zelfs maar de moeite genomen om dat te vragen?' Ik ben woedend en wanhopig. Dat mens moet naar me luisteren! Ze moet begrijpen wat hier op het spel staat!

Ze blijft me onverstoorbaar aankijken. 'Ik weet voldoende. Meer hoef ik niet te weten. De Mogadoren zijn hier, omdat ze op zoek zijn naar jou en die vriendjes van je. In ruil voor onze hulp helpen ze ons in kwesties die van vitaal belang zijn voor onze veiligheid. En zal ik je een geheimpje verklappen? Ik zie er verlangend naar uit om die Nummer Vier te vinden, en dat rare buitenaardse maatje van hem. Ik ben de eerste die die twee onder handen mag nemen, en van die gelegenheid zal ik met alle genoegen gebruikmaken.'

Sarah en ik kijken elkaar snel even aan. Een buitenaards maatje? Over wie heeft ze het? Trekt John nu op met een andere Garde?

'En waar gaan de Mogs jullie dan mee helpen?' vraag ik.

'Nou, om te beginnen,' zegt ze, en ze gebaart naar een van de Mog-kanonnen, 'krijgen we duizenden en duizenden buitenaardse wapens die wij hier op Aarde absoluut niet kunnen maken en waar onze vijanden geen toegang tot hebben. Met deze buitenaardse technologie ligt het Pentagon lichtjaren vóór op alle andere legers ter wereld. Dat zal ons onoverwinnelijk maken.' Dat vind ik walgelijk en ik doe geen poging om mijn eigen gevoelens te verhullen. 'Setrákus Ra levert ons ook iridium, een metaal dat op Aarde ongelooflijk zeldzaam is, en daarmee hebben we wetenschappelijke doorbraken bereikt waarmee dit land miljarden dollars gaat verdienen. Bovendien is de regering van de Verenigde Staten zeer geïnteresseerd in het vinden van andere planeten waarop menselijk leven mogelijk is; en daarover hebben de Mogadoren al informatie met ons uitgewisseld.' Als ze dat allemaal gezegd heeft, kijkt ze ons uitdagend aan.

'Hebben ze je ook verteld wat ze doen, nadat ze andere planeten hebben gevonden waarop menselijk leven mogelijk is? Zal ik je dat vertellen? Die vernietigen ze,' roep ik hard in haar gezicht. 'Deze keer staan jullie aan de verkeerde kant. Mijn vrienden en ik proberen hen tegen te houden.'

'Zo is het wel genoeg geweest. Setrákus Ra heeft je ontboden. Deze kant op. Nu.' De vrouw doet een stap opzij om me door te laten.

Ik weet dat ik de vrouw en al deze soldaten zo buiten gevecht zou kunnen stellen. Maar dat zou alleen maar tot grote vertraging leiden, want wat ik werkelijk wil, is Setrákus Ra verslaan. 'Hoe verleidelijk het ook mag zijn om jullie nu allemaal te doden, ik denk toch dat ik jullie maar bewaar voor Nummer Vier en dat rare buitenaardse maatje van hem,' sneer ik. 'Als Ra met mij wil vechten, laten we dan maar gaan.' Ik wring me langs haar heen en loop de cel uit.

'Zes!' roept Sarah me na. 'Alsjeblieft! Wees voorzichtig!'

Ik loop door de gang, geflankeerd door vijanden. We lopen de ene gang na de andere door en een paar minuten later sta ik in een hal die groot genoeg is voor een heel tankbataljon. En voor een tweegevecht van epische proporties.

De deur slaat met een klap achter me dicht en ik hoor dat ze op slot wordt gedraaid. Het is nu zo donker dat ik vrijwel geen hand voor ogen kan zien, laat staan het andere uiteinde van de hal. Ik loop naar de plek waarvan ik vermoed dat die het middelpunt van de hal is, en probeer intussen telekinese uit door mezelf een eind van de grond te tillen. De pijn die ik daarnet nog voelde, is nu verdwenen. Als ik het gevoel heb dat ik in het midden van de kamer ben, doe ik mijn ogen dicht en draai me om, terwijl ik met mijn geest de lucht aftast. Ik voel dat er een stuk of twintig wezens stilletjes de hal binnenlopen. Dat stelt me teleur. Ik had er een een-op-eengevecht van willen maken.

Als ik mijn ogen weer opendoe, hebben die zich vrijwel volkomen aangepast aan het donker. Ik wilde maar dat ik beschikte over Marina's Erfgave om in het donker te kunnen zien, maar voorlopig zie ik wel voldoende. Tegen de achterwand staat een lange rij Mogs. Ze hebben zwarte laarzen aan en gerafelde zwarte mantels om, en houden hun zwaard schuin voor hun borst. Ze zijn groter dan de meeste Mogs tegen wie ik het eerder heb opgenomen, maar ik weet dat het even weinig moeite zal kosten om deze hier te doden. Achter me gaat een deur open en er lopen nog een stuk of tien Mog-soldaten naar binnen.

'Hé! Wat heeft dit te betekenen? Setrákus Ra!' roep ik naar het plafond en ik draai me om, zodat ik zeker ben dat de Mogs me allemaal kunnen zien en hun duidelijk maak dat ze hier niet te maken hebben met een angstig ineenkrimpende mens. 'Ik dacht dat je met me wilde vechten!'

Een deel van de wand achter in de ruimte explodeert en de Mogadorenleider verschijnt. De drie Lorische amuletten hangen om zijn groteske nek. Ik ben van plan die allemaal weer terug te halen. Setrákus Ra opent zijn armen en roept: 'Het recht daarop moet je eerst verdienen!'

Ik ga er maar vanuit dat dat het afgesproken signaal is om de aanval in te zetten, want plotseling slaken de Mogs een luide strijdkreet en ze komen op me af gestormd. Ik begin rechts en versla hen, een voor een.

27

Zeven

Wind, heet zand en een afschuwelijke hitte, samen met een barstende hoofdpijn, heten mij welkom op de volgende plek waar we naartoe teleporteren. Terwijl ik op mijn rug in het zand lig, sla ik mijn handen voor mijn ogen om die te beschermen tegen de verblindende zon. Welkom in New-Mexico.

'Ja hoor,' kreunt Acht, maar hij klinkt tevreden. 'Het is gelukt.'

Ik glimlach maar blijf liggen waar ik lig, zodat de hoofdpijn wat kan wegtrekken, voordat ik me probeer te bewegen.

'Ella?' roep ik.

'Ik ben hier, Marina,' roept ze. 'Kijk eens waar zijn! New-Mexico!'

'Eindelijk. Kun je nog eens proberen met Zes te communiceren?'

'Dat heb ik al geprobeerd. Maar het is me nog niet gelukt.'

Langzaam sta ik op. Acht zit op handen en knieën aan de voet van de zandheuvel, en maakt kokhalzende bewegingen, zonder werkelijk iets uit te braken. Het teleporteren lijkt hem deze keer zwaarder gevallen te zijn dan de vorige keer. Ella heeft haar hand in zijn nek gelegd. De twee kistjes staan niet ver van hem vandaan. Ik draai 360 graden, maar overal zie ik zand, zand en nog eens zand, en zo nu en dan een cactus. 'Welke kant moeten we op?'

Ella en Acht sjokken de helling op en komen naast me staan. Een minuutje later wijst Ella naar het noorden en zegt: 'Moet je zien! Zes zei een tijdje geleden iets over sterven in een woestijn met bergen.'

Met half dichtgeknepen ogen zie ik waar ze op wijst. De vage contouren van bergen, zinderend in de hitte van de namiddagzon.

'Daar gaan we dus naartoe,' zegt Acht. 'Zodra ik weer in staat ben om te teleporteren kunnen we de afstand in korte sprongetjes overbruggen. Maar voorlopig zullen we moeten lopen.'

We pakken de kistjes op en lopen naar het noorden. 'Ella,' zeg ik, 'blijf proberen om contact met Zes te krijgen. Als je haar niet kunt bereiken, kun je Vier nog proberen, of zelfs een van de anderen, Vijf of Negen.' We hebben zoveel tijd verdaan met onze pogingen om hier te komen. Misschien kan Ella iets te weten komen wat ons nu wat tijd zal besparen.

Vier

Negen tuurt aandachtig naar de kaart die hij op het schermpje in het midden van het stuurwiel zichtbaar heeft gemaakt. Hij kijkt om zich heen naar de eindeloze woestijn die ons omringt. De gps heeft niet ver hiervandaan een ondergrondse tunnel gesignaleerd, en nu hoeven we alleen nog maar de ingang te vinden. Als ik op de groene driehoek op de tablet druk, laat hij zien dat we nog maar een kilometer of drie van het schip verwijderd zijn. Ik druk op de blauwe cirkel en roep: 'Negen! Ze zijn er!'

'Wie?' vraagt Negen, terwijl hij de horizon afspeurt.

'De drie andere blauwe stippen. Ze zijn hier, in New-Mexico!'

Negen rukt me de tablet uit handen en geeft een luide brul. 'Holy shit, man! Het gaat nu echt allemaal beginnen.' Hij kijkt me aan, en zijn ogen glimmen.

'Ik denk dat dit het is. Het begin van het einde.' Hoezeer ik er ook verlangend naar uitzie om eindelijk de kans te krijgen om te doen wat we moeten doen, het begint langzaam tot me door te dringen dat het hier om het belangrijkste gevecht van ons hele leven gaat.

'Deze plek hier, dit wordt de plek waar we eindelijk laten zien wat we waard zijn,' zegt Negen. 'Je zult harder moeten vechten dan je ooit van je leven gevochten hebt, Vier. Je zult een beest moeten zijn. En ik? Ik ruk Setrákus Ra het hoofd van zijn romp, pak het netjes in en stuur het met een grote rode strik erom terug naar Mogador. En daarna zal Loriën uit de as herrijzen.' Zijn stem trilt van emotie, van alle opgekropte woede en strijdlust die hij al die tijd met zich heeft meegezeuld.

Vanaf de achterbank laat Bernie Kosar een luid geblaf horen en Negen draait zich om en lacht hem toe. Jij ook hoor, BK! Jij gaat ze echt eens flink te grazen nemen.'

Ik probeer me voor te stellen hoe het zal voelen om alle Gardes tegelijk te ontmoeten. Zulke fantasieën heb ik mezelf een hele tijd niet toegestaan. Ik tuur naar de horizon. Ik voel me helder van geest en sta open voor alle mogelijkheden. Dat voelt goed. En op dat moment hoor ik de zwakke stem van een meisje weergalmen in mijn hoofd. Aanvankelijk klinkt haar stem heel zacht en wordt ze regelmatig onderbroken door ruis, net zoals een zwak radiosignaal, maar al snel wordt de stem helderder.

Vier? Nummer Vier? Kun je me horen?

'Ja, ja! Ik kan je horen!' roep ik luid, en ik kijk wild om me heen. 'Wie is dat? Waar ben je?'

Negen kijkt me verward aan. 'Hé gast, je kan me toch wel horen, hoop ik? Ik zit naast je.'

'Jou bedoel ik niet! Ik hoorde een meisje. Heb je haar gehoord? Een meisje zei iets tegen me.'

Nummer Vier? Dit is Nummer Tien. Kun je me horen? Misschien is dit zinloos. Ik weet niet of ik met iemand praat. Misschien kom ik er zonder Crayton nooit achter hoe dit werkt.

'Daar is het weer,' zeg ik opgewonden. Negen zit me aan te kijken alsof ik hartstikke gek ben geworden. 'Negen! Ze zei net nog iets anders! Heb jij het gehoord? Ze zei dat ze Nummer Tien is! Volgens mij zit ze op de een of andere manier in mijn hoofd.'

'Nummer Tien! De baby uit het tweede schip! Nou, zit me niet zo stom aan te gapen! Praat met haar, halve zool!'

Hij heeft gemakkelijk praten. Ze wist niet of ik haar kon horen of niet. Volgens mij is dit een nieuwe Erfgave die tot ontwikkeling komt – voor ons allebei. En je moet lang oefenen voordat je in de gaten hebt hoe je een Erfgave kunt laten werken op de manier die je wilt, op het moment dat je daar behoefte aan hebt. Ik weet dat ik niet veel tijd kan verspillen terwijl ik bezig ben uit te zoeken hoe deze werkt. Ik haal eens diep adem, sluit me af voor alle ruis in mijn hoofd en eromheen en concentreer me. Ik probeer het gevoel te hervinden dat ik had vlak voordat ik een paar minuten geleden de stem hoorde. Ik voel me rustig, open, en op de een of andere manier... verbonden.

Ik kan je horen, probeer ik in mijn hoofd te zeggen. Niets. Ik wacht even en probeer het dan nog een keer. *Nummer Tien?*

Nummer Vier! Kun je me horen?

'Ze heeft me gehoord!' Ik lach hardop en werp Negen een triomfantelijke blik toe.

'Zeg maar dat we nu op weg zijn naar de Mogadorenbasis,' zegt Negen. 'En als we daar orde op zaken hebben gesteld en op weg gaan naar Loriën, komen we haar wel ophalen, waar ze ook zijn mag.'

Waar ben je? hoor ik haar vragen. *Ik ben met Zeven en Acht in de woestijn, in New-Mexico. We proberen Zes te vinden, zodat we haar kunnen redden.*

'Wat zegt ze?' roept Negen. Ik weet dat hij er helemaal gek van wordt dat hij niet kan meeluisteren, maar ik kan niet met hem praten. Ik moet me concentreren om Tiens stem te kunnen horen, en op haar te kunnen reageren.

Hoe bedoel je? Waar is Zes? Wij zijn ook in New-Mexico. Ik ben samen met Negen, en we rijden door de woestijn op zoek naar een ondergrondse basis.

Ik kijk naar de bergen. 'We moeten die tunnel zien te vinden, en snel ook,' zeg ik tegen Negen.

'Heeft ze gezegd waar ze zitten?'

'Ze zei alleen maar dat ze hier is, in de woestijn, met Zeven en Acht, en dat ze Zes willen redden. Dat moet de stip zijn die we eerder hier op de kaart hebben gezien. Ik weet dat ik me niet ongerust moet maken – als er iemand is die zichzelf kan redden, dan is het Zes wel. Maar toch... ben ik er niet gerust op.'

'Ze moet wel in Dulce zitten. Laten we haar maar eens proberen te vinden.' Negens vingers schieten snel heen en weer over het scherm. De kaart verandert van kleur. Zo te zien is de computer de omgeving aan het afspeuren, totdat hij uiteindelijk inzoomt op de stam van een cactus met vijf vertakkingen ongeveer een halve kilometer van de plek waar we nu zijn. Daaronder zie ik het silhouet van een ondergrondse tunnel. 'Ha! Leuk geprobeerd, akelig stelletje ambtenaren! Zeg maar tegen Tien dat ze hier zo snel mogelijk naartoe moeten komen!'

Kun je me vertellen waar jullie zijn, Tien? We hebben een tunnel gevonden waardoor we de basis binnen kunnen komen waar Zes volgens ons gevangen wordt gehouden. We rijden in een bruine auto, op een zijweggetje van de hoofdweg.

Na een korte stilte zegt ze: *We kunnen ons naar jullie toe teleporteren. Hoe vind ik jullie?*

'Ze weten niet hoe ze ons moeten vinden,' geef ik door aan Negen.

'Misschien kunnen we op de een of andere manier een signaal uitzenden? Verdomme! We hadden de raketwerper mee moeten nemen!' Met zijn vlakke hand geeft hij een harde klap op het stuurwiel, en hij tuurt hoofdschuddend door de voorruit.

'Daar hebben we geen raketwerper voor nodig,' realiseer ik me, en haastig stap ik uit de auto. Ik richt mijn handpalmen naar de blauwe hemel, laat mijn Lumen oplichten, en zwaai de lichtbundels heen en weer.

Kijk omhoog of je ergens lichtbundels ziet, geef ik door aan Tien. Het blijft een tijdje stil en ik hoop maar dat de verbinding niet verbroken is.

We zien ze! zegt Tien ongeveer een minuut later.

'Ze komen eraan,' roep ik naar de auto, terwijl ik mijn handen omhoog blijf houden. Ik wil ze zoveel tijd geven als maar kan om precies te bepalen waar we zitten. 'We hoeven nu alleen maar op deze plek te blijven en te wachten.'

'Ik zal het proberen,' zegt Negen, die nu aandachtig naar het beeldscherm in het stuurwiel tuurt, maar duidelijk zit te trillen van ongeduld.

'Man, dat is toch niet te geloven! We hebben ze gevonden!'

Dan schakel ik eindelijk mijn Lumen uit en ga weer in de auto zitten. Ik kan er zelf ook bijna niet over uit dat het nu eindelijk zover is, dat we op het punt staan om de lotsbestemming te vervullen die de Ouderlingen voor ons hebben gekozen. We komen samen om de Mogadoren te verslaan en Loriën wakker te roepen uit haar winterslaap.

Plotseling horen we het onmiskenbare geratel van een helikopter.

'Eh, Johnny?' zegt Negen. 'Ze komt toch niet toevallig in een helikopter?'

'Shit,' zeg ik. Bernie Kosar springt op mijn schoot en legt zijn voorpoten op het portier om door het zijraampje naar buiten te kijken. Terwijl we daar zo met zijn drieën zitten te kijken, zien we aan de wazige horizon meerdere helikopters langzaam opstijgen. De helikopters komen onze kant op vliegen en blijven recht boven ons hangen. Ik gebruik mijn geesteskrachten, grijp de voorste beet en stuur die hulpeloos spiralend terug naar de plek waar hij vandaan komt, waar ik hem zo hard laat neerstorten dat die voorlopig niet meer opstijgt.

'Dat moet de FBI wel zijn. Die lui beginnen me bijna net zo op mijn zenuwen te werken als de Mogadoren. Waarschijnlijk waren ze al naar ons op zoek en hebben ze jouw lichtsignalen gezien!' roept Negen. De geschutskoepel schuift omhoog uit de motorkap. Negen mikt, lost een paar waarschuwingsschoten rechts van de overgebleven helikopters en daarna links. Zodra hij het vuur staakt, dalen ze nog verder, zodat ze nu vlak boven ons hangen. Ik sta op het punt om er nog eentje met mijn telekinese te laten neerstorten als Negen een luide schreeuw geeft.

'Kijk eens naar de weg,' zegt hij. Ik kijk naar links en zie daar een enorme stofwolk oprijzen. Er komt een lange rij zwarte wagens naar ons toe gereden. Bernie Kosar begint te blaffen en krabt aan het portier. Ik doe het open en hij verandert zich in een enorme havik en vliegt snel de lucht in. Ik hol naar de kofferbak en geef er een dreun op met mijn gebalde vuist, zodat die open schiet. Ik rits een van de plunjezakken open en haal er vier automatische geweren uit, waarvan ik er twee naast Negens portier laat vallen. Vanuit de naderende wagens, die nog ver van ons verwijderd zijn, wordt al geschoten, en ik klauter haastig op de auto en leg aan terwijl Negen doorgaat met zijn barrage op de helikopters boven ons. Vanuit mijn ooghoeken zie ik hoe Bernie Kosar op een helikopter af duikt. Hij heeft een van de piloten vastgegrepen met zijn klauwen en rukt nu aan hem, terwijl hij zijn krachtige snavel gebruikt om de veiligheidsgordel los te trekken die de man op zijn plaats houdt. Als de piloot los is, gooit BK hem naar beneden op het zand. Zijn helikopter stort neer en vliegt onmiddellijk in brand. De karavaan zwarte auto's rijdt met een bocht om de wrakstukken heen en ik haal de trekkers van mijn twee geweren over en schiet de voorbanden van de eerste twee auto's lek. Dat zal het konvooi niet tegenhouden, maar het zal nu wel wat langer duren voordat ze ons bereikt hebben.

De resterende helikopters verspreiden zich en komen nu uit verschillende richtingen op ons af. Overal om ons heen stuift het zand op door explosies. Een helikopter scheert over me heen en terwijl ik een lange rij kogels op me af zie komen, rol ik me haastig uit de vuurlinie.

Ik doe verwoed mijn best om weer helder van geest te worden. Dat is niet gemakkelijk, maar ik begin in de gaten te krijgen wat ik moet doen om mijn eigen hoofd binnen te treden om te communiceren. Ik haal een paar keer diep adem en breng mijn geest tot rust. *Nummer Tien? Waar ben je? We worden aangevallen.*

We kunnen het horen, zegt ze. *We komen eraan*. Haar gedachten zijn kalm, met een ondertoon van ongerustheid. Het voelt goed om haar te horen en te weten dat er anderen in aantocht zijn.

Ik draai me om en zie twee zwarte helikopters een schuine bocht naar links maken en de andere kant op vliegen, terwijl ze de ene raket na de andere op een nieuw doelwit afvuren. Dat zullen ze zijn! Ik kan slechts drie van de raketten ergens anders heen sturen, maar iemand anders neemt de rest voor zijn rekening.

'Tien en de anderen zijn er bijna!' roep ik naar Negen door het zijraampje onder me.

Onmiddellijk daarna ontploft de geschutskoepel op de motorkap, zodat de roodgloeiende metaalsplinters rakelings langs me heen schieten. Terwijl ik me van het dak van de auto laat rollen, wordt dat in tweeën gespleten door een nieuwe kogelregen.

Negen springt uit de auto en grist de twee geweren mee die ik naast het portier in het zand had geplaatst. 'Zo te zien is het deze keer echt menens. Hier heb ik al mijn hele leven op gewacht.'

De cirkelende helikopters vliegen bij ons vandaan en gaan naast elkaar boven de ver verwijderde voertuigen hangen, zodat ze nu een verenigd front vormen. Negen brengt zijn handpalm omhoog en plotseling wordt de voorste zwarte truck recht omhoog de lucht in getrokken, als een spaceshuttle die de ruimte in schiet. Negen draait zijn hand om en de auto valt weer naar beneden. Zelfs hier kunnen we de inzittenden horen gillen. Vlak voordat hij met een klap dreigt neer te storten, blijft de truck in de lucht hangen, en even later raakt hij met een doffe dreun de grond. We kijken toe hoe de mannen zich er met trillende benen uit wringen en wild om zich heen kijken naar een plek waar ze naartoe kunnen vluchten. Terwijl de wagen neerkwam, had Bernie Kosar, nog steeds in de vorm van een havik, al een duikvlucht ingezet, en nu landt hij achter de verwrongen wrakstukken en neemt de gedaante van een wild beest aan. De volgende wagens rijden de woestijn in om hem te ontwijken, en sommige draaien volledig om hun as. Bernie Kosar brult.

Negen duikt op de achterbank van de auto en smijt onze kistjes in het zand. Hij maakt zijn kistje open, haalt de ketting met groene stenen en de zilveren staf eruit, en terwijl hij in looppas naar de puinhopen toe holt, roept hij over zijn schouder: 'Wacht op de anderen. BK en ik zijn zo weer terug!'

'Kijk niet alsof je dit ontzettend leuk vindt!' roep ik terug. 'En zorg dat je de ingang van de basis niet opblaast!' Rechts van me komt een helikopter met een wijde bocht aanvliegen en net als ik met mijn telekinese een harde ruk aan zijn neuskegel geef, schiet er iets in mijn linkerbeen. Ik val languit voorover in het zand, verblind door de pijn. Het voelt akelig vertrouwd en ik rol krijsend over de grond. Ik weet wat dit betekent. Er brandt zich een litteken in mijn been. Er is nog een lid van de Garde dood.

Alles komt tot stilstand. De gedachte dat er weer een van ons dood is, krijgt nu mijn hele lichaam in zijn greep, en ik voel me verlamd door een verdriet dat zo diep is dat het lijkt alsof ik in het zand wegzink. Wéér een soldaat minder om Loriën terug te winnen! Wéér een soldaat minder om de Aarde en alle daarop levende wezens te redden! Er slaan twee raketten in onze auto, zodat die uit elkaar spat.

De kogels regenen op me neer, en mijn armband ontvouwt zich nog net op tijd tot een schild. Ik vind enige troost in het feit dat mijn erfgoed precies is afgestemd op de gevaren waarmee ik geconfronteerd word – al weet ik niet waarom het me niet heeft beschermd tegen de eerste salvo's. De kogels beuken nu genadeloos op me in en de barrage houdt maar niet op. Als ik er eindelijk in slaag om het nieuwe litteken om mijn enkel te bekijken, zie ik tot mijn schrik en verbazing in plaats daarvan twee gapende kogelwonden. Volgens mij ben ik nog nooit eerder zo blij geweest met twee bloedende wonden. Ik ben zo opgelucht dat het niet het zoveelste litteken is, dat ik me er niet eens druk om maak dat mijn handen nu onder het bloed zitten. Terwijl ik druk op de wond uitoefen om het bloeden te stelpen, wordt het merkwaardig stil in de woestijn. Het schild uit mijn armband vouwt zich weer in.

Ik slaag erin om me op mijn rug te rollen en kijk omhoog. Er staan drie tieners over me heen gebogen. De jongen is lang en heeft een lichtbruine huid en krullend zwart haar, en de twee meisjes hebben allebei een Lorisch kistje in hun armen. De jongen herken ik onmiddellijk uit mijn visioenen. Hij knikt me glimlachend toe en zegt: 'Leuk je weer eens te zien, Nummer Vier. Ik ben Acht.' Voordat ik daar iets op kan zeggen, verdwijnt hij.

Een van de meisjes is kort van stuk met bruin haar en een fijn gezichtje. Ze lijkt me hoogstens een jaar of twaalf, en ik realiseer me dat dit nummer Tien moet zijn, de Garde uit het tweede schip. Ze laat het kistje vallen en knielt naast me neer. De andere Garde, een lang meisje met schouderlang haar, zet haar kistje neer en zonder iets te zeggen, knielt ze eveneens naast me neer en legt haar beide handen op mijn wonden. Een ijzig gevoel komt over me heen, en ik merk dat ik lig te stuiptrekken op de grond van de woestijn. Net als ik denk dat ik elk moment buiten westen kan raken van de pijn, is die verdwenen. Ik kijk naar mijn enkel en zie dat mijn wonden volkomen genezen zijn. Echt gaaf. Het meisje staat op, geeft me een hand en trekt me overeind.

'Vet cool, die Erfgave van jou,' weet ik uit te brengen.

'John Smith.' Ze kijkt me aan alsof ze tegenover een of andere popster staat. 'Na al die tijd sta je nu in levenden lijve voor me. Ik kan het bijna niet geloven.'

Ik sta op het punt om daar iets op te zeggen, maar dan zie ik over haar schouder een raket die met een krijsend geluid op ons af komt schieten. Ik duw de twee meisjes tegen de grond en laat me boven op hen vallen, terwijl achter ons een zandheuvel als een vulkaan uiteenspat, zodat er een grote wolk zand hoog boven ons oprijst. Als het zand weer is neergedwarreld, komt Acht weer opdagen.

'Alles goed hier?' vraagt hij. 'Iedereen klaar voor de strijd?'

'Ja, alles goed hier,' zegt het lange meisje, en ze knikt naar mijn been. Tien had gezegd dat ze hier samen met Zeven en Acht naartoe was gekomen, dus dit zal Nummer Zeven wel zijn. Voordat ik me op een fatsoenlijke manier kan voorstellen, is Acht voor de tweede keer verdwenen.

'Hij kan teleporteren,' zegt Nummer Tien, die moet glimlachen als ze de verwonderde blik in mijn ogen ziet. Ik kan nauwelijks geloven dat er zoveel van ons eindelijk bij elkaar zijn. Ik lach terug.

In de verte zie ik Acht nu weer. Hij heeft zich samen met Negen en Bernie Kosar in de strijd geworpen. Elke naderende wagen nemen ze onmiddellijk te grazen: zware militaire pantservoertuigen worden als goedkope plastic speelgoedjes omvergesmeten en kapotgemaakt. Negens roodgloeiende staf snijdt de onderkant van een laagvliegende helikopter open. Acht teleporteert zich naast een zwarte Humvee, en kiepert hem met zijn handen omver. Twee helikopters duiken op hem af, botsen en spatten brandend uit elkaar.

Plotseling krijg ik het gevoel dat het nu echt dringend noodzakelijk is om Zes zo snel mogelijk te bereiken. 'Volgens mij zijn jullie Zeven en Tien: wat kunnen jullie?' zeg ik, terwijl ik onze geweren opraap uit het zand en hen er allebei een in de handen druk.

'Zeg maar Marina,' zegt het meisje met het bruine haar. 'Ik kan onder water ademhalen, in het donker zien en gewonden genezen. En ik heb telekinese.'

Ik ben Ella, hoor ik Tien in mijn hoofd zeggen. *Naast mijn telepathie kan ik van leeftijd veranderen.*

'Gaaf. Ik ben Vier, en die gek daar, die met dat lange zwarte haar, is Negen. Dat monster is mijn Chimaera, Bernie Kosar.'

'Heb je een Chimaera?' vraagt Ella.

'Ik weet niet wat ik zonder hem zou moeten beginnen,' zeg ik.

De restanten van de brigade gaan nu eindelijk uit elkaar, en een stuk of tien voertuigen rijden de weg af en komen hotsend en botsend op ons af. Op het dak van een van de wagens zie ik een rookpluimpje verschijnen, en met mijn telekinese duw ik de zojuist afgevuurde raket uit zijn baan, zodat hij zich zonder schade aan te richten in een zandheuvel boort. De andere trucks en SUV's blijven op ons afkomen.

Ik raap stukken van Negens aan flarden gereden auto op en gooi die naar de naderende brigade toe: banden, portieren, zelfs een gemangelde autostoel. Marina doet hetzelfde, en we slagen erin om drie of vier wagens tegen te houden. Maar er zijn er nog steeds een stuk of zes.

Plotseling duiken Acht, Negen en BK recht voor ons op. Acht laat Negens hand los en geeft me een hand. 'Vier.'

'Je hebt geen idee hoe blij we zijn dat jullie hier zijn,' zeg ik.

Negen geeft Tien en Zeven een hand en zegt: 'Hallo, dames. Ik ben Nummer Negen.'

'Hai,' zeg Tien. 'Ik ben Ella.'

'Ik ben Nummer Zeven, maar ik noem mezelf Marina,' zegt het lange meisje.

Ik wilde dat we wat meer tijd hadden om te praten. Ik heb zo lang op deze lotgenoten gewacht, en wil zo graag hun verhaal horen, weten waar ze zich hebben schuilgehouden, wat hun Erfgaven zijn en wat er in hun kistjes zit. Maar er zijn nog meer helikopters in aantocht.

'We kunnen niet eindeloos dit stukje woestijn blijven verdedigen,' zeg ik. 'We moeten Zes zien te vinden!'

'Laten we eerst even deze zware jongens hier uitschakelen,' zegt Negen, en hij wijst naar de volgende golf helikopters. 'En daarna gaan we Zes opzoeken, zodat we eindelijk kunnen beginnen.'

We draaien ons nu allemaal naar de nieuwe aanvalsgolf toe. Ik kijk naar de andere Gardes, en zo te zien zijn ze allemaal gereed voor de strijd. Er zijn nog nooit zoveel van ons samen geweest. Nooit eerder heeft er zo veel mogelijk geleken. Hierna gaan we nooit meer uit elkaar.

'Ze zullen blijven komen,' zeg ik. 'We kunnen Zes maar beter gewoon gaan halen.'

'Oké, Johnny. De tunnel is die kant op,' zegt Negen, en hij wijst naar een punt achter ons. 'Ik neem de achterhoede wel, en handel alles af wat verder nog noodzakelijk is. Je weet wel, hier en daar een nekje breken en zorgen dat het allemaal niet te saai wordt.'

Degenen onder ons die een kistje bij zich hebben, tillen het op. Ik neem de leiding en loop in de richting waarin Negen heeft gewezen. Ik speur het terrein af op valstrikken en loop naar de vijfpuntige cactus toe, met Zeven en Acht vlak achter me en Tien weer een paar meter achter hen. Achter ons klinkt onophoudelijk geweervuur, terwijl Negen doet waar hij goed in is. Zo te horen geniet hij met volle teugen. Hij schreeuwt ze beledigingen en dreigementen toe en brult van plezier. Hij is de enige die hier lol in heeft.

We gaan steeds harder lopen, zodat we hollen tegen de tijd dat we de cactus bereiken. Negen lost opgewekt het ene schot na het andere, terwijl Acht en ik erachter proberen te komen wat we moeten beginnen met deze prikkelplant, die nu het enige is wat ons nog scheidt van de plek waar Zes wordt vastgehouden. Op de kaart is duidelijk te zien dat de tunnel zich recht onder de cactus bevindt. Na een tijdje slagen we erin om het ding met behulp van onze telekinese uit elkaar te laten spatten. Eronder is een dikke bruine deur met in het midden een metalen handvat. Terwijl ik naar de ingang van de tunnel sta te turen, met de andere Gardes naast me, herinner ik me wat Negen een tijdje geleden heeft gezegd: 'Ik heb hier al mijn hele leven op gewacht.' We hebben hier allemaal op gewacht – op het moment waarop we elkaar zouden vinden, als wij met z'n negenen zouden opstaan om het erfgoed van Loriën te verdedigen tegen de Mogadoren. We hebben het niet alle negen gehaald, maar ik weet dat de zes van ons die nog in leven zijn, met daarbij Nummer Tien, alles zullen doen wat nodig is om de komende beproevingen te doorstaan.

28
Zes

Een enorme Mog komt op me af rennen, en hij zwaait met zijn blinkende zwaard. Ik duik onder het zwaard door en geef hem een harde vuistslag op zijn keel. Happend naar lucht laat hij zijn wapen vallen. Zodra het metaal op de grond klettert, raap ik het op en onthoofd hem. Een aswolk overspoelt me, terwijl er nog drie op me af komen rennen. De as verstopt me. Ik laat me op mijn knieën zakken en zodra er een Mog bij me in de buurt komt, hak ik hem op kniehoogte zijn benen af. Als ik weer opsta, probeert een reusachtige Mog me van achteren vast te grijpen. Ik spring hoog op, maak een salto achterover, zodat ik recht over hem heen tuimel en terwijl ik neerkom, steek ik mijn zwaard in zijn rug. Als ik door zijn aswolk heen stap, merk ik dat ik door tien andere Mogs omsingeld ben. Setrákus Ra is nergens te bekennen.

Ik maak mezelf onzichtbaar. Nadat ik nog een rondje Mogs aan stukken heb gehakt, kijk ik opnieuw zoekend om me heen. Deze keer zie ik hem aan de overkant van de ruimte, en zonder aarzelen ren ik recht op hem af. Er duiken nog meer Mogs op; ik raak de tel kwijt. Stuk voor stuk laat ik ze achter als een hoopje stof. Als ik Setrákus Ra tot op tien meter genaderd ben, heft hij zijn vuist op en wijst ermee naar mij. Het lijkt wel of hij me kan zien. Er komt een blauwe bliksemschicht uit zijn hand, die knetterend langs het plafond schiet en ik voel mezelf zichtbaar worden. Opnieuw heeft hij me van mijn Erfgaven beroofd. Ik wist dat dat kon gebeuren, maar toch heb ik plotseling een scherp gevoel van gemis. Maar wat hij ook probeert, ik ben op alles voorbereid.

Van alle kanten komen er nu Mogs op me af gerend, maar ik blijf gewoon naar Setrákus Ra toe lopen. Als er plotseling een Mog voor me springt, hak ik zijn kop af. Een andere grijpt me van achteren vast en ik hak zijn arm af. Weer een andere Mog komt schreeuwend op me af rennen en ik steek mijn zwaard door zijn middenrif. Op dit punt ben ik zo volkomen geconcentreerd op de plek waar ik mijn zwaard door Setrákus Ra's middenrif ga rammen, dat ik het doden van al die Mog-soldaten nauwelijks opmerk.

Voordat ik er erg in heb, staat hij naast me en hij grijpt me bij mijn nek. Hij tilt me met één hand op, zodat mijn voeten nu een eindje boven de grond bungelen en weer zijn onze gezichten maar enkele centimeters van elkaar verwijderd.

'Je vecht goed hoor, kleine meid,' zegt hij in mijn gezicht. Ik krimp ineen van de stank.

'Geef me mijn Erfgaven terug, en dan zul je wel zien hoe goed ik kan vechten.' Mijn stem klinkt gesmoord.

'Als je zo sterk bent als je zelf denkt, had ik hen niet eens van je af kunnen pakken.'

'Dat is gelul, lafbek die je bent! Als je er zo zeker van bent dat je wel tegen mij op kunt, waarom probeer je het dan niet gewoon? Laat maar eens zien hoe groot en sterk je bent. Geef me mijn Erfgaven terug en vecht als een man!' roep ik.

Zijn stem weergalmt door de ruimte: 'Jij gebruikt jouw krachten, en ik gebruik de mijne!'

Hij smijt me terug in het midden van de kamer, maar ik merk de pijn van de klap waarmee ik op de vloer smak nauwelijks op. Mijn zwaard valt kletterend op de grond. Een soldaat werpt zijn zwaard als een speer op me af. Mijn eerste impuls is om het weg te duwen met mijn geest, maar mijn Erfgaven zijn nog steeds niet terug. Ik beschik echter wel over mijn lichaamskracht en reflexen, en die zijn op volle sterkte. Ik ga Setrákus Ra doden, met of zonder mijn Erfgaven. Ik steek mijn beide handen uit en grijp het zwaard bij de kling als het nog maar enkele centimeters van mijn kin verwijderd is. Het volgende moment worden mijn benen onder me vandaan geschopt en nog in mijn val laat ik het zwaard een halve slag draaien tussen mijn handpalmen en steek het door de Mog heen die me zojuist aanviel. Ik ben bedekt door een laagje as, als ik de grond raak. Er stormen nog meer Mogs op me af. Ik vernietig ze met hun eigen wapens, en de gerechtigheid daarvan is geweldig. Bij elke Mog die ik tot een hoopje as reduceer, voel ik me sterker worden. En ik word ook steeds nijdiger. Als ik elke Mog op Aarde moet afmaken om Setrákus Ra te bereiken, dan doe ik dat gewoon.

Setrákus Ra staat daar maar te kijken. Hij brult zo luid dat ik mijn borstkas gewoon mee voel trillen. Jarenlange training heeft me voorbereid op dit moment. Alleen als de rest van de Garde hier ook was, zou ik me nog sterker kunnen voelen, want eigenlijk zouden we het met z'n allen tegen hem moeten opnemen. Ik zet de gedachte van me af. Ik zal hem doden namens ons allemaal.

Nadat ik de laatste soldaat heb gedood, loopt Setrákus Ra naar de plek waar ik sta, in het midden van de kamer. Hij steekt zijn hand achter zijn rug en haalt er een reusachtige dubbele zweep uit waarmee hij een klap op de grond geeft. De punten van de zweep lichten op met oranje vlammen.

Ik vertrek geen spier. Er is niets wat hij nu kan doen om mij bang te maken of tegen te houden. Ik hol op hem af en roep: 'Voor Loriën!'

Hij knalt met de zweep boven mijn hoofd, zodat er een dikke deken van vuur over me wordt uitgestort. Ik duik onder de rand ervan door en rol naar zijn voeten toe. Terwijl ik zijn trappende laars ontwijk, zie ik dat er verschillende littekens op zijn enkels zitten, zo te zien zijn het brandwonden. Ik zie ze wel, maar ik heb geen tijd om me af te vragen of die soms iets te maken zouden kunnen hebben met die van mij. Mijn zwaard snijdt dwars door zijn enkel heen, vlak boven het hoogste litteken op zijn linkerbeen, en dan spring ik overeind. De wond die ik heb gemaakt, heelt onmiddellijk en vormt het zoveelste litteken. Hij heeft er geen enkele last van, en hij heeft zelfs geen moment ook maar even gehinkt.

De zweep knalt opnieuw en snel probeer ik een van de twee punten eraf te hakken, maar zodra de vlammen mijn zwaard raken, smelt het metaal. Ik smijt de restanten van het zwaard naar hem toe. Hij tilt zijn hand op en houdt het wapen midden in de lucht tegen. Het draait snel rond in de lucht, licht op en als hij zijn vingers opent, klimt het gesmolten ijzer weer omhoog en vormt zich weer aaneen tot een blinkend zwaard. Hij glimlacht en laat het op de grond vallen.

Ik duik op het zwaard af, maar als ik me buk om het op te pakken, haalt hij uit met de zweep en raakt me op de rug van mijn rechterhand. De huid barst open en in plaats van bloed komt er een harde zwarte substantie uit. Ik kijk ernaar en weet dat ik nu een ongelooflijke pijn zou moeten voelen, maar mijn hand is volkomen gevoelloos. Ik strompel een paar stappen naar voren en slaag er eindelijk in om het zwaard vast te grijpen. Met mijn wapen in de hand draai ik me om naar de Mog-leider. Maar nu is er iets verschrikkelijk mis met mijn rechterhand. Hij wil niet bewegen.

Setrákus Ra laat de zweep opnieuw knallen, en ik spring opzij als die langs me heen schiet en een vlammenspoor in zijn kielzog achterlaat. Als hij zijn arm optilt om de zweep opnieuw over zijn schouder naar achteren te zwaaien, zie ik een opening en daar maak ik gebruik van. Ik pak het zwaard over met mijn linkerhand, ren op hem af en steek het in zijn ribbenkast. Ik ruk het omlaag, zodat zijn wasachtige huid opengereten wordt tot aan zijn onderlijf. Ik val achterover, kijk naar hem op en hoop vurig dat ik hem nu de genadeklap heb gegeven, en daarmee de oorlog tot een einde heb gebracht.

Maar dat valt tegen. Voor het eerst zie ik het gezicht van Setrákus Ra vertrekken van pijn. Hij verandert niet in een hoopje as, maar brengt zijn hand omlaag en trekt het zwaard uit zijn lijf. Hij tuurt aandachtig naar het lemmet en ziet zijn eigen dikke, zwarte bloed eraf druipen. Dan steekt hij het lemmet in zijn mond, bijt erop zodat het doormidden breekt, en laat het vervolgens op de grond vallen. Het lijkt wel of hij met me speelt. Wat is er aan de hand? Ik kom overeind en probeer snel te bepalen wat mijn volgende zet moet worden. Stap één is Setrákus Ra lang genoeg zien te ontwijken om te kunnen bedenken wat stap twee inhoudt. Meer dan ooit wens ik dat de hele Garde nu naast me zou staan.

Ella? Kun je me horen?

Niets.

Ik blijf terugdeinzen voor Setrákus Ra, zodat ik wat meer kans heb om me tegen hem te verdedigen. Nu pas merk ik dat mijn rechterhand tintelt. Ik kijk omlaag en zie dat de huid rondom de wond die de zweep heeft achtergelaten, zwart is geworden. Terwijl ik sta te kijken, worden ook mijn knokkels en vingernagels zwart; binnen enkele seconden is mijn hele rechterhand zwart tot aan mijn pols. Het tintelende gevoel verdwijnt. Mijn hand voelt ongelooflijk zwaar aan. Het lijkt wel of hij plotseling in lood is veranderd.

Ik kijk op naar Setrákus Ra. Het purperen litteken op zijn nek zwelt op en straalt een steeds feller wordend licht uit. 'Ben je klaar om te sterven?' vraagt hij.

Ella? Als jullie komen, dan graag nu. Het is nu of nooit.

Ik wil zo graag horen hoe haar stem mij vertelt dat zij en de anderen voor de deur staan. We zouden nu samen moeten zijn, en het moeten opnemen tegen Setrákus Ra met de Erfgaven die ons door de Ouderlingen verleend zijn, totdat er niets meer van hem over is dan het waardeloze, krachteloze hoopje as waarin alle andere Mogs veranderd zijn. In plaats daarvan sta ik hier in mijn eentje, mijn hand gewond en nutteloos, terwijl ik kat en muis speel met Setrákus Ra. En hij staat daar nu alleen voor me, met de vuurzweep in zijn hand, nadat hij mijn Erfgaven nutteloos heeft gemaakt. Hij speelt met me. Wát is er aan de hand?

Vier

Ik kijk nog één keer om naar de woestijn, breng dan mijn hand naar het wiel op de bruine deur en geef er een ruk aan. Nadat het wiel een paar rondjes heeft gedraaid, besluit ik dat dit niet snel genoeg gaat en ruk de hele deur uit zijn scharnieren. Een stalen ladder leidt naar beneden in een zwart gat.

'Ik kan zien in het donker,' zegt Marina. 'Ik ga wel als eerste.' Ik doe een stap opzij voor haar.

Marina klimt de ladder af in het donker en verdwijnt uit het zicht. Als ze beneden is, laat Acht haar kistje achter haar aan naar beneden vallen.

'De ladder gaat ongeveer zes meter diep, en het ziet eruit als een lange tunnel,' roept Marina omhoog. 'Volgens mij is de kust veilig. Ik zie niemand.'

Negen kijkt naar Ella en mij en zegt: 'Dames gaan voor.' Ella klimt de ladder af, en als ze uit het zicht verdwenen is, verschijnt er een brede grijns op Negens gezicht. 'Nou, oké, maar eigenlijk had ik het over jou, Vier.'

Ik kijk hem hoofdschuddend aan. Hij is wel altijd consistent, dat moet je hem nageven. Hij gebaart dat ik als volgende de ladder af moet. 'Je weet dat ik je hartstikke graag mag, man. Kom op.'

Met behulp van mijn telekinese laat ik eerst Bernie Kosar, die inmiddels weer zijn hondengedaante heeft aangenomen, omlaagzakken. Daarna neem ik mijn kistje onder de arm en ik klim knullig de ladder af, omdat ik alleen die andere hand gebruik. Er hangt een muffe lucht in de tunnel, en het is er koud. Voor me hoor ik de voetstappen van Ella en Marina, en het tikkende geluid waarmee BK's teennagels op het beton tikken. Ik schakel de Lumen in mijn vrije hand in en schijn er een paar seconden mee door de betonnen tunnel, om de omgeving in me op te nemen.

Daarna gebruik ik mijn Lumen om de afstand te verlichten tussen de plek waar we nu zijn en een scherpe bocht een heel eind verderop, en daarna doe ik het licht uit. 'Marina, jij ziet genoeg om ons in beweging te houden, hè?' Acht en Negen hebben ons nu ingehaald. Ze knikt en we lopen met z'n allen achter haar aan door de donkere gang. We zijn nog niet heel ver gekomen als ik bijna tegen Ella aan bots, die plotseling stil is blijven staan.

'Oh nee! Ik heb eindelijk contact met Zes. Ze heeft ons nodig! Ze zegt dat het nu of nooit is!'

'Een beetje sneller, mensen!' roept Negen vanuit de achterhoede.

Zo snel als we maar kunnen hollen we door het donker. Om de paar seconden flits ik even met mijn Lumen om te voorkomen dat we tegen elkaar aan botsen. We komen bij een scherpe bocht en ik zwaai opnieuw met mijn handen om de tunnel voor ons te verlichten. De volgende honderd meter loopt de tunnel schuin omlaag en mijn Lumen verlicht nu een metalen deur aan het einde. Ik zet mijn kistje op de grond, en geef het een zet, zodat het snel de schuine helling af glijdt en met een klap tegen de deur tot stilstand komt. Terwijl ik nog steeds hard aan het hollen ben, laat ik allebei mijn handpalmen oplichten, zodat we allemaal wat beter kunnen zien.

Haastig rukt Negen zijn kistje open en haalt de gele bal met kleine bobbeltjes eruit. Als een tovenaar houdt hij die tussen zijn vingers en dan gooit hij de bal naar de deur. Een paar centimeter voor de deur raakt die de grond, stuitert, zwelt op en wordt zwart. Er schieten lange punten uit, zo scherp als scheermessen, en als de bal het metaal raakt, wordt de deur naar binnen opgeblazen. Onmiddellijk schuiven de lange punten weer in, totdat het weer een gewone bal is, die onschuldig op de vloer ligt. Negen bukt zich, pakt hem op, stopt hem weer in zijn kistje en duwt het met een luide klik dicht.

'Ik hoopte dat dat zou gebeuren,' zegt Negen bewonderend. Als ik hem was, zou ik gebruik hebben gemaakt van mijn kistje om eerst door de deur heen te kijken, zodat we zouden weten wat ons te wachten stond. Maar dit is geen tijd om kritiek te leveren op andermans beslissingen.

We hollen allemaal door de deuropening. Zodra we de gang daarachter binnenkomen, springen er hoog boven ons lampen aan: rode lichten knipperen en loeiende sirenes tetteren in een aanval op onze zintuigen. Aan het einde van deze kortere gang komen we opnieuw voor een grote deur te staan. Deze schuift omhoog als we ernaartoe lopen, zodat we zien dat tientallen reusachtige Mogadoren ons staan op te wachten met kanonnen en zwaarden die klaar zijn voor de strijd.

'Mogs? Wat doen die hier?' vraagt Acht vol ongeloof.

'Ja, slecht nieuws. De Amerikaanse regering werkt samen met de Mogadoren,' zeg ik.

'Gemakkelijke doelwitten,' zegt Acht. Negen geeft me een por en maakt een overdreven nadrukkelijk goedkeurend gebaar. Deze nieuwe Garde bevalt hem wel.

Ik voel een stoot adrenaline door mijn lichaam stromen, zo hevig als ik alleen in mijn visioenen ooit beleefd heb. Plotseling weet ik wat me te doen staat. Ik kijk naar de anderen.

'Volg mij!' roep ik. Ze knikken naar me. Ik zet mijn kistje neer, laat mijn handpalmen oplichten en ren recht vooruit. Vanuit mijn ooghoeken zie ik nog net dat Ella mijn kistje optilt.

Net als in mijn visioen richt ik de Lumen op mijn hollende voeten, die in brand vliegen. De vlammen laaien op en verzwelgen mijn hele lijf, precies op het moment dat ik de eerste Mog bereik. Als ik spring ben ik gewoon een vuurbal die recht door hem heen brandt. Hij verandert in een hoopje as en ik blijf rennen.

De Mog die ik nu passeer draait zich 180 graden om op me te schieten, maar mijn vlammen bieden een perfecte bescherming. Ik trek mijn hoofd in en hol met mijn armen recht voor me uit verder, waarmee ik ervoor zorg dat geen enkele soldaat me voor de voeten durft te lopen. Marina, Acht en Ella schakelen de soldaten een voor een uit, terwijl ik zo hard mogelijk verder ren. Negen is over het plafond komen hollen en bestrijdt de Mogs nu van bovenaf. Ik gooi een paar vuurballen naar de Mogs die het dichtste bij zijn en binnen enkele seconden staan ze allemaal in lichterlaaie, waarna ze veranderen in een dikke wolk as en rook. Ik hou pas op met hollen als ik de laatste Mog zie vallen. Als we de andere kant van de ruimte hebben bereikt, werp ik een grote vuurbal naar de deur, die uit elkaar knalt. Ik neem een paar seconden de tijd om te bewonderen hoe goed dat werkte. Zelfs BK heeft een stel Mogs te grazen genomen. Maar dit is duidelijk niet het juiste moment voor zelfgenoegzaamheid. Misschien is Negens instelling wel op mij overgeslagen. We draaien ons allemaal om, om te zien wat er nu komt.

Zes

Setrákus Ra heeft iets met me gedaan. Ik kan me niet meer bewegen en sta als aan de grond genageld. Aanvankelijk vraag ik me af of dit een gevolg is van de afmattende strijd, van de bizarre wond op mijn hand, of van allebei. Dan dringt het tot me door dat er iets ernstig mis is, iets wat me het onmogelijk maakt om me te bewegen. Ik dwing me om op te kijken naar Setrákus Ra, die nu dreigend voor me staat. Hij heeft een gouden staf met een zwart oog aan het handvat tevoorschijn gehaald, en terwijl hij die nu voor zich uitsteekt, gaat het oog langzaam open, knippert en draait naar links en naar rechts, voordat het me opmerkt. Dan sluit het oog zich langzaam, gaat snel weer open en straalt een gekmakend fel, verblindend rood licht uit. Terwijl de rode gloed over mijn hulpeloze lichaam kruipt, laat die een raar, tintelend gevoel op mijn huid achter. Ik moet me nu echt bewegen. Ik moet weg van dat enge licht, weg van wat het ook is dat het met me doet, maar ik kan me niet bewegen. Mijn hand lijkt wel een ton te wegen. Ik ben kwetsbaar en ik moet weer controle krijgen – op de situatie, op mijzelf. Maar dat lukt me niet.

Het licht uit het oog is nu paars en het rolt over mijn gezicht. Ik lik aan mijn lippen en proef iets verbrands. Setrákus Ra loopt naar me toe totdat hij op ongeveer een meter afstand is. Ik doe mijn ogen dicht en klem mijn kaken op elkaar, en ik denk aan John en

Katarina en Sam en Marina en Ella. Ik zie Acht en Henri en Crayton en zelfs Bernie Kosar. Ik zal Setrákus Ra niet de eer gunnen dat ik hem aankijk terwijl hij mij doodt. Iets warms en zachts raakt mijn voorhoofd, als een golf warme lucht. Ik zet me schrap voor wat het zou kunnen zijn dat er nu te gebeuren staat; ik bereid me voor op de afschuwelijke kwellingen die dat ongetwijfeld met zich mee zal brengen. Als er niets gebeurt, doe ik mijn ogen open en zie dat Setrákus Ra daar maar staat te staan. Of liever gezegd: er komen brede banen rood en paars licht uit het oog in de kop van zijn staf, en die kruipen nu heen en weer over zijn grote en zware lijf.

Setrákus Ra begint te trillen en een fel wit licht omlijnt zijn schouders en armen. Hij valt op zijn knieën, stuiptrekkend, terwijl zijn grote hoofd met schokkende bewegingen op en neer wipt. Dan komt zijn doffe, wasachtige huid los van zijn botten en spieren. Als de huid zich even later weer om zijn krimpende lijf hecht, is die olijfkleurig geworden. Er groeien lange blonde haren uit zijn hoofdhuid totdat hij een kop vol haar heeft. Als hij me aankijkt, wil ik hem wanhopig graag aanvallen maar ik kan me nog steeds niet verroeren. Hij is mij – met grijze ogen, hoge jukbeenderen en blondgeverfd haar.

'Om mij op jou te laten lijken, moet je in leven blijven,' zegt hij met mijn stem. 'Voorlopig tenminste.' Hij brengt zijn handpalm omhoog alsof er een magneet in het plafond zit en een andere magneet in mijn inmiddels zwart geworden hand. Ik word omhooggetrokken, sla met een klap tegen het plafond en blijf daar bungelen, vijftien meter boven de vloer. Er weergalmt een pijnlijk luid gezoem door mijn hoofd. Ik probeer opnieuw om Ella telepathisch te bereiken, maar ik kan mezelf niet eens horen denken, laat staan háár. Als ik mijn vrije hand naar de aan het plafond geplakte hand breng, wordt die ook zwart. De zware stijfheid die het onmogelijk maakt om mijn hand op te tillen, verspreidt zich door mijn hele lijf. Ik kan alleen mijn ogen nog bewegen. Mijn hele lichaam is nu zwart. Zwarte steen.

29
Vier

Opnieuw neem ik de leiding. Marina loopt achter me aan, en Bernie Kosar loopt grommend naast haar. Ella heeft mijn kistje nog steeds onder de arm, en Acht en Negen lopen vlak achter haar. Mijn vuur heeft me onoverwinnelijk gemaakt, en de vlammen waarin ik nog steeds gehuld ben, zorgen ervoor dat elke Mog die om een hoek of door een deur komt, onmiddellijk in lichterlaaie staat en dan verandert in een hoopje as. Het vuur heeft zich niet alleen verspreid over mijn hele lijf, maar ook over mijn geest. Nooit eerder heb ik me zo vol zelfvertrouwen gevoeld, zo gefocust en zo vastberaden om onze vijanden te verslaan.

'Ze heeft nog steeds niet geantwoord!' roept Ella als we een volgende gang vol met sirenes en knipperlichten binnenlopen. 'Ik weet niet of ze me kan horen.'

'Nou, dood is ze niet, want we hebben nog geen nieuwe littekens,' zegt Negen, en hij steekt zijn been voor zich uit alsof hij het wil bewonderen.

Het vuur waarin ik gehuld ben, laait steeds hoger en breder op. Terwijl ik door de gang loop, likken de vlammen hongerig aan de wanden en het plafond. Het is moeilijk in woorden te vatten hoe ongelooflijk veel energie ik nu heb. Ik ben nauwelijks meer in staat om het in bedwang te houden, en ik heb het gevoel dat ik elk ogenblik uit elkaar kan spatten. Ik ben klaar om het op te nemen tegen Setrákus Ra en ik weet dat de anderen er net zo over denken. Negen en Acht zijn net sloopkogels die door de gang stuiteren en de ene na de andere Mog tot een hoopje as beuken, en Marina vecht zonder enige angst, en gebruikt alle middelen die haar maar ter beschikking staan om de soldaten hoog de lucht in te gooien. Ella, die nog niet veel Erfgaven heeft, kijkt een beetje jaloers toe, terwijl we de Mogs van ons af meppen. Ik wilde maar dat ik tijd had om even te blijven staan en haar te vertellen hoe belangrijk haar bijdrage is, hoeveel haar telepathische vermogen ons heeft geholpen om elkaar te vinden en dat zij als jongste Loriër de belichaming vormt van ons lange leven en de kracht van onze Garde. We zijn gereed om Loriën te heroveren en dat is alleen maar mogelijk door de bijdragen die wij allemaal geleverd hebben. De gang splitst zich en we moeten snel beslissen welke kant we op gaan. Uit elkaar gaan is nu geen optie meer.

'Oké, vuurjongen, welke kant op?' vraagt Negen.

Marina doet een stap naar voren en zegt: 'Deze kant.' Haar vermogen om in het donker te zien is beter dan het beperkte zicht dat mijn Lumen biedt, dus ik doof mijn vlammen en we lopen allemaal achter haar aan naar links.

Bij de ingang van een lange en brede zaal vol hoge bruine zuilen, aarzelt Marina geen moment, en de rest van ons al evenmin. We hebben onze wapens in de aanslag als we aan de andere kant van de zaal het gedreun van stampende laarzen horen. Ik geef Marina een tikje op haar arm. 'Hé, kun je zien wie dat zijn?'

'Ja, volgens mij zijn het Amerikaanse soldaten. Het zijn beslist geen Mogs. Het zijn er wel veel. Ik weet het niet, twintig, dertig? Misschien wel meer.' Ze draait zich om en loopt naar hen toe, en wij volgen haar voorbeeld. Zonder veel moeite slagen we erin om hen opzij te duwen, en hun geweren met onze telekinese zo te verbuigen dat ze onbruikbaar worden. Dan lopen we een volgende gang in, linksaf, en even later staan we recht tegenover een stuk of tien Amerikaanse soldaten in zwarte uniformen, die een zware metalen deur bewaken. Zodra ze ons zien, stellen ze zich zo op dat de hele gang geblokkeerd wordt, en ze openen het vuur. Alsof het van tevoren zo is afgesproken, brengen Marina en Acht allebei hun handen omhoog en houden de kogels tegen, zodat die een paar centimeter voor de geweerlopen blijven hangen. Negen doet onmiddellijk mee en gebruikt zijn geest om de wapens uit de handen van de soldaten te rukken en hij tilt de soldaten op en duwt ze tegen het plafond. Ieder van ons pakt een geweer.

Negen duwt de punt van zijn staf in de kier tussen de sponning en de deur die ze bewaakten en wrikt die uit zijn hengsels.

Achter de deuropening is weer een gang, maar hier zien we aan beide zijden een lange rij deuren. Negen rent voor ons uit en duwt zijn oor even tegen elke deur.

Telkens weer blijkt het een ongebruikte controlekamer. Een eind verderop treffen we een stel kamertjes aan, lege cellen zo te zien. Ik vraag me af of we nu wat dichter bij Zes in de buurt komen. Ze zou zich achter een van deze deuren kunnen bevinden.

Dan zie ik een bloedspoor voor een van de deuren. Van tien meter afstand ruk ik de deur uit zijn sponning. Het is pikdonker in de cel. Voordat ik kans zie om mijn Lumen te gebruiken dringt Marina langs me heen. 'Er ligt iemand!' roept ze.

We horen een jammerend geluid uit de achterste hoek van de cel komen en met mijn handen schijn ik in het donker. Daar, bang en onder het vuil, is iemand van wie ik gedacht had dat ik die nooit meer terug zou zien. Sarah. Ik laat me op mijn knieën zakken, terwijl mijn licht mat straalt. Ik open mijn mond om iets te zeggen, maar ik kan niet meer dan een piepend geluid uitbrengen. Ik probeer het nog eens: 'Sarah.' Ik kan niet geloven dat ze hier voor me zit. Ik kan niet geloven dat we haar gevonden hebben.

Sarah kijkt snel even op en trekt haar knieën tegen haar borst. Ze ziet er bang uit. Bang voor mij. Ze laat haar hoofd op haar knieen zakken en snikt. 'Asjeblieft, doe me dit niet aan. Hou me niet nog een keer voor de gek. Niet op deze manier. Ik kan er niet tegen. Ik kan er niet meer tegen.' Ze trilt nu over haar hele lijf. Volgens mij is het niet eens tot haar doorgedrongen dat ik niet alleen ben. Ik voel hoe de anderen achter me staan, in het duister gehuld.

'Sarah,' fluister ik. 'Ik ben het, John. We zijn gekomen om je naar huis te brengen.'

Negen houdt zich op de achtergrond, maar ik hoor hem tegen iemand mompelen: 'Dus dit is de beroemde Sarah: ziet er goed uit, zelfs als ze onder het vuil zit.'

Sarah trekt haar benen nog strakker tegen haar borst en gluurt over haar knieën. Ze ziet er zo kwetsbaar en bang uit dat ik niets liever zou willen dan haar in mijn armen nemen. Maar ik beweeg me langzaam, op alles voorbereid. Dit zou een valstrik kunnen zijn. Ik ben niet zover gekomen om nu alles te verspelen met impulsief optreden. Als ik mijn hand op haar schouder leg, gilt ze het uit van angst. Ik voel gewoon hoe de anderen ineenkrimpen door de pure angst in haar stem.

Ze drukt zich met haar rug tegen de muur, zodat haar haren aan het ruwe beton blijven hangen. Dan kijkt ze op naar het plafond en roept: 'Hou me niet nog langer voor de gek! Ik heb je alles al verteld. Hou me alsjeblieft niet nog eens voor de gek!'

Marina doet een stap naar voren, zodat ze nu naast me staat. Ze pakt me bij mijn schouder, schudt me heen en weer. 'John, we kunnen hier niet blijven. We moeten verder. We moeten Sarah meenemen!'

Nu ziet Sarah eindelijk de anderen. Ik zie hoe het tot haar doordringt dat Marina daar staat en op haar neerkijkt. Haar ogen worden groot en rond en ze kijkt weer naar mij, en dan naar de anderen, die nu dichterbij zijn gekomen. De tranen lopen over de dikke laag vuil op haar wangen. 'Wat gebeurt er? Zijn jullie hier echt? Zijn jullie hier allemaal echt?'

Ik kniel weer naast haar neer. 'Ik ben het. Wij zijn het. Dat beloof ik je. Kijk eens, zelfs Bernie Kosar wil hallo zeggen.' Hij trippelt naar haar toe en likt aan haar hand, terwijl hij verwoed met zijn staart kwispelt.

Ik leg mijn hand in die van haar en als ik de schrammen en blauwe plekken op haar polsen zie, vullen mijn ogen zich met tranen. Ik duw haar vingers tegen mijn lippen. 'Sarah, luister alsjeblieft. Ik weet dat ik je een keer in de steek heb gelaten. Maar ik beloof je dat ik dat nooit meer zal doen. Hoor je me? Ik zal je nooit meer in de steek laten.' Ze zit nog steeds naar me te kijken, alsof ik elk ogenblik kan verdwijnen of in een vuurspuwend monster kan veranderen.

Duizenden andere dingen waarover ik al zo lang heb nagedacht, flitsen nu door mijn gedachten en ik doe mijn best om méér te zeggen. Snel denk ik terug aan ons laatste gesprek op het speelterrein, een paar seconden voordat de politie me wegvoerde. 'Hé, Sarah. Weet je nog toen ik zei dat ik elke dag aan je denk. Weet je dat nog?' Ze kijkt me aan en knikt. 'Nou, dat heb ik gedaan en dat doe ik nog steeds. Elke dag.' Ze permitteert zich een aarzelend glimlachje. 'Geloof je nu wel dat ik het echt ben?' Ze knikt opnieuw. 'Sarah Hart. Ik hou van je. Ik hou alleen maar van jou. Hoor je me?'

Ze kijkt zo opgelucht dat ik zin krijg om haar op te tillen en haar te zeggen dat het voorbij is, en dat ik ervoor zal zorgen dat ze veilig is. Altijd. Ze legt haar handen op mijn wangen en kust me.

'Vier, schiet op! We moeten verder,' roept Acht. Hij en de anderen zijn de cel uit gelopen en speuren ongerust in beide richtingen de gang af.

Er is een explosie in de gang en Acht holt ernaartoe om te zien wat er aan de hand is, op de voet gevolgd door Ella en Marina. 'Schiet eens een beetje op, man!' roept Negen naar mij en hij gebaart als een waanzinnige naar de deur. 'Zet die chick op haar voeten, dan kunnen we ervandoor! Sarah Hart, het is hártstikke leuk om je te ontmoeten, maar je moet écht in beweging komen! Nú!'

Negen holt naar ons toe en helpt me om Sarah overeind te zetten. Zodra ze eenmaal op haar benen staat, geeft hij haar vlug een knuffel. Het warme welkom lijkt haar te verrassen, en onwillekeurig vraag ik me af wat hij bedoelt met de knipoog die hij me over haar hoofd heen toewerpt. 'Sarah Hart, verdomme nog aan toe! Heb je enig idee hoeveel die gast hier over jou praat?' Ik glimlach naar Sarah, en daarna naar Negen.

'Nee.' Sarah lacht zachtjes, leunt tegen me aan en verstrengelt haar vingers met de mijne.

'Oké, oké. En nu meekomen, jullie twee,' zegt Negen en hij draait zich om naar de deur.

Ik tuur Sarah in haar blauwe ogen. 'Voordat we gaan, moet ik je iets vragen. En jij moet begrijpen dat ik dat wel móét vragen. Je werkt toch niet voor de overheid en de Mogs?'

Sarah schudt haar hoofd. 'Waarom vraagt iedereen me dat toch steeds weer? Ik zou jullie nooit verraden.'

'Wacht. Wie is iedereen? Wie heeft je dat nog meer gevraagd?' vraag ik.

'Zes,' zegt Sarah, en het lijkt haar te verrassen dat ik dat zelfs maar hoef te vragen. Ze spert haar blauwe ogen wijd open. 'Hebben jullie haar niet gevonden?'

'Heb je Zes gezien?' zegt Marina opgewonden. 'Wanneer dan? Waar?'

'Ze is aan het vechten met Setrákus Ra,' zegt Sarah, die nu duidelijk weer in paniek raakt. 'Ze hebben haar een tijd geleden weggehaald.'

'Wat? Daar komt niets van in! Dat is míjn gevecht!' schreeuwt Negen.

'Maak je geen zorgen, man! Als we ons haasten, laat ze misschien wel een stukje voor je over,' zeg ik. En dan kijk ik om de hoek van de deuropening en zie dat Acht, Marina en Ella naar ons toe komen hollen.

'Die kant op!' roept Marina.

Ik grijp Sarahs hand en trek haar achter me aan. Iedereen holt naar het einde van de gang, waar Bernie Kosar woest blaffend voor een metalen deur staat, zo groot als een vrachtluik op een laadperron.

Deze keer gebruikt Negen zijn rotsblokje om door de deur heen te kijken. Net als de vorige keer verschijnt er een witte lichtkegel en daarna kunnen we recht door het metaal heen in een reusachtig grote ruimte kijken. 'Zo te zien gebeurt er iets daarbinnen. Ik zie beweging in de schaduwen,' zegt Acht. 'Ik teleporteer me er wel doorheen om de boel te verkennen.'

'Even wachten, Acht,' ik houd mijn hand op om hem tegen te houden. 'Geen verkenning. We moeten dit gewoon met z'n allen doen.'

Acht kijkt me even aan een knikt dan. 'Je hebt gelijk. Dit is een taak voor ons allemaal.'

Als we allemaal bij de deur staan, kijk ik naar de rij vastberaden gezichten. Zelfs Sarah kijkt vastberaden. In een handomdraai is ze van een huilend meisje veranderd in een woeste krijger. Heel indrukwekkend. Natuurlijk heeft ze geen idee wat er straks gaat gebeuren, terwijl wij daar tamelijk zeker van zijn. Dit zou weleens een gevecht van epische proporties kunnen worden, misschien zelfs wel de laatste slag. Mijn onderbuikgevoel zegt me dat alles wat tot nu toe is gebeurd tot dit moment heeft geleid. Dit zou weleens kunnen zijn waar we al die tijd naartoe gewerkt hebben.

'Wat daarbinnen ook is, wat er ook gebeurt,' zeg ik, en ik laat mijn handpalmen oplichten, 'we gaan Setrákus Ra doden. Wat er ook gebeurt.' Ik zeg dit tegen mezelf, niet tegen de anderen.

'Dat zijn we allemaal met je eens, gast,' zegt Negen.

Ik hou een gloeiende handpalm boven de deur en net als ik op het punt sta om die uit zijn sponningen te laten knallen, komt een vrouw met rood haar en een arm in een mitella door een deur aan het andere uiteinde van gang gestrompeld. Zij en ik happen allebei op precies hetzelfde moment naar adem, maar dan draait ze zich om en schiet terug door de deur.

'Wacht! Agent Walker!' roep ik haar na.

'Walker? Dat méén je toch niet?' vraagt Negen vol ongeloof. 'Dat chickie dat heeft geprobeerd ons gevangen te nemen?' De anderen staan wat verdwaasd te kijken en weten duidelijk even niet hoe ze het hebben, voordat Acht het woord neemt.

'Ik ga haar wel even halen,' zegt hij en hij verdwijnt uit het zicht. Als hij een ogenblik later weer opduikt, heeft hij haar bij zich, met haar armen op haar rug gedraaid. Het eerste wat ik doe is de gouden badge van haar bloes rukken.

Negen plukt het ding uit mijn hand en gaat er zeer nadrukkelijk naar staan kijken. 'Wel, wel, wel, wie hebben we hier? Special agent Walker?' Negen lacht. 'Dame, jij ziet er verschrikkelijk uit!' Haastig geeft hij me de badge terug, alsof het ding plotseling onder de bacillen zit.

'Weet je wel wat een treurige figuur jij bent?' roep ik. 'Je sluit deals met de Mogs, je doet het vuile werk voor hen, en waarom? Ze gaan jullie vernietigen!'

'Ik doe gewoon mijn werk,' zegt ze stijfjes. Acht houdt haar stevig vast. 'We handelen in het landsbelang.' Ze kijkt me uitdagend aan, maar ik weet dat we haar duidelijk zullen maken hoe bang ze voor ons moet zijn.

Sarah wijst naar haar. 'Ik heb jou al eerder gezien. John, zij was erbij toen Zes werd weggehaald.'

Negen grijpt agent Walker bij haar bloesje, als een boef uit een misdaadfilm. Acht blijft haar armen stevig vasthouden. Negen houdt zijn gezicht recht voor het hare. 'Ik wil deze. Ik ben degene die haar straks mag doden.'

Walker wil terugdeinzen, maar Acht houdt haar stevig vast en ze probeert zich los te rukken. 'Wacht! Ik weet waar jullie ruimteschip is!' smeekt special agent Walker. 'Ik weet dat jullie dat willen hebben, en zonder mij vinden jullie het nooit.'

'Is ons ruimteschip hier?' vraagt Marina, die duidelijk niet goed weet of ze wel kan vertrouwen op wat agent Walker allemaal zegt.

De pupillen van de special agent vernauwen zich. 'Ik laat het jullie zien als jullie me laten gaan.'

'Wat denk jij, Vier?' vraagt Negen.

'John? Wat gebeurt er als jullie je schip vinden?' vraagt Sarah, die nu mijn arm vastgrijpt.

'We hebben hier geen tijd voor!' zegt Marina. 'Ik weet dat Zes daar in die ruimte is. Het feit dat dat mens hier alles uitkraamt wat haar voor de mond komt om ons ervan te weerhouden naar binnen te gaan, zegt me dat ik het bij het rechte eind heb! Vergeet haar! Wat maakt het uit waar dat schip van ons is als we Zes niet hebben!'

'Laat haar maar aan mij over,' zegt Negen. Walker zweeft omhoog en even later bungelt ze aan haar ceintuur aan de lamp hoog boven ons. Haar gezicht ziet rood van woede. Negen kijkt ons eens aan, knipoogt, en knipt met de vingers van zijn ene hand, zodat de deur uit haar sponningen knalt. 'Marina heeft gelijk. Zes en Setrákus Ra gaan voor. Zullen we dan maar?'

Hij glimlacht naar Sarah. 'Je bent een echte vechtersbaas als ik Johnny hier mag geloven.' Hij geeft haar Walkers Mog-kanon aan. 'Denk je dat je haar hiermee in bedwang kunt houden?'

Sarah neemt het kanon van hem over. 'Als ze ook maar één vin verroert, schiet ik haar kapot. Met plezier.'

Ik kijk naar de rest van de Garde. 'Het is tijd.'

We hollen naar binnen. We hoeven niet uit te zoeken wie wat gaat doen. Dat weten we gewoon. Het is stil en donker, en een vreselijke stank vult de lucht. Het enige waar ik aan kan denken is de arena die telkens weer in mijn visioenen verscheen. Ben ik daar nu? Ik kijk om me heen en probeer te zien of dat ook werkelijk zo is. Het middelpunt van de grote hal is zwak verlicht. Negen holt naar de lichtkring en roept: 'Het is tijd om met ons te komen spelen, Setrákus Ra. Hufter die je bent!'

'Waar is Zes?' zegt Marina. Samen met Acht komt ze bij Negen in het midden van de hal staan. Ze zetten hun kistjes neer en kijken om zich heen.

'Hé jongens! Er zit iets aan het plafond,' zegt Ella, en haar stem weergalmt door de ruimte. Ik kijk omhoog en zie een kleine rotsformatie aan het plafond hangen.

Ik schijn met mijn Lumen op het voorwerp, en in het felle licht lijkt het bijna een standbeeld. 'Dit is niet goed,' zeg ik zachtjes. 'Ik weet niet waarom, maar er is iets mis.'

Terwijl we in het duister turen en alert zijn op elk teken van beweging, maakt Negen gebruik van zijn antizwaartekracht om het plafond op te hollen en de rotsformatie te bekijken. Als hij dichterbij komt, hoor ik een vertrouwde stem 'Stop!' roepen.

Ik draai me razendsnel om en zie Zes in haar eentje in de deuropening staan. Er hangt een eind dik touw in een lus om haar heupen, en ze heeft een grillig gevormd blauw zwaard in haar hand. Zo te zien is ze niet gewond. Dat is de Zes die ik me herinner: sterk en vol zelfvertrouwen. Is het haar gelukt? Is het mogelijk dat Zes Setrákus Ra al gedood heeft?

'Zes! God, jij bent het!' roept Marina. 'En je bent niet gewond!'

'Het is voorbij,' zegt Zes. 'Setrákus Ra is dood. De rotsformatie aan het plafond is Mogadorisch vergif. Blijf er uit de buurt.'

De opluchting in de lucht is tastbaar. Acht teleporteert naar Zes toe en slaat zijn armen om haar heen in een stevige omhelzing. Zes was altijd al de sterkste van ons, zelfs sterker dan Negen of ik. Zojuist heeft ze Loriën, de Aarde en misschien wel het hele universum gered. Ik wil haar op mijn schouders tillen en triomfantelijk met haar teruglopen, helemaal naar Loriën.

Ik doe een paar stappen in haar richting, maar Ella grijpt mijn pols en trekt me naar achteren. Ik hoor haar in mijn geest, John. Er is iets mis.

Daarna lijkt alles wat er gebeurt zich in slow motion te voltrekken. Zes haalt uit met het blauwe zwaard en steekt het naar voren. Vol afgrijzen zie ik Acht verstarren, en dan duikt de punt van het zwaard op tussen zijn schouderbladen. Acht valt voorover. Zes duwt hem van haar zwaard af, zodat hij op de vloer ploft en daar roerloos blijft liggen.

'Nee!' roept Marina achter me en ze holt naar Acht toe.

Ik sta verlamd van schrik toe te kijken, totdat mijn instinct tot vechten het overneemt. Ik kijk omlaag en zie dat zich in mijn rechterhand een grote vuurbal heeft gevormd. De verwarring van daarnet is nu verdwenen, en ik weet wat me te doen staat. Dit kan Zes niet zijn. En wie het ook mag zijn, ik moet hem doden.

'Zes,' zeg ik, en ik laat de vuurbal op mijn vingertoppen ronddraaien. 'Wat hebben ze met je gedaan?'

Ze lacht en balt een vuist met haar vrije hand. Blauwe bliksemschichten schieten weg tussen haar knokkels en verspreiden zich over het dak. Mijn vuurbal verdwijnt. Wat is er aan de hand?

'Vier!' Ik kijk omhoog en zie Negen vallen. Zijn antizwaartekracht werkt nu kennelijk ook niet meer. Ik weet hem zo op te vangen dat hij niet met zijn hoofd tegen de grond slaat en help hem overeind.

Marina is beschermend voor Acht gaan staan, met haar wapen in de aanslag en klaar om te vuren. Acht ligt nog op de grond en ik kan van hieruit niet zien hoe hij eraan toe is. Ik weet dat hij in elk geval nog leeft, want ik heb geen nieuw litteken. Marina geeft een vuurstoot, maar de kogels blijven enkele centimeters van Zes' gezicht in de lucht hangen en vallen dan nutteloos op het beton. Ik probeer mezelf opnieuw te laten oplichten met mijn Lumen, maar er gebeurt niets.

Terwijl ze haar zwaard hoog in de lucht steekt, begint Zes te stuiptrekken en om haar silhouet zie ik een wit randje verschijnen. Ze wordt langer en haar blonde haar slinkt tot er niet meer van over is dan een klein plukje boven op een grote schedel. Haar gezicht verlengt zich en neemt een andere vorm aan, en zelfs voordat ik het paarse litteken zie, besef ik al dit Setrákus Ra is. Twee bataljons Mog-soldaten komen zwijgend tevoorschijn uit deuren in de zijwanden van de hal, en komen aan weerszijden naast hem staan. Zonder maar één woord te zeggen, gaan Negen, Marina, Ella en ik beschermend om Acht heen staan, om duidelijk te maken dat we het gezamenlijk tegen hem op zullen nemen.

'Jullie allemaal op één plek. Wat gemakkelijk voor mij. Ik hoop dat jullie klaar zijn voor de dood,' gromt Setrákus Ra.

'Volgens mij heb je dat mis,' antwoord ik.

'Dat dacht Nummer Zes ook. Maar zij had het mis. Heel erg mis zelfs.' Hij grijnst, zodat zijn weerzinwekkende en bevlekte tanden schitteren in het zwakke licht.

Negen kijkt me aan en wrijft gretig in zijn handen. 'Johnny, jongen, heb ik je al eens verteld hoeveel belang ik hecht aan een goede mondhygiëne?' Hij kijkt weer naar Setrákus Ra. 'Poets jij eerst maar eens je tanden, voordat je er zelfs maar aan durft te denken mij te bedreigen!' Hij steekt zijn gloeiende rode staf uit, draait zich naar Setrákus Ra en valt aan. Gelukkig beschikken we nog steeds over de vermogens die deel uitmaken van ons Erfdeel.

30

Zeven

Vanuit mijn ooghoeken zie ik Negen op Setrákus Ra afstormen. Ik draai me weer om naar Acht en kijk of ik hem kan genezen. Ik leg mijn handen op de wond in Achts borstkas en wacht tot mijn Erfgave het weer doet. Maar er gebeurt niets. Ik smeek Acht om vol te houden, om de pijn te verdragen, maar zijn bruine ogen draaien naar achteren en zijn adem wordt steeds oppervlakkiger. In paniek denk ik terug aan die rotstekening in de Lorische grot, de tekening waarop Acht wordt gedood door het zwaard van Setrákus Ra. Komt de voorspelling nu uit? Wanhopig blijf ik mijn handen op zijn borstkas gedrukt houden.

'Marina!' roept John. 'We moeten Acht en jou deze ruimte uit zien te krijgen. Nú! Ik heb het idee dat als we uit de buurt van Setrákus Ra kunnen komen, onze Erfgaven het weer doen. Als ik gelijk heb, kun je Acht nog steeds redden.'

'Hij is bijna dood,' weet ik uit te brengen. 'Misschien is het al te laat, wat we ook doen.' Ik kan me er niet toe brengen om hem te vertellen over de rotstekening. Ik vraag me af of Acht nog in staat is om zich die te herinneren, en om te beseffen wat die zou kunnen betekenen. Ik hoop van niet.

'Dan moeten we opschieten,' zegt hij. Hij geeft me een Mog-kanon aan en tilt Acht op. 'Schiet alles en iedereen die niet bij ons hoort hiermee neer.'

We proberen de honderd meter naar de deur zo snel mogelijk af te leggen, terwijl we tegelijkertijd proberen de anderen die nu in gevecht zijn niet uit het oog te verliezen. Met elke Mog die ik onderweg tot een hoopje as reduceer, voel ik me sterker. Ik probeer me maar niet af te vragen waar Zes – de echte Zes – zich nu bevindt en wat er met haar is gebeurd. Ik wíst dat het Zes niet was. Ik wilde dat ik dat ding had gedood, nog voordat het liet zien wie het werkelijk was. Ik scan de ruimte. Negen is in gevecht met Setrákus Ra en hij schiet duidelijk niet veel op. Zijn staf is niet opgewassen tegen Ra's zwaard. Hoe sterk Negen ook mag zijn, het lijkt bijna alsof Setrákus Ra met hem speelt en alleen maar wacht op het juiste moment om dodelijk toe te slaan.

De kracht en het zelfvertrouwen die ik daarnet voelde, zijn nu weer verdwenen. Er zijn gewoon te veel Mogs. We zijn duidelijk ver in de minderheid. En we moeten het zonder onze Erfgaven zien te stellen, wat inhoudt dat we niet meer dan een stel kinderen zijn. Tieners die het moeten opnemen tegen een goed georganiseerde, buitenaardse strijdmacht. Ik vind het afschuwelijk om de anderen te moeten achterlaten, maar ik weet dat John gelijk heeft. Ik weet dat ik hier weg moet als ik nog enige kans wil hebben Acht te genezen. En Acht redden is de enige mogelijkheid.

We zijn bijna bij de deur als er een stuk twintig Mogs op ons af komen stormen. Sommige hebben kanonnen, andere hebben zwaarden, en allemaal zien ze er bijzonder angstaanjagend uit. Ik probeer hen neer te schieten, maar de vuurstoten die ik hun kant op jaag, lijken geen enkele invloed te hebben op de oprukkende horde. Het zijn er gewoon te veel. John slaagt erin om Acht vlak buiten de deur neer te leggen, en dan komt hij me weer helpen en gaat woest met zijn zwaard zwaaiend in de aanval. Ik vecht naast hem. Ik zal John niet in de steek laten, hoe groot de overmacht ook mag zijn. We beschermen elkaar en we ontlenen kracht aan elkaar als we ons zwak voelen. Daarom hebben we ons zo lang weten te handhaven, en daarom zullen we winnen. Samen zijn we sterker.

John maait de Mogs nu een voor een neer, systematisch en snel. Ik blijf voortdurend schieten en probeer zo de deuropening te blokkeren en Acht te beschermen. Ik kijk even om de hoek van de deur om te zien hoe hij eraan toe is. Ik voel zijn pols, die heel zwak is, en ik merk dat mijn Erfgave nog steeds niet is teruggekeerd. Ik leg mijn handen op zijn borstkas en fluister hem fel toe: 'Je kunt niet sterven, Acht. Hoor je me? Ik zal je genezen. Mijn Erfgave zal terugkomen en dan zal ik je genezen.'

Dan realiseer ik me dat de aanvallende Mogs nu allemaal verdwenen zijn – gedood – en de abrupte stilte doet me opschrikken.

'We moeten opschieten. Straks komen er meer,' zegt John dringend.

We horen een oorverdovend gebrul – en door de deuropening zien we dat Bernie Kosar de gedaante van een monsterlijk beest heeft aangenomen, en nu wordt omsingeld door Mogs die proberen met hun zwaarden op hem in te hakken. Telkens springt hij net op tijd weg om aan hun zwaardhouwen te ontkomen, maar al kunnen de Mogs hem dan niet te pakken krijgen, hij weet hen ook niet te verwonden. Net als we de hal binnenstappen, zien we hoe Setrákus Ra een zweep tevoorschijn haalt. De punten daarvan vliegen in brand, terwijl hij Negen op zijn arm raakt. De wond wordt onmiddellijk zwart. John draait zich om en wil me iets zeggen, maar dan hoor ik een schot. Voordat ik zelfs maar in de gaten heb wat er gebeurd is, stuiptrekt Johns lichaam en hij valt op de grond.

Zes

Ik zit tegen het plafond geplakt, levend begraven in zwarte steen. Ik kijk toe hoe de rest van de Garde voor hun leven vecht en kan mijn eigen lijf niet eens voelen! Laat staan dat ik hun kan laten weten dat ik hier boven hen hang. Ik ben hulpeloos en dat is een vreselijke ervaring. Ik heb mijn hele leven lang voortdurend geleerd wat ik moest doen om niet hulpeloos te zijn. Setrákus Ra is geen groot strijder. Hij slaagt er alleen maar in om ons uit te schakelen, omdat hij in staat is om ons van onze krachten te beroven. Ik wil nú daar beneden staan, met zijn hoofd in mijn handen, zodat alle Mogs het kunnen zien. Ik wil er zeker van zijn dat ze zien hoe hun leider wordt gedood, en daarna zou ik hen achterlaten als onderdeeltjes van een grote hoop as.

Ben ik er nu getuige van hoe de droom van Loriën sterft? We dachten dat we zo sterk, slim en goed voorbereid waren. We dachten dat wij de oorlog zouden beëindigen en terug zouden vliegen naar Loriën. Dwazen, arrogante dwazen waren we! We hadden weleens van Setrákus Ra gehoord, de grote en verschrikkelijke Mogadorenleider, maar we wisten niets over de manier waarop hij vocht, niets van de krachten waarvan hij gebruik zou maken tijdens de strijd. Achteraf gezien lijkt het voor de hand liggend dat hij over het vermogen zou beschikken om ons van onze Erfgaven te beroven.

Ik wilde maar dat ik met de Garde kon communiceren – dan zou ik in staat zijn om van hieruit hun bewegingen te coördineren. Van hieruit kan ik goed zien dat de Mogs weliswaar over enorme lichaamskracht beschikken, maar dat het hun volstrekt ontbreekt aan mentale techniek. Die kerels zijn bijna net zo dom als de steen waarin ik nu veranderd ben: ze laten van tevoren duidelijk merken welke beweging ze gaan maken. Hun aanvalsplan is gemakkelijk te doorgronden, omdat ze eigenlijk geen plannen hebben. Dit is een strijd van aantallen en brute kracht. Zo'n tegenstander valt te verslaan als je weet met wat voor iemand je te maken hebt, maar in het heetst van de strijd is dat vaak moeilijk te zien. Ik wilde maar dat ik de Garde kon waarschuwen dat ze al hun energie en kracht op Setrákus Ra moeten richten. Anders vrees ik dat de strijd niet van lange duur zal zijn en dat de Mogs vrijwel zeker zullen winnen.

Ik zie hoe Bernie Kosar een houw van een zwaard krijgt. Hij heeft zichzelf omgevormd tot een enorm monster, hetzelfde monster dat hij ook in Paradise was. Zijn lijf is stevig en gespierd, zijn tanden en klauwen scherp en vol venijnige kartelrandjes, en er zijn twee gekrulde hoorns uit zijn kop gegroeid. Ik zie dat Setrákus Ra Negen een klap geeft met zijn zweep, en dat Negens arm zwart wordt, en ik kan daar alleen maar uit opmaken, dat hij binnenkort in dezelfde positie zal verkeren als ik. John is neergeschoten en ligt nu kronkelend van de pijn op de grond. Marina pakt een kanon van de grond en opent het vuur op de oprukkende Mogs.

Ella sluipt de hal uit. Heeft ze een plan?

Ik word afgeleid door het geluid van BK, die nu brult van de pijn. Ik zie dat hij op zijn knieën is gezakt. Hoewel hij nog steeds doorvecht, en links en rechts Mogs doodbijt, stroomt het bloed nu uit zijn wonden. Het is afschuwelijk om hulpeloos te moeten toezien hoe hij langzaam vernietigd wordt en zoveel pijn moet lijden.

Vier

Ik ben aan het doodbloeden: ik voel hoe mijn bloed en mijn kracht uit me wegstromen en ik kan er niets tegen beginnen.

De Mogs blijven maar oprukken, de ene golf na de andere. Ik heb geen idee hoeveel we er al gedood hebben vandaag, maar het lijkt niet uit te maken. Zonder onze Erfgave is het net zoiets als een tsunami proberen tegen te houden met een stuk Zwitserse kaas.

Marina staat achter me en ze beschiet de Mogs. Ik kijk naar Bernie Kosar en zie dat de Mogs touwen om zijn hoorns hebben geworpen en hem nu uit zijn hoek van de zaal wegsleuren.

'Lafaard, je bent gewoon een lafaard! Je moet ons eerst verlammen om ons te kunnen verslaan!' hoor ik mezelf schreeuwen. Ik hoor Negen gillen. Ik zie hem in het midden van de ruimte, een van zijn armen is zwart en loodzwaar en bungelt nutteloos langs zijn zij, terwijl Setrákus Ra de zweep omhoogbrengt.

Setrákus Ra glimlacht. 'Schelden doet geen zeer. En het verandert niets aan het feit dat jij nu gaat sterven.' Hij haalt uit met de zweep. Negen probeert de vlammende punten af te weren met zijn staf, maar met één arm is dat niet mogelijk. Een van de punten van de zweep raakt zijn hand, zodat de staf op de grond valt en de andere punt raakt Negen recht in zijn gezicht. Terwijl zijn hand en gezicht allebei zwart worden, schreeuwt hij het uit van de pijn. Setrákus Ra loopt naar hem toe. Ik moet doen wat ik kan, voordat ik volkomen nutteloos ben, of dood, en dus vuur ik liggend op de grond mijn Mog-kanon af op Setrákus Ra. Op zijn best ben ik niet meer dan een afleiding, maar ik zal alles doen wat ik kan. De Mogadorenleider houdt alle projectielen tegen, terwijl ze nog in de lucht hangen en smijt ze opzij alsof het niets is.

Ik hoor een nieuwe bron van kanonvuur. Ik kijk achterom naar de deur en zie Sarah de zaal binnenlopen, op de voet gevolgd door Ella, terwijl ze intussen op de Mogs vuurt. Ze is hier niet op getraind. Een veldslag met de Mogs en Setrákus Ra kan ze op geen enkele manier overleven! 'Sarah!' schreeuw ik. 'Weg hier! Dit is jouw strijd niet!'

Sarah negeert me en loopt steeds verder de ruimte in. Negen probeert weg te lopen van Setrákus Ra, maar zijn armen, die nu allebei volkomen zwart zijn, belemmeren hem in zijn bewegingen. Zijn gezicht wordt al snel net zo zwart als zijn armen. Setrákus Ra slaat hem opnieuw met de zweep, en deze keer raken beide punten zijn borstkas. Negen schreeuwt het uit en Setrákus Ra brult: 'Jij zou mijn gevaarlijkste tegenstander zijn, hoorde ik, maar moet je toch eens kijken: jij bent helemaal niets!'

Terwijl Setrákus Ra uithaalt met de zweep om Negen de genadeslag te geven, springt Ella achter Sarah vandaan en gooit iets kleins en roods naar hem toe. Het raakt Setrákus Ra op zijn arm. Hij kijkt geschrokken omlaag en begint oorverdovend te brullen.

Ik voel iets in me veranderen. Het gebeurt heel snel en met heel veel kracht, alsof iemand me heeft aangesloten op een krachtbron. Ik tuur naar mijn handen en probeer ze voor de zoveelste keer te laten oplichten. Tot mijn verbazing lukt het deze keer. We hebben onze Erfgaven terug.

Achter me hoor ik Marina roepen en ze rent naar Acht toe, die nog steeds vlak achter de deur ligt. Ik zie haar met haar handen over zijn borstkas strijken en zijn wonden genezen. Ze kijkt me aan door de deuropening. 'Wat gebeurde er nou?'

Ik schud mijn hoofd. 'Geen idee, maar nu kunnen we tenminste echt vechten.'

Met gloeiende handpalmen loop ik terug naar het midden van de zaal, waar Setrákus Ra nu naar zijn arm klauwt en probeert het kleine rode voorwerp eruit te trekken dat Ella naar hem toe gegooid heeft. En dan lukt het hem. Hij draait zich om en met zijn zweep haalt hij uit naar Ella en Sarah, die nog steeds met dat Mogkanon staat te schieten. Ze springen niet snel genoeg opzij en de zweep raakt hen. Ze zakken allebei in elkaar.

Zes

Zodra het pijltje Setrákus Ra raakt, voel ik de omslag. Ik heb mijn Erfgaven weer. En mijn kracht komt nu ook langzaam terug. Nu heb ik de kans om hier weg te komen en de anderen te helpen.

Ik begin te worstelen binnen het zwarte omhulsel, en nu voel ik mezelf daarbinnen enigszins bewegen, maar nog niet genoeg om eruit te kunnen breken.

Terwijl ik blijf worstelen, kijk ik onder me. John staat daar bij Sarah en Ella, die allebei op de grond liggen. Hij heeft een bloedspoor achtergelaten, plus overal hoopjes as. Marina is terug naar buiten gehold om Acht te verzorgen. Bernie Kosar staat nog steeds in een hoek, maar nu scheurt hij de Mogs aan flarden die hem een paar seconden geleden nog aan zijn hoorns voortsleepten. In het midden van de ruimte staat Negen nog steeds recht tegenover Setrákus Ra, maar inmiddels is hij erin geslaagd om zijn handen en gezicht te bevrijden uit de zwarte steen die zijn hele lijf in bezit aan het nemen was.

Het geeft me hoop om dat te zien, hoop dat ik nu ook uit mijn eigen stenen gevangenis zal kunnen losbreken, en ik blijf worstelen, totdat ik merk dat de steen wat meegeeft. Het zal niet lang meer duren voordat ik eruit ben. Panisch probeer ik mezelf te bevrijden. Het enige wat ik op dit moment wil is Setrákus Ra laten merken hoe het voelt om eens écht te moeten vechten.

Zeven

Net toen ik de hoop had opgegeven dat ik Acht nog zou kunnen helpen, kwamen mijn Erfgaven weer terug. Ik leg mijn handen op de wond in het midden van zijn borstkas en voel hoe mijn krachten beginnen te werken. Met elke seconde die voorbijgaat, slaat zijn hart sterker. Ik heb mijn hele leven nog nooit zoiets fijns gevoeld, dat constante klop, klop, klop. Als ik niet betrokken was bij het grootste gevecht van ons hele leven, de strijd om onze toekomst, zou ik nu beginnen te huilen, maar ik blijf sterk en hou mijn emoties in bedwang.

Ik kijk omlaag en zie hoe Acht moeizaam zijn ogen opent en naar me opkijkt. 'Je moet weten... Zes heeft geprobeerd...' zegt hij.

Ik val hem in de rede. 'Het was Zes niet. Het was Setrákus Ra. Ik weet niet hoe het kan, maar hij was het.'

'Maar...?' De verwarring in Achts ogen is hartverscheurend om aan te zien.

'Acht, ik kan het nu niet allemaal uitleggen. Hoe voel je je? Kun je staan? We moeten naar binnen, ons bij de rest aansluiten en samen vechten. Ben je klaar? Ik moet John genezen en ik wil dat jij de Mogadoren afleidt. Begrepen?'

Hij knikt en ik wil opstaan, maar dan realiseer ik me dat er nog iets is wat ik moet doen, voordat het te laat is. Ik kijk hem recht in zijn ogen, zijn prachtige bruine ogen, haal eens diep adem en dan kus ik hem. Als ik weer rechtop ga zitten, kijkt hij me geschokt aan. Ik haal mijn schouders op en glimlach. 'Hé, stel niet uit tot morgen wat je vandaag kunt doen, zo is het toch?' Voordat hij iets kan terugzeggen, draai ik me om en ga op zoek naar John. Ik moet hem genezen en snel ook. Hij heeft drie kanonschoten opgevangen om mij te beschermen. Als ik hem niet nu meteen genees, overleeft hij dat niet.

Acht en ik volgen het bloedspoor dat aangeeft waar John naartoe gelopen is. Door alle kanonschoten hangt er een dikke rookwolk in de lucht. Als we John vinden, zit hij op zijn knieën, terwijl hij met zijn handen vuurballen afschiet op een enorme bende Mogs die proberen Ella en Sarah te bereiken. Terwijl we naar hem toe lopen, schieten de Mogs op ons, maar nu ik mijn telekinese weer kan gebruiken, ben ik in staat om hun schoten af te weren, en Acht kan nu ook weer terugvechten. Ik hol naar John en begin zijn wonden te genezen. Hij ademt moeizaam en ziet heel bleek. Hij heeft zoveel bloed verloren.

'John! Je moet even stoppen, zodat ik je kan genezen!' Ik moet hard roepen om me door alle chaos en drukte heen verstaanbaar te maken. Ik grijp hem bij zijn kin en dwing hem om naar me op te kijken.

Hij schudt zijn hoofd en probeert zich los te rukken. 'Als ik ophoud, doden de Mogs Sarah en Ella.'

'Als je niet ophoudt, ga jíj dood. Acht is genezen. Hij kan de meisjes wel verdedigen terwijl ik jou genees. Alsjeblieft, John! We hebben je nodig.' Ik merk dat hij niet meer tegenstribbelt.

Ik kijk wat aandachtiger naar de wonden op zijn benen. Ze lijken erg op elkaar. In beide benen zit een gapend gat. Ik begin met het rechterbeen en voel onmiddellijk dat zijn dijbeen ook gebroken is. Ondanks zichzelf schreeuwt hij het uit terwijl de breuk zich begint te hechten, maar het geluid gaat verloren in het kabaal om ons heen. Terwijl ik doorga, balt hij zijn vuisten.

Het tweede been is minder zwaar gewond, waardoor ik het sneller kan genezen. John begint nu alweer wat minder moeizaam te ademen. Ik pak zijn arm en roep in zijn oor: 'Je ziet er al een heel stuk beter uit!'

Ik leg mijn hand op de wond in Johns bovenarm en ik voel dat zijn spieren, de biceps en de triceps, aan flarden zijn gereten. Het zal wel een paar minuten duren voordat ik die genezen heb. Acht vuurt nog steeds op de aanhoudende stroom Mogs, maar ze komen nu in zulke grote aantallen op ons af gestormd, dat het moeite kost om hen bij te houden.

Ik voel hoe Johns spieren zich eindelijk weer hechten, en dan is hij genezen. Hij kijkt naar me en ik geef een knikje. Hij springt overeind en holt naar Acht toe, om hem te helpen Ella en Sarah te beschermen, die nog steeds op de grond liggen.

Vier

Ik voel me sterk. Goed. Sarah en Ella hebben iets wonderbaarlijks gedaan waarmee we onze Erfgaven weer terugkregen, wat het ons mogelijk maakt om terug te vechten, maar nu zijn ze allebei gewond. Ik zal de Mogs tot op de laatste soldaat toe in as veranderen, omdat ze mijn vrienden kwaad hebben gedaan.

Ik hol naar hen toe, terwijl ik met mijn handen grote vuurballen naar de Mogs gooi. Ik weet dat het nooit een goed gevoel zou moeten geven om een levend wezen te doden, maar op dit moment voelt het geweldig. Nu ik weer in actie ben, teleporteert Acht van de ene plek naar de andere, hij verschijnt recht voor de Mogs en hakt ze aan stukken met zijn zwaard. Negen is nog steeds in gevecht met Setrákus Ra, maar die twee bewegen zich nu zo snel dat ze niet meer zijn dan een waas. Ik moet me in het gevecht storten, maar ik moet ook hier blijven om Sarah en Ella te beschermen.

Plotseling loopt een van de Mogs die op mij af komt een andere kant op. Hij richt zijn kanon niet op mij, maar rechtstreeks op Sarah en Ella, die nog steeds roerloos op de grond liggen. Hij vuurt en ze beginnen te stuiptrekken. Ik begin te schreeuwen.

Zeven

Ik kijk vol afgrijzen toe hoe Ella en Sarah geraakt worden met het vuur uit een Mog-kanon. John bereikt hen en ik hol naar hem toe. Hij knielt naast de twee meisjes neer en houdt hun hand vast, terwijl hun lichamen schudden. We zijn te laat.

Na alles wat we hebben meegemaakt, nadat we zover gekomen

zijn en elkaar eindelijk hebben teruggevonden, staan we op het punt om weer een lid van de Garde te verliezen. En Sarah. John heeft haar net teruggevonden en nu zal hij haar weer verliezen. Ik doe mijn ogen dicht en zet me schrap voor een volgend litteken dat zichzelf in mijn been zal branden, een litteken voor Ella. Ik weet dat dit litteken het meeste pijn zal doen van allemaal.

Maar er gebeurt niets. Is er iets anders aan Ella, iets waardoor haar dood geen litteken achterlaat? Dat kan niet. Ik doe mijn ogen open en kijk naar John, die nog steeds over Sarah en Ella heen gebogen zit, en nog steeds zeer geconcentreerd hun hand vasthoudt.

Dan kijk ik wat aandachtiger naar de meisjes en ik kan mijn ogen niet geloven. Ze zijn geraakt met een Mog-kanon en hebben afschuwelijke brandwonden in hun gezicht, maar die zijn nu aan het genezen. 'Wat gebeurt er? Hoe doe je dat?' vraag ik John, en ik kijk hem vol verwondering aan.

'Ik heb geen idee,' zegt hij hoofdschuddend. 'Ik wist niet dat ik dit kon. Ik zag Sarah op de grond liggen en ik kon haar niet laten sterven, en Ella al evenmin. Niet nog een lid van de Garde. Dat kan ik niet laten gebeuren, zeker niet nu we samen zijn. Ik heb hun hand vastgepakt en erover gedacht hoe graag ik wilde dat ze zouden genezen, hoe graag ik wilde dat ík hen kon genezen... en toen gebeurde het plotseling gewoon.'

'Je hebt een nieuwe Erfgave ontwikkeld!' roep ik en ik geef hem een kneepje in zijn schouder.

'Of ik wilde het gewoon zo graag dat er een wonder is gebeurd. Wat het ook zijn mag, ze zijn nu allebei aan het genezen.' Hij lacht even. Het is een lach vol uitputting en opluchting. John kijkt naar het midden van de ruimte, waar Negen nog steeds in gevecht is met Setrákus Ra. 'Marina, dit is niet het moment waarop we Setrákus Ra verslaan. Zelfs al hebben we nu onze Erfgaven terug, dat gaat ons nu volgens mij nog niet lukken, en ik wil niet het risico nemen dat we nog een lid van de Garde verliezen. We moeten Zes vinden. En daarna moeten we een manier zoeken om hier zo snel mogelijk weg te komen, zodat we ons kunnen hergroeperen en een plan kunnen maken. We doden hem met z'n allen of we sterven met z'n allen. Maar we doen het op onze voorwaarden, als we weten dat we daar klaar voor zijn.'

We horen gekreun en kijken naar Sarah en Ella. Hun ogen zijn open en er komt weer wat kleur op hun wangen. John buigt zich over hen heen en geeft Sarah een kus.

Zes

Het omhulsel begint nu eindelijk te breken. Ik strek mijn armen en trap met mijn benen en terwijl de laatste zwarte steen verkruimelt, val ik naar beneden. Ik gebruik mijn telekinese om zachtjes neer te komen.

Ik blijf een seconde liggen en probeer op adem te komen. De rook is zo dik dat de tranen me in de ogen springen. Plotseling doet een enorme explosie de ruimte schudden op haar grondvesten. Er gaat een alarm af, rode lichten flitsen en er klinkt een doordringend luide sirene. Ik kan Johns Lumen zien branden en zoek me door de rook een weg naar hem toe. Ella, Marina en Sarah staan naast hem, en als ik dichterbij kom, verschijnt Acht, die zich naast Marina teleporteert. Bernie Kosar heeft weer de vorm van een hond aangenomen en komt hinkend naar John toe gelopen.

Ella schreeuwt het uit als ze me ziet en ze slaat haar armen om me heen. Ik omhels haar ook en kijk daarna naar John. Het zien van zijn gezicht is als een droom die werkelijkheid wordt. Hij legt een hand op mijn arm. 'Gaat het goed met je?'

Ik knik. 'En met jou?' vraag ik, en ik weet dat ik nu net zo uitgeput en verslagen klink als ik me voel.

'We zijn tot nu toe allemaal nog in leven, maar waar is Negen?' antwoordt hij, en terwijl we om ons heen kijken dringt het tot ons door dat we hem niet meer met Setrákus Ra horen vechten. We hollen naar het midden van de ruimte, naar de plek waar Negen met Setrákus Ra in gevecht was. Hij ligt roerloos op de grond en Setrákus Ra is nergens te bekennen. Marina laat zich naast hem op haar knieën vallen en begint panisch met haar handen over zijn lichaam te wrijven, terwijl ik wild om me heen kijk en wanhopig door de rookwolken heen probeer te kijken om er zeker van te zijn dat Setrákus Ra zich niet ergens verborgen houdt, totdat hij de kans krijgt om ons gevangen te nemen of te doden. Afgezien van het schrille gepiep van de alarmsignalen is het onheilspellend stil in de ruimte, en het dringt tot me door dat nergens meer een Mogadoor te bekennen is.

'Hij leeft nog!' roept Marina. 'Hij is alleen maar wat versuft.' Negen gaat rechtop zitten, en schudt zwaar aangeslagen zijn hoofd.

'Wat is er gebeurd?' vraagt hij.

'Dat wilde ik jou net vragen,' zegt Acht. 'Er klonk een harde knal en toen was iedereen ineens weg. Op ons zeven na dan.'

'Ik weet het niet. Ik heb niet gezien waar hij naartoe ging. Het ene moment probeerde ik nog om me Setrákus Ra van het lijf te houden, en toen lag ik ineens op de grond.'

'Wat doen we nu?' vraagt Sarah.

'We moeten hier weg,' zegt John. 'Setrákus Ra kan elk moment weer opduiken en hier zijn we niet veilig, zelfs al is dit een basis van de Amerikaanse overheid.'

'Weet iemand hoe we hier wegkomen?' vraag ik. We kijken elkaar grimmig aan.

'We zullen de basis moeten verlaten zoals we gekomen zijn,' zegt Acht. 'Mijn teleportatievermogen is niet sterk genoeg voor zoveel tegelijk.'

'Oké,' zegt John. 'We weten niet wat we onderweg naar buiten nog tegenkomen, en misschien zullen we ons wel een weg moeten zien te banen langs nog meer Mogadoren of menselijke soldaten, maar we moeten nu bij elkaar blijven. We gaan nooit meer uit elkaar.'

Negen stapt naar me toe, en neemt me aandachtig op. 'Ik geloof niet dat iemand ons al aan elkaar heeft voorgesteld. Leuk om officieel kennis met je te maken, schatje. Ik ben Negen,' zegt hij, en hij knipoogt. Ik rol met mijn ogen en John laat een minachtend gesnuif horen.

Ik kijk even om me heen. Het is een wonder dat we allemaal samen zijn, levend en wel. Alle levende Loriërs op Aarde minus één staan nu op een paar vierkante meter bij elkaar.

We leven nog, en we zijn nog in staat om te vechten, en dat wil zeggen dat we nog steeds een kans hebben. We zullen het opnieuw tegen Setrákus Ra opnemen. En snel. En de volgende keer zal hij niet ontkomen.

ISBN PAPERBACK 978 94 005 0209 3
ISBN E-BOOK 978 90 449 6179 9

Pittacus Lore

Ik ben Nummer Vier

We kwamen hier met ons negenen. We zien eruit als jullie. We praten als jullie. We leven net als jullie. Maar we zijn anders. We kunnen dingen doen waar jullie alleen maar van kunnen dromen. We hebben krachten die jullie wildste dromen te boven gaan. We zijn sterker en sneller dan alles en iedereen. We zijn de superhelden uit jullie films en stripverhalen. Maar we bestaan echt.

Ons plan was om te groeien, om te trainen en sterker te worden. Om gezamenlijk te vechten. Maar zíj wisten ons te vinden. Nu zijn we op de vlucht. We proberen onopgemerkt door het leven te gaan, op plekken waar je ons nooit zou zoeken. We gaan op in de massa. We zijn jullie buren, vrienden, klasgenoten, zonder dat jullie het weten.

Maar zíj weten het wel...
Ze kregen Nummer Een te pakken in Maleisië, Nummer Twee in Engeland en Nummer Drie in Kenia. Ze werden alle drie gedood. Ik ben Nummer Vier.
Ik ben de volgende.

'Pittacus Lore heeft met dit eerste boek een zinderende start gemaakt. [...] Buitenaards goed.' – CRIMEZONE.NL